CWRW AM DDIM

A rhesymau eraill dros ddysgu'r iaith

CWRW AM DDIM

A rhesymau eraill dros ddysgu'r iaith.
Stori wir gan

Chris Cope

Gomer

Cyhoeddwyd yn 2009 gan Wasg Gomer,
Llandysul, Ceredigion SA44 4JL.

ISBN 978 1 84851 067 8

Dymuna'r cyhoeddwyr gydnabod cymorth
Cyngor Llyfrau Cymru.

Argraffwyd a rhwymwyd yng Nghymru
gan Wasg Gomer, Llandysul, Ceredigion.

Cyflwyniad

I Rachel, fy ngwraig brydferth, ffyddlon, amyneddgar, garedig, ragorol-o-dda-yn-y-gwely. Dwi ddim eisiau meddwl sut y byddai bywyd hebddot ti.

Diolch i bawb yng Ngwasg Gomer am eu cefnogaeth a'u harweiniad, ynghyd â'r cyfle i ysgrifennu.

Diolch i Annie, Bethan Mair, Chris, Danielle, Dyfrig, Elain, Eric, Fflur, Garmon, Geraint, Jen, Llŷr, Mair, Marc, Owen, Papa, Paul, Rhodri, Rhys a Sara.

Diolch i Dduw am greu merched, Texas, Minnesota, y BBC, Brains a'r rhyngrwyd. Ond yn fwy na hynny, diolch i chi – y person sy'n darllen.

'It would be funny if it were a cartoon.'
– Fy mam, yn sôn am fyw.

Welsh is the only language you learn
to be able to talk to fewer people.
– A. A. Gill

1

Fy nhro cyntaf

Dyn hynod o ddeallus yw Paul. Gorffennodd e'n gyntaf yn ein blwyddyn yn yr *high school* – tra gorffennais i ar y gwaelod. O dan y gwaelod a dweud y gwir. Roedd yna 414 o fyfyrwyr yn ein blwyddyn ni, a ches i fy rhestru fel rhif 416. Tybiwyd, fe ymddengys, petasai yna ddau berson arall yn ein blwyddyn, y buasent yn fwy myfyrgar na fi. Wel, chwarae teg. *Fair assumption.*

Erbyn hyn, *Dr* Paul yw fy hen gyfaill. Enillodd ei Ph.D. ym Massachusetts Institute of Technology (MIT), sef un o'r prifysgolion gorau yn y byd. Mae'r lle'n meithrin athrylithoedd. A ydych chi'n cofio'r Cymro canmoledig hwnnw, Ioan Gruffudd, yn chwarae rhan Dr Reed Richards yn y ffilm *Fantastic Four*? Hen brifysgol Dr Reed Richards oedd MIT. A'r dyn a greodd firws cyfrifiadur i drechu'r estroniaid gofod yn y ffilm *Independence Day*? Bu yntau yn yr MIT. A Timothy McGee, yn y rhaglen deledu *NCIS*? Ie, cyn-fyfyriwr MIT eto. Yn gyffredinol, pan fo Hollywood eisiau mynegi bod cymeriad yn arbennig o ddeallus, caiff ei addysgu ym MIT. Dylent newid arwyddair y brifysgol i: 'Saving the world's ass since 1865. You're welcome'.

Ond doedd dim angen gradd ffansi ar gyfer y sylw a wnaeth Paul ar y prynhawn gwanwyn cynnar hwnnw yng Ngogledd Cymru. Gallai unrhyw un fod wedi dehongli ein sefyllfa. Gallai mwnci meddw fod wedi gweld y peth. Er, wn i ddim sut y byddai'r creadur brwysg wedi cyfathrebu ei sylwadau inni.

A hefyd, mae mwncïod yn drewi. Byddai'n anodd rhannu ystafell hostel ag un ohonyn nhw. Diolch i'r drefn doeddwn i ddim yn teithio gyda mwnci, ond gyda Paul – dyn craff iawn, hyd yn oed ar ôl yfed.

'I think those girls were talking about us,' meddai.

'Really, Paul?' meddwn i yn wawdlyd. 'What was your first clue?'

'The laughing and pointing.'

Dyna'r tro cyntaf i mi glywed yr iaith Gymraeg. O hynny ymlaen, byddai fy mywyd yn newid am byth.

*

Roedd Paul a fi'n teithio ar draws Ewrop yng ngwanwyn 1997, yn ceisio dilyn y dull o fyw hwnnw y breuddwydiem amdano yn ôl ym Minnesota. Gall talaith fy magwraeth fod yn lle hardd, croesawgar a chysurlon. Ond wrth dyfu lan yno teimlem ni, ei phreswylwyr annwyl, fod yna rywbeth ar goll. Mae'n lle godidog i fachgen dyfu – gyda'i choedwigoedd a'i nentydd, ei hafonydd a'i llynnoedd. Yn enwedig y llynnoedd. Mae gan Minnesota ormodedd o lynnoedd. Cyfeirir at Minnesota gan ei phreswylwyr a'i bwrdd croeso fel 'The Land of 10,000 Lakes', er y dywedir bod y rhif go iawn yn agosach i 12,000. Mae gan Minnesota fwy o ddŵr na sydd gan Gymru o dir. Mae cymaint o lynnoedd yno fel nad oes enwau arnyn nhw i gyd. Ac o'r rheiny a enwyd, mae gan sawl ohonynt yr un enw. Er enghraifft mae yna 154 llyn gyda'r enw Long Lake; mae yna 201 llyn gyda'r enw Mud Lake. Y pwynt yw hyn: mae yna lawer iawn o lynnoedd. Os ydych chi'n hoffi dŵr, byddwch yn dwlu ar y 32ain talaith. Ond beth arall sydd yno? Diwylliant, er enghraifft? Wel, roedd *L'Etoile du Nord* yn brin yn yr agwedd honno yn y dyddiau hynny. Neu, fel hynny y teimlai i ni, ei phobl ifainc, yn ein hieuenctid byrbwyll.

Ynysir Minneapolis/St Paul (sef y 'Twin Cities') gan gannoedd ar gannoedd ar gannoedd o filltiroedd o dir amaethyddol. Mae Chicago yn daith yrru o naw awr; mae Efrog Newydd neu California ddyddiau i ffwrdd. Felly datblyga hiliogaeth Minnesota (a phobl fel fi, a symudodd yno pan oeddwn i'n 12 oed) awydd ac eisiau ac angen i fynd i Rywle Arall. Breuddwydiwn am fynd i Rywle Arall yn ddi-baid, a chanmolwn y rheiny sy'n mynd yno. Ble bynnag y mae. Does dim ots. Rhywle Arall yw rhywle heblaw Minnesota. Ein Mecca ni yw Rhywle Arall.

Yn ein pennau ni, felly, roedd Paul a fi'n deithwyr soffistigedig ac anturus, os gall y fath beth fod. Roeddem yn fonheddwyr cedyrn, bydol-ddoeth, yn mynd ati i flasu bywyd i'w lawnder – dau Hemingway heb yr analluedd rhywiol. Ond, y gwir amdani yw na wnaem ddim byd mwy cyffrous na mynd i dafarnau Wetherspoon a thynnu lluniau o'r peiriant condom. Yfem ormod o Budweiser a Guinness, a chwympem i lawr, ac, er gwaethaf ein hymdrechion chwerthinllyd i fercheta, aem i'n gwelyau ar ein pennau ein hunain.

Ond mewn chwa o feiddgarwch roeddem ni wedi bodio ein ffordd i Ddolgellau – neu 'Dal-gê-LAW', yn ôl ein hymgais ar ynganu'r enw – a bellach roeddem ni ar fws yn ceisio cyrraedd rhywle lle roedd gorsaf drenau. Roeddem wedi meddiannu pedair mainc ar y bws: un i Paul, un i fi, un i sach deithio Paul, ac un i fy sach deithio i. Lledai'r ddau ohonom ar y meinciau a datgan wrth ein gilydd pa mor flinedig yr oeddem. Nofiai ein pennau mewn cwrw. Roedd yr hwyliau'n dda. Byddai gennym ddwsinau o straeon i'w hadrodd a'u hailadrodd wrth ein cyfeillion yn ôl ym Minnesota: am y cwrw, y gwin, y wisgi, y rỳm, y jin, y peiriannau condom. Byddent yn wyrdd gan genfigen. Ac onid pwynt teithio yw ennyn eiddigedd eich cyfeillion? Paul a fi oedd Brenhinoedd y Byd.

Hyd nes i'r glaslancesi ddod ar y bws.

Roedd tair ohonynt.

Dewinesau.

Andwywyr eneidiau dynion.

Does dim ots pa oed yw dyn, mae yna rywbeth am laslances sy'n codi pylau o ofn arno. Mae rhywbeth mor greulon, mor galonrwygol am chwerthiniad glaslances sy'n brifo dyn i'w graidd. Pan ân nhw ati i gael hwyl ar eich pen, ni allai unrhyw artaith fod yn waeth. Rhowch imi sgriwiau bawd, *water-boarding*, neu sioc drydan; mae dirmyg glaslances yn *cruel and unusual punishment*. Tawelais, felly, wrth i'r Tair Glaslances ddewis mainc y tu ôl i mi. Gwnaeth Paul yr un peth. Eisteddom yn gefnsyth. Roeddem ni'n oposymiaid. Efallai y gallem osgoi tynnu sylw atom ein hunain. Efallai y gallen ni oroesi nes cyrraedd y dref neu'r pentref nesaf. Cyfathrebais â Paul trwy gyswllt llygaid taw gadael y bws cyn gynted â phosib fyddai orau. Cyfathrebodd yn feddyliol ei fod yn cyd-weld. Ond roedd yn rhy hwyr.

Clywais sibrydion a giglan, ac yn sydyn bloeddiodd y Tair Glaslances â chwerthin, gan glegar yn daranllyd mewn rhyw iaith anghyfarwydd. Swniai'r iaith fel Almaeneg ond nid Almaeneg oedd hi, fel Iseldireg ond nid Iseldireg, a gyda phatrymau tebyg i batrwm Saesneg Prydeinig.

Dyma, sylweddolais yn sydyn, oedd yr iaith Gymraeg.

OK, iawn. Gwn fod gan bawb duedd i feddwl eu bod nhw'n gyff gwawd pan fo pobl o'ch cwmpas yn siarad iaith estron, ond, credwch fi, roedden nhw'n torri Paul a finnau'n yfflon. Bwriai'r sen i lawr ar ein pennau fel petaem ni dan warchae. Edrychwn i ar Paul, edrychai e arnaf innau; gwyddem nad oedd dim byd y gallem ei wneud am y peth. Ymbiliem ar i'r stop nesaf gyrraedd yn gyflym.

*

'One of them was kind of cute,' meddai Paul wrth inni wylio'r hen fws llychlyd yn sboncio o'n golwg.

'I'm going to hope you're referring to the older one,' meddwn i. 'You should have tried your luck. I'm sure it would have gone over really well.'

'So that was Welsh, huh?' meddai.

'I think so. I read somewhere that they teach it in the schools.'

'Hmm. Can't say I'm a fan. Certainly not the prettiest language ever; you can see why it died.'

'I don't know. It was alright. Be funny to learn it, though. Just so I'd be prepared if I ran into a situation like that again.'

Trodd y ddau ohonom tua'r pentref i ganolbwyntio ar geisio canfod tafarn er mwyn lladd amser a chelloedd ymennydd tan y deuai'r bws nesaf. Pwy feddyliai taw hwn fyddai cychwyn fy nhaith yn yr iaith? Pwy fuasai'n dychmygu y byddai'r iaith hon, yn ogystal â'i siaradwyr a'r wlad lle y tarddodd ohoni, yn dod i fod yn ganolog i fy mywyd? Ond dyna fel y bu. Y profiad hwn yn y bws oedd fy medydd.

Stori am fy mlynyddoedd cyntaf yn y Profiad Cymraeg yw'r llyfr hwn, sef y profiad o ddysgu'r iaith a cheisio fy nghymhwyso i'w chymdeithas. Mae'n stori am y llwybr hir, troellog, anodd ac anwastad o'r bws ymhell-o-bobman i wneud gradd yn y Gymraeg; o fod heb ddim gwybodaeth o'r iaith i fod yn destun rhaglen ddogfen ar S4C. Ers y diwrnod hwnnw ar y bws rydw i wedi cael fy herio sawl gwaith gan y Profiad

Cymraeg. Rhoddodd imi rai o bwyntiau uchaf fy mywyd a rhai o'r rhai isaf, o deimlo fel brenin i fod eisiau marw. Mae'n brofiad rydw i'n ei fyw o hyd – profiad sy'n fy ngwthio, yn fy nhynnu, yn fy nhwyllo ac yn fy nhywys mewn amryw gyfeiriadau anhysbys. Mae'n brofiad sy'n dweud wrthyf bod yna rywbeth yng Nghymru ar fy nghyfer. Wn i ddim pam, na sut, ond rydw i i fod yma.

2

Pompey 'til I die

Nid achlysur braw y Tair Glaslances oedd y tro cyntaf i fi ymweld â Chymru; roedd hi wedi ceisio fy lladd chwe mis yn gynharach. Bues i bron â boddi yn afon Dyfrdwy ger Llangollen ym mis Hydref 1996. Roeddwn ar daith gyda chlwb canŵio Prifysgol Portsmouth, lle roeddwn yn fyfyriwr cyfnewid. Ar gwrs gwleidyddiaeth yr oeddwn i yn y dyddiau hynny, nid yn gymaint oherwydd diddordeb mewn sgiliau llywodraethol ond oherwydd diddordeb yn fy nghariad ar y pryd. Roedd gwleidyddiaeth yn fodd hawdd i mi fynychu prifysgol yn Ewrop. Erbyn hyn adwaenir y ferch ar fy mlog fel 'yr ast anfad o gyn-gariad sy'n dwyn eneidiau', felly gellwch ddychmygu bod pethau wedi mynd dipyn bach yn wael rhyngom ni. Tipyn bach. Roeddwn i wedi symud i Brydain er mwyn bod yn agosach at yr ast anfad o gyn-gariad sy'n dwyn eneidiau, tra mynychai hi brifysgol yn Ffrainc. OK, rwy'n cyfaddef nad yw Portsmouth yn arbennig o agos i Nantes, ond mae'n nes na Minnesota ac ni allwn siarad Ffrangeg. Mentrwn ar long o Portsmouth i Ffrainc bob pythefnos i'w gweld. Er gwaethaf hynny, dympiodd hi fi 30 munud cyn hanner nos ar Nos Galan 1996. Yr hen ast.

Nid fy mod i'n chwerw.

Ond fel yr oedd pethau, roeddwn i'n hapus yn Portsmouth. Gwnes i gyfeillion da – mae nifer ohonynt gennyf o hyd – a datblygais ymlyniad emosiynol wrth Brydain a fyddai'n allweddol i'm hawydd i ddysgu'r Gymraeg rai blynyddoedd yn ddiweddarach. Mewn sawl ffordd, teimlai Portsmouth/Lloegr/Prydain (roedden nhw'n un yn fy meddwl) yn fwy fel cartref na'r lleoedd amrywiol y bues i'n byw ynddynt o'r blaen. Darganfyddais le i mi berthyn iddo. Ac er ei bod yn greulon cyfaddef hyn, efallai, rydw i'n cael pleser o wybod bod yr ast anfad o gyn-gariad sy'n dwyn eneidiau wedi bod yn anhapus iawn yn Ffrainc. Roedd hi'n casáu ei phrofiadau yno. Tra oeddwn i wrth fy modd yr ochr arall i'r Sianel. Ha, ha, ha! Yr hen ast.

Nid fy mod i'n chwerw.

Ni lwyddodd afon Dyfrdwy i fy moddi, wrth gwrs. Diolch yn rhannol i fedr a chryfder cyd-ganŵydd o Portsmouth a'm cipiodd allan o'r dŵr gwyn. Diflannodd atgofion y bron-â-boddi yn gyflym, a pharhaodd delweddau o harddwch ac arallfydolrwydd Cymru yn fyw yn fy nychymyg am flynyddoedd. Gwn fy mod i'n peryglu colli nifer o gyfeillion wrth ddweud hyn, ond daeth Cymru, yn fy meddwl fy hun, i gynrychioli Prydeindod: hardd, hynafol, llawen, cyfeillgar, gonest, ac yn y blaen – popeth a roir yn y pamffledi twristaidd. Hefyd, roedd yna rywbeth amhosibl-i'w-ddisgrifio am Gymru a ddenai fi ati. Erbyn yr adeg pan ddaeth Paul i ymweld â fi yn y gwanwyn roeddwn yn frwdfrydig i ddangos y lle iddo.

Cyn ei chlywed yn Nolgellau wyddwn i ddim fod yr iaith Gymraeg yn bodoli. Wel, efallai mod i'n ymwybodol o'i bodolaeth yn y gorffennol. Hynny yw, gwyddwn y buasai yna, rywbryd, amser maith yn ôl, iaith a elwid yn *Welsh*, ond buasai farw. Nodiwch y defnydd o'r gorberffaith – rhywbeth a fu ac nad yw. Tybiwn i'r iaith farw gannoedd, os nad miloedd o flynyddoedd yn ôl. A hyd yn oed petai yna'r fath iaith â'r Gymraeg yn y presennol, ni feddyliwn fod yna'r fath beth â'r Cymry. Wel, gwyddwn fod yna bobl a elwid yn *Welsh* ond doedden nhw ddim yn arbennig o wahanol i'r *English* yn ôl y darlun o bopeth oedd gennyf yn fy mhen. Hynny yw, ar y map gwleidyddol a chymdeithasegol yn fy meddwl, roedd Cymru'n rhan o Loegr yn yr un ystyr ag y mae Gwlad yr Haf neu Hampshire neu East Anglia yn rhannau o Loegr.

Gwelwn yr arwyddion ffordd hwnt ac yma a ysgrifennwyd yn y Gymraeg, ond tybiwn taw gimics twristaidd oeddynt – rhywbeth i glodfori unigrywiaeth ddibwys a fu. Mae yna drefi ym Minnesota lle ysgrifennir Swedeg ar arwyddion ffordd (oherwydd i gynifer o ymsefydlwyr y dalaith ddod oddi yno), a gellir dod o hyd i faneri Sweden aneirif, ond does neb a fyddai'n meddwl: O, dyma rywle lle mae'r Swedeg yn fyw ac yn iach. 'Ursäkta mig, var är toaletten?'

Yn ogystal â hynny, gwelir ym Minnesota sawl lle ag enwau Sioux neu Anishinaabe, sef ieithoedd pobloedd gynhenid yr ardal. Ystyr 'Minnesota' yn iaith y Sioux yw 'tir y dŵr glas-yr-awyr'. Gwn hynny oherwydd hysbyseb cwrw; ond mae'n bur annhebyg y byddai rhywun yn clywed yr ieithoedd yn cael eu siarad yn y 'Twin Cities' erbyn hyn. A dweud y gwir, cyn dod yn fwy ymwybodol o ieithoedd lleiafrifol, meddyliwn taw ieithoedd wedi marw oedd Sioux ac Anishinaabe hefyd. Meddyliwn eu bod yn bodoli mewn ffilmiau neu sefyllfaoedd academaidd yn unig.

Hyd yn oed ar ôl clywed y Gymraeg gan y Tair Glaslances ni sylweddolais fod hon yn iaith fyw. Roedd y syniad o ddysgu'r Gymraeg yn cyd-fynd â'r argraff oedd gennyf o bobl Prydain, sef pobl sy'n mwynhau dysgu pethau dim ond er mwyn eu dysgu. Er enghraifft, mae gennych chi *Countdown*. Uffach, mathemateg a sillafu ar deledu?! Fyddem ni byth yn cael rhywbeth fel hynny yn yr Unol Daleithiau – dim ots pa mor ddeniadol yw'r cyflwynydd. 'Fancy learnin' is for communists'.

Y tro cyntaf i mi droi'r teledu ymlaen ym Mhrydain, gwelais gystadleuaeth cŵn defaid ar BBC2.

'Wô,' meddyliwn i. 'Dyma werin sy'n hoffi gwthio gwybodaeth ddibwys yn eu pennau.'

Felly doedd hi ddim yn syndod i mi y câi iaith farw ei haddysgu yn yr ysgolion. Ymddangosai'n beth neilltuol o Brydeinig i'w wneud; roedd yn estyniad o elfen ecsentrig y Prydeinwyr. Ond tybiwn fod yr iaith yn rhywbeth na ddefnyddid mohoni byth ond gan blant mewn ffordd debyg i'r hyn y defnyddiwn i'r Sbaeneg pan oeddwn yn fachgen yn Texas, sef er mwyn rhegi a sarhau. 'Mi ex-novia es puta; pero no estoy amargado.'

Ces i fy nharo gan realiti'r iaith fel iaith fyw, iaith go iawn, wrth gerdded trwy'r pentref anhysbys lle gadawyd Paul a fi gan y bws. Ar y stryd clywais fam-gu yn siarad â'i hwyres yn y Gymraeg. Digwyddodd; darfu'r clustfeinio mewn fflach; chlywais i mohoni tan ar ôl mynd heibio i'r ddwy. Troes fy mhen yn ôl i lygadrythu arnyn nhw wrth barhau i ddilyn Paul. Y fam-gu â chot lwyd a'r ferch ag esgidiau-glaw coch. Gallaf eu gweld yn fy nychymyg o hyd: y fam-gu'n plygu i siarad â'r ferch wrth afael yn ei llaw a'i rhybuddio i fod yn ofalus wrth groesi'r stryd. Neu dyna beth a dybiais (yn amlwg ni ddeallais yr hyn a ddywedwyd).

Yn y dafarn rhoddais bwniad chwareus i'm cyfaill gorau a sibrwd yn gynllwyngar: 'They actually speak it, Paul.'

'Speak what?' gofynnodd.

'Welshy whatever,' meddwn i. 'I heard an old lady using it back there.'

'You sure? How do you know it was Welsh?'

'Uhm, I don't know how I know. I just do. People actually speak the language, man. How weird is that?'

'Hmm. Maybe she was a Welsh teacher.'

Y noson honno, yn ein Gwely a Brecwast (ie, Gwely a Brecwast – roedd y ddau ohonom ni'n arbennig o fentrus, onid oeddem ni?), daeth Paul o hyd S4C ar y teledu.

'Holy shit. Look at this,' meddai. 'They really do speak it.'

Ces i fy swyno gan y cysyniad o'r iaith; y mae'n bodoli yma mewn rhyw gornel o Brydain ar hap. Yn yr Unol Daleithiau pan oeddem yn dysgu *European History*, ni ddysgem ddim mwy na hanes Prydain (gyda chyfeiriad achlysurol at Heddwch Westphalia neu Otto Von Bismark). Ond ddywedon nhw ddim byd wrthym ni am Gymru. Felly teimlai fel petai Paul a fi wedi darganfod byd newydd, byd anghofiedig. Roeddem ni wedi darganfod – ar strydoedd Prydain o bob man – werin ddiflanedig a siaradai iaith hynafol. Tybed a ddylem ni roi gwybod i archeolegwyr yn Llundain? Teimlai fel petaem ni mewn stori ledrithiol megis *Stardust* gan Neil Gaiman, lle mae yna deyrnas guddiedig o Stormhold i'w darganfod wrth gerdded trwy dwll yn y wal. Teimlai fel petaem ni mewn gwlad arall.

*

Dyma'r cyfan a wyddwn i am Gymru yng ngwanwyn 1997:

1 Mae ganddi'r Tywysog Charles. A dweud y gwir, rydw i'n hoffi'r boi. Cydnabyddaf nad yw hwnnw'n safbwynt arbennig o boblogaidd yng Nghymru y dyddiau hyn, yn enwedig ymhlith fy nghyfeillion. Ond fe yw sylfaenydd cwmni bwyd organig Duchy Originals ac mae ganddyn nhw gwrw blasus iawn. Felly ni allaf beidio â'i hoffi fe ychydig bach. Yn fy marn i, mae'n amhosib bod yn anfad pur os ydych chi'n fragwr.

2. Mae ganddi nifer o ddefaid. Dysgais y ffaith hon gan fy nghyfeillion Seisnig yng nghlwb canŵio Portsmouth. Mwy o ddefaid na phobl, medden nhw. Ac awgryment hefyd sawl peth blin a wnâi'r Cymry gyda'r defaid truenus hyn. Ymddengys eu bod nhw'n iawn – am y rhif, o leiaf. Dywedir bod gan Gymru tua 11 miliwn o ddefaid. Ni wyddys a yw'r rhif hwnnw'n cynnwys y defaid chwyddadwy hynny a welir yng nghanol dinas Caerdydd ar nosweithiau Sadwrn.
3. Mae ganddi fenywod â chluniau mawr. Ces i'r wybodaeth hon gan yr ast anfad o gyn-gariad sy'n dwyn eneidiau. Teimlai fod ganddi din mawr, a phenderfynodd roi'r bai ar eneteg, sef geneteg ei mam-gu. Evans oedd cyfenw ei mam-gu ac roedd ganddi hithau din mawr hefyd. Felly, yn ôl rhesymeg yr ast anfad o gyn-gariad sy'n dwyn eneidiau, mae gan bob un Gymraes damaid ychwanegol ar ei hochr a'i chefn. 'These damn Welsh hips,' byddai hi'n dweud wrth edrych arni hi ei hun mewn drych. Y dyddiau hyn, ar ôl byw yng Nghymru ers dyrnaid o flynyddoedd, fyddwn i ddim yn cytuno. Does gan Gymraësau ddim cluniau mwy nag unrhyw Ewropead arall. Ond rydw i wedi sylwi bod ganddyn nhw ddigonedd yn agosach i'r copa. Hynny yw, mae gan lawer o Gymraësau fronnau enfawr. Mae'n wir! Cymaint â'm pen! Petawn i wedi llwyddo i sylwi ar y nodwedd hon am y wlad yn ôl yn fy nyddiau Portsmouth, byddai fy serch tuag at Gymru wedi datblygu'n gyflymach o lawer.

A bellach gwyddwn fod gan Gymru ei hiaith fyw ei hunan. Ar ôl dychwelyd i Bortsmouth, ysgrifennais at fy ffrindiau i gyd yn yr Unol Daleithiau am antur Paul a fi: am y fam-gu a'r ferch a'u hiaith ryfedd, ac am y wlad fechan y tu mewn i wlad fechan a ddarganfuwyd gennym ni. Ond er hynny, nid oedd fy niddordeb mawr yng Nghymru, ei hiaith a'i phobl wedi datblygu eto.

Doedd gen i ddim rheswm am y fath beth. Doedd gen i ddim unrhyw gysylltiad â Chymru y tu hwnt i gluniau mawr dychmygol fy nghyn-gariad. Ac er taw prin yw'r hyn a wyddys yn sicr am wreiddiau fy nheulu, dywedwyd wrth fy mrawd a minnau taw Gwyddelod ydym ni. Doedd dim sôn am neb o Gymru. Ac ar ben hynny doedd gen i ddim cyfeillion Cymreig.

Yn Portsmouth, des i i nabod un ferch oedd yn dod o Gymru (er doedd ganddi hi ddim tin mawr na bronnau mawr) a oedd yn gyfaill i ferch yr oeddwn i'n ceisio ei thynnu. Arni hi (y Gymraes) y mae'r bai am graith sydd gennyf o hyd uwchben fy llygad chwith. Roedd hi'n fy nghwrso â jar Nutella (stori sy'n rhy hir i'w hadrodd yma) a thrawais fy mhen yn erbyn ffrâm drws. Bu rhaid i mi gael saith pwyth. Felly fy mhrofiadau cyntaf o Gymru a'i phobl oedd cael fy mwrw, fy moddi, a'm sarhau. Ymddengys fy mod i'n *glutton for punishment.*

Gadawais Portsmouth yn haf 1997. Roeddwn i wedi cael gormod o hwyl yn ystod fy mlwyddyn yn Lloegr, a methais â chanolbwyntio ar unrhyw beth mwy na diota a mercheta. Dychwelais i Minnesota heb radd, heb gariad, heb arian. Ciliais i brifysgol ddiflas, is-safonol yng ngogledd Minnesota a cheisiwn gael gwared ar yr awydd ingol am fynd yn ôl i Portsmouth/Lloegr/Cymru/Prydain (roedden nhw'n dal yn un yn fy meddwl). Aeth tair blynedd heibio, â'u hanturiaethau eu hunain, ac aeth yr atgofion am Brydain yn bellach ac yn bellach. Anghofiais bopeth a ddysgais am Gymru. Erbyn hydref 2000, roeddwn i bron wedi rhoi'r gorau i bob gobaith am weld Prydain byth eto.

3

Dwi eisiau cwrw

Cwrw a dŵr – dyma, yn fy marn i, y geiriau pwysicaf i'w gwybod mewn unrhyw iaith. Os gwyddoch y geiriau hyn, gallwch deimlo'n weddol gyffyrddus â theithio i bron unrhyw le. Gallwch bwyntio neu feimio ar gyfer popeth arall. Unwaith, yn Ffrainc, llwyddais i brynu crêpe â chaws, wy a ham trwy frefu fel buwch, clwcian fel cyw a rhochian fel mochyn.

Dywedir taw siaradwr Saesneg oedd Samoset, y brodor cyntaf o America i gwrdd â phererinion yr ail ganrif ar bymtheg. Dywedir hefyd taw am gwrw y gofynnodd. Yn aml iawn, bydd pobl yn fy holi pam uffach yr ydw i wedi dysgu'r Gymraeg, ond meddyliwch am ein boi Samoset. Beth oedd yr ods y byddai hwnnw'n dod o hyd i lond cwch o siaradwyr Saesneg ar ei draethau? Ond gwyddai e bwysigrwydd bod yn barod i ofyn am gwrw. Yn anffodus, doedd dim o'r hylif nefolaidd gan y pererinion. Roedden nhw eisoes wedi yfed y cwrw i gyd. *Typically English*, yntê?

Dyw cwrw neu ddŵr ddim yn bethau y gallwch feimio amdanynt yn hawdd. Petaech chi'n defnyddio'r ystum rhyngwladol i gynrychioli'r angen am ddiod, sef cwpanu eich llaw a'i chodi at eich ceg, fel petaech chi'n yfed, pwy a ŵyr beth allech chi gael. Tancard o geuled, efallai. *Yo quiero cerveza* yn Sbaeneg, *Teastaíonn pionta uaim* yn y Wyddeleg – mae'r rhain yn ymadroddion pwysig dros ben. Gorfodol yw gwybod y geiriau penodol er mwyn sicrhau derbyn yr hyn a ddymunir.

Felly pan es i ati i ddysgu'r Gymraeg, y peth cyntaf yr oeddwn i eisiau ei ddysgu – a dweud y gwir, yr unig beth yr oeddwn eisiau ei ddysgu – oedd sut i ofyn am gwrw. Roeddwn i eisiau gallu cerdded i mewn i dafarn a datgan yn falch: 'Dw i eisiau peint o gwrw, os gwelwch yn dda.'

Ond dyw BBC *Catchphrase* ddim yn dysgu sut i ddweud y frawddeg allweddol hon yn ei wers Gymraeg gyntaf. Na'r ail wers, na'r drydedd, na'r bedwaredd, ac yn y blaen. Erbyn yr adeg y gallwn i fynegi fy awydd am neithdar alcoholig roeddwn wedi dysgu'r iaith uffernol 'ma am tua blwyddyn a hanner. Dyna reswm go iawn, felly, pam fy mod i'n siarad y Gymraeg bellach: rhoddais ormod o'm hamser i'r iaith i wneud unrhyw beth ond dal ati. Byddai'n wastraff gadael y peth ar ôl cymaint o waith caled. Petai'r BBC wedi trefnu ei gwersi yn ôl fy mlaenoriaethau i, byddwn i wedi rhoi'r gorau i'r Gymraeg ymhen mis neu ddau o'i darganfod. A heddiw byddwn yn yr Unol Daleithiau o hyd.

OK, dyw hynny ddim yn hollol wir.

OK, dyw hynny ddim yn wir o gwbl. Mae'n stori a ddywedaf wrth bobl er mwyn ceisio creu rhyw fath o reswm y byddai person heb unrhyw gysylltiad â Chymru yn penderfynu dysgu ei hiaith. Mae'r gwir resymau dros ddal ati i ddysgu yn fwy aneglur a chymhleth. Ond gellir dweud bod y Swigen Dot-com wedi cael mwy o ddylanwad na swigod cwrw.

*

Ym mis Hydref 2000, roeddwn yn gweithio tros Combio, cwmni dot-com di-nod oedd â'i bencadlys yn Carlsbad, California. Roedd fy ngwraig a finnau'n byw yn San Diego, lle'r âi hi i'r brifysgol. 'America's Finest City' yw cyfenw'r ddinas ar lan y

Môr Tawel, tua 12 milltir o'r ffin â Mecsico. Cyfenw eironig yw hwnnw oherwydd bod gan San Diego flerdwf trefol ymledol, prisiau tai uffernol o uchel, a'r gyfradd uchaf o *officer-involved shootings* yn yr Unol Daleithiau. Ie, lle godidog i fyw oedd San Diego, felly. Ac, wrth ddweud 'godidog' yr hyn rwy'n ei olygu, wrth gwrs, yw 'shit'. Ond pan edrychaf yn ôl ar y dyddiau hynny mae iddynt arlliw euraidd. Yn fy nghof roedd popeth yn y cyfnod bychan hwnnw yn syml a diog. Awn i'r traeth bron bob bore, ac yn y prynhawn hwyliwn fy nhrŷc lan Interstate 5 – traffordd 12-lôn sy'n ymestyn ar hyd glan y Môr Tawel – 90 milltir yr awr yn y cynhesrwydd hydrefol. Am 10 o'r gloch y nos ar ei ben, diffoddwn fy nghyfrifiadur a hwylio yn ôl adref i'n fflat pitw, lle roedd fy ngwraig a fi'n rhy dlawd i gael gwely go iawn – dim ond matras ffwton ar y llawr a silffoedd llyfrau o estyll a blociau concrit. Ar y penwythnosau, aem ni i farbiciws ein hen gyfaill, Jim. Y fe oedd wedi ein hannog i ddod i San Diego yn y lle cyntaf.

Digwyddai hyn i gyd yn nyddiau olaf y Swigen Dot-com, cyfnod ffyniant enfawr ym myd y rhyngrwyd, a ddilynwyd gan fethiant cyflym. Bu'r Swigen Dot-com yn gyfnod swrrealaidd – cyfnod pan na wyddai cwmnïau sut i wario eu harian. Roedd ganddyn nhw ormod o arian. Felly câi dyn ei dalu $27,000 y flwyddyn i wneud wyth awr y dydd o ddim. Mae'n wir. Wyth awr o ddim yw dim. Yn y bôn, fy mhrif ddyletswydd oedd ffonio dyn oedd yn dod o Rwsia pe byddai'r *server* yn torri lawr. Unwaith yn unig y digwyddodd hynny.

'Hey,' meddwn wrtho dros y ffôn. 'I was told to call you if the server crashes. And, uhm, I think it just crashed.'

'You try hard boot?' gofynnodd mewn acen drom Boris Badenov-aidd.

'Hard boot? No. I don't know what that is.'

'Walk over to server, OK? Pull plug from wall. Count 30. Plug back in. If no work, call back,' meddai wrth roi'r ffôn i lawr.

Gweithiodd. Mae yna raddau prifysgol ar gyfer pobl sydd eisiau gweithio ym myd technoleg gwybodaeth. Tybed a dreulian nhw eu blwyddyn gyntaf i gyd yn gwneud dim ond dysgu sut i ddiffodd cyfrifiadur?

Yr unig anfantais i'm swydd oedd taw'r shifft nos oedd gennyf. Gadawai pawb arall y swyddfa tua phedwar y prynhawn. Gan hynny treuliwn y rhan fwyaf o'm hamser ar fy mhen fy hun. Serch hynny, llwyddwn i lenwi'r amser. Bwytawn fwyd oedd ar gael yng nghegin y swyddfa: pitsas, byrbrydau Rice Krispies, rholiau wy microdon, diodydd ysgafn, ac yn y blaen – i gyd yn rhad ac am ddim. Chwaraewn bêl-fasged gyda fi fy hunan (roedd yna fwrdd-cefn yn y maes parcio). Ond, ar y cyfan, treuliwn fy nosweithiau ar y cyfrifiadur yn pori'r rhyngrwyd.

Roedd yn amlwg mod i mewn swydd ddelfrydol, felly roeddwn yn ofnadwy o ofalus ynglŷn â'r hyn yr edrychwn arno ar y we. Tua phum mis ynghynt collais i swydd ar ôl methu â deall natur y byd cyfrifiadurol yn llawn. Ysgrifennais bethau cas am gyd-weithwyr mewn e-bost a ddanfonwyd i gyfaill yn unig ond a gafodd ei ryng-gipio gan fy nghyflogwr. Dysgais trwy brofiad llym yr hen wers ystrydebol honno nad yw eich e-bost gwaith yn e-bost personol i chi. Bu'n wers angharedig o greulon oherwydd o ganlyniad i'm diswyddo, doedd dim hawl gennyf i fudd-dal di-waith. Cofiaf y sgwrs a ges i ar y ffôn â menyw o'r swyddfa fudd-daliadau: 'I've got the e-mail in front of me, Mr Cope. I've counted 27 uses of the word "fuck", and . . . Oh, my goodness. I'm not even going to read that part out loud. There is no way you are getting unemployment.'

Bellach roeddwn yn hynod o ofalus i beidio anfon e-byst i

neb ac eithrio at ddibenion gwaith, ac roeddwn yn cyfyngu fy mhori rhyngrwydol i wefannau yr oeddwn yn siŵr ohonynt. Dim porn felly. Gwefannau diogel cant y cant megis gwefan y BBC. Swnia hynny'n ddiflas, efallai, ond, a dweud y gwir a heb swnio gormod fel hysbyseb, mae'n syndod faint o wybodaeth a geir ar wefan y BBC. Mae'n ganwaith mwy cyflawn na gwefan unrhyw gorfforaeth ddarlledu yn yr Unol Daleithiau. Welais i erioed cystal gwefan. Mae'r byd i gyd i'w gael yn nhudalennau gwefan y BBC. Ac ymhlith yr amryw resymau ei bod mor dda mae http://www.bbc.co.uk/wales/learnwelsh, sef gwefan gyda thudalen ar ôl tudalen ar ôl tudalen o adnoddau ar gyfer dysgu'r Gymraeg. Pan ddes i o hyd iddi, doedd y wefan ddim mor gyflawn ag y mae heddiw ond eto roedd dros ddau gant o wersi Cymraeg ar gael am ddim, gyda thaflenni gwaith i'w hargraffu a ffeiliau sŵn i wrando arnynt. Roedd yr ymlyniad emosiynol hwnnw i Brydain gennyf o hyd, a doedd gennyf ddim byd arall i'w wneud – felly es i ati i ddysgu ychydig bach o'r iaith er mwyn cadw fy ymennydd i weithio mewn swydd ddiflas.

Yn anffodus, does dim disgwyl i bethau da barhau am byth. Ymhen hir a hwyr daeth fy swydd *Red-Headed League* i ben. Yn gynnar ym mis Ionawr 2001, ar ôl dychwelyd o'm gwyliau Nadolig, gwelais neges gan berchennog y cwmni yn aros amdanaf yn fy mewnflwch e-bost (does dim gair Cymraeg da am 'inbox', oes 'na?). Anfonwyd yr e-bost at bawb yn y cwmni, yn datgan: 'We are hopeful, but unless we can find $3 million in private equity by Wednesday, we will be forced to declare bankruptcy.'

O, siŵr, $3 miliwn erbyn dydd Mercher. Mae gan bawb yr arian hwnnw yn eu soffa, onid oes?

Danfonwyd yr e-bost ar ddydd Llun. Pan gyrhaeddais

y swyddfa brynhawn dydd Mercher, gwelais dorf o gyd-weithwyr wrthi'n llwytho eu ceir gyda phob math o bethau: cyfrifiaduron, dodrefn, bwyd, ac yn y blaen. Roedd y llong hawddfyd wedi suddo ac roedd y criw'n anrheithio cymaint o stwff â phosib.

'We're toast,' meddai cyd-weithiwr wrthyf i. 'Nothing to do now but grab what you can and go home. Hey, can you help me with this television?'

Ni chaniataodd fy nghydwybod i mi gipio cyfrifiadur neu gadair droi, ond doeddwn i ddim eisiau mynd adref yn waglaw, chwaith. Felly cipiais flwch o fyrbrydau Rice Krispies a threuliais fy shifft olaf yn argraffu dwsinau o wersi Cymraeg. Gellir dweud, gan hynny, taw teimlad chwerthinllyd o hawl oedd yr ysgogiad cyntaf i mi ddal ati i ddysgu'r iaith. Gwersi Cymraeg roeddwn i wedi eu cipio oddi wrth fy nghyflogwr, *and I'll be damned if I was going to let them go to waste.*

*

Ym mis Mehefin 2001, es i a'm gwraig i Brydain i ddathlu ein hail ben-blwydd priodas. Wrth hyrwyddo llwybr awyr newydd rhwng San Diego a Llundain roedd British Airways wedi cynnig tocynnau dychwelyd am $200 yr un. Gwariais fy arian parod i gyd i dalu am y tocynnau, a phenderfynom ni gael benthyciad i dalu am bethau eraill y gwyliau. A dweud y gwir, ni ddylem fod wedi mynd; doedd yr arian ddim gennym, a doedd gennyf i mo'r amser gwyliau gyda thâl, chwaith. Ond onid yw bywyd yn gweithio fel hyn weithiau? Gwyddoch na ddylech wneud rhywbeth, ac eto, daw'r darnau ynghyd yn berffaith ac yn sydyn mae'n werth y drafferth. Ac roedd *yn* werth y drafferth. Cafodd fy ngwraig gyfle i weld Prydain am y tro cyntaf a'i chysylltu â'r poeri iaith yr oedd ei gŵr yn ei addysgu iddo fe ei hunan. A ches i gyfle i ailymweld â lle yr oeddwn wedi ei gario yn fy nghof a'm calon ers pedair blynedd. Bu'n daith y byddai'n fy ysbrydoli.

Tybed a fyddwn i wedi parhau â'r iaith pe na buasem wedi mynd ar y daith? Tybed a fyddwn i wedi parhau â'r iaith pe buasai fy ngwraig heb hoffi Cymru? Ond, fel mae'n digwydd, roedd fy ngwraig mor hoff o Gymru (ac mor an-hoff o'm hymdrechion gyrru ar ochr chwith y ffordd) fel nad oedd y tri diwrnod roeddwn i wedi eu hamserlennu ar gyfer y wlad yn ddigon. Aeth yn wythnos a hanner a chafodd yr Alban a gogledd Lloegr eu dileu o'n teithlen.

Y peth gorau am fod yn dwrist yng Nghymru (twrist Americanaidd, o leiaf) yw'r duedd sydd gan bobl i edrych arnoch chi fel petaech chi ar goll. Fel pe na bai neb yn disgwyl i Americanwyr fod â diddordeb yng Nghymru. Ac maen nhw'n ymateb i'ch presenoldeb gydag awydd i chi deimlo eich bod chi gartref. Ces i a'm gwraig brofi'r croeso chwedlonol, felly, a llanwyd ein siwtcesys â phob math o bric-a-brac twristaidd megis tegan dafad anwes, a set o lestri te â'r ddraig goch arnyn nhw (er, a dweud y gwir, rydw i'n meddwl taw'r set honno yw'r peth mwyaf chwaethus i ni fod yn berchen arno). Chlywon ni mo'r iaith ar y daith honno, ond doedd hyn ddim yn syndod i mi. Er i mi glywed yr iaith ar stryd yng Nghymru bedair blynedd ynghynt, y darlun yn fy mhen o hyd o'r Gymraeg a'i siaradwyr oedd taw iaith academaidd oedd hi – iaith a fodolai, at ei gilydd, mewn ystafelloedd dosbarth. Ac o hyd roedd y darlun meddyliol gennyf o Gymru yn ddarlun o le oedd yn rhan o Loegr. Roeddwn yn dysgu'r Gymraeg, ond gwyddwn y nesaf peth i ddim am Gymru, ei phobl, na'i hiaith.

Ac efallai i mi fod yn lwcus na chwrddais â siaradwyr go

iawn. Does gennyf ddim llawer o hyder mewn pethau addysgol; efallai y byddwn wedi cael fy nychryn rhag dal ati. Yr adeg honno roeddwn wedi canolbwyntio ar ddysgu dim ond bob nawr ac yn y man, ac ni allwn fynegi llawer mwy na fy enw. Roeddwn yn ddigon bodlon mod i'n llwyddo i ynganu 'Llangollen' yn iawn. Ta beth, er na ches i sgwrs â neb, bu'r sylw a ges i gan bobl yn ysbrydoliaeth ar ei ben ei hun. Sylweddolaf erbyn hyn fod rhai o'r bobl a gwrddais wedi ffugio eu diddordeb, mae'n rhaid. Rydw i'n siŵr eu bod yn meddwl: Wel *wrth gwrs* eich bod chi'n dysgu'r Gymraeg, yr Americanwr rhyfedd. Jyst prynwch rywbeth ac ewch o'ma.

Ond doedd neb yn gas neu'n feirniadol neu beth bynnag a glywir yn *horror stories* dysgwyr eraill; o Gaerdydd i Langollen i Eryri roedd pawb yn gefnogol ac yn galonogol. Ac, wrth edrych yn ôl, rydw i'n siŵr i mi gael fy nhanio gan y profiadau hynny.

Cofiaf yn glir un noswaith benodol. Ar ôl dringo lan a lawr yr Wyddfa, roeddwn i a'm gwraig yn gorweddian yn ddiynni yn ein Gwely a Brecwast, a des i o hyd i *Pobol y Cwm* ar S4C. Onid yw pob dysgwr yn ei orfodi ei hunan i wylio *Pobol y Cwm*? Mae'n rhyw fath o ddefod newid byd i ni geisio cael gafael ar yr hyn a faldorddir yng Nghwmderi. Tybed pa ganran o gynulleidfa'r rhaglen honno sy'n ddysgwyr sy'n arteithio eu hunain trwy ei gwylio? Wn i ddim pam y gwnawn i'r fath beth. Pan ydych chi'n meddwl amdano, dyw e ddim yn gwneud synnwyr – pa hurtyn fyddai'n awgrymu gwylio *EastEnders* er mwyn datblygu'r Saesneg? (Er, mae *yn* drueni nad oes rhagor o ddysgwyr Saesneg yn defnyddio'r ymadrodd, 'Sling your hook!') Hyd heddiw, dw i ddim yn deall pob gair o *Pobol y Cwm*, ond rown i'n deall hyd yn oed llai yn y dyddiau hynny. Roedd yr iaith yn hisian ac yn clicio ac yn boeri i gyd. Eisteddais yno gan chwerthin.

Roedd rhywbeth mor ddoniol mewn gweld pobl sy'n edrych fel pawb arall ym Mhrydain, mewn siop sy'n edrych fel pob siop arall ym Mhrydain, ond yn siarad iaith sy'n hollol estron yng ngweddill Prydain. Ni chwarddais yn gas. Nid chwerthin sbeitlyd neu feirniadol oedd hwn, ond chwerthin sy'n dod o ddarganfod rhywbeth hollol newydd, neu wrth ddod yn fwy ymwybodol ohono. Chwerthin plentynnaidd, bron. Mae'n anodd esbonio, a dweud y gwir. Roeddwn yn dysgu'r iaith, ac roeddwn i wedi ei chlywed o'r blaen ar strydoedd Cymru ac ar y teledu ac mewn ffeiliau sŵn, ond roedd rhywbeth yn wahanol nawr. Efallai taw oherwydd fy mod yn flinedig y cafodd yr iaith fwy o effaith arnaf i. Pan fyddwch wedi blino gall rhywbeth effeithio arnoch chi'n ddyfnach; daliwyd fi ar y gamfa, fel petai. Daeth yr iaith ataf heb yr hidlydd coeglyd hwnnw y gwelaf y byd drwyddo fel arfer. Neu efallai bod cael fy ngwraig yno gyda fi yn rheswm dros chwerthin. Dywedir bod gan ddyn duedd i adrannu pethau yn ei ben, ond pan ddaw'r darnau bach ynghyd mewn Gwely a Brecwast ym Metws-y-coed mae'n . . . ddoniol. Rhyfeddol. Gwych. Roedd yn chwerthin i ymhyfrydu ynddo – yr un fath ag y byddwn i'n ei glywed tua chwe blynedd yn ddiweddarach pan addysgais fy nith fach sut i'm cyfarch gan ddweud 'shoe my'. Chwerthin o hunan-ddarganfod ydoedd.

4

Y briodferch ifanc

Gunfighter oeddwn i. Cawn fy lladd tua naw gwaith y dydd. Yn y boreau, saethid fi tra ceisiwn ladrata'r wagenni a âi lan y mynydd gyda'u llwythi o bobl ar eu ffordd i gael brecwast. Pan fyddai'r hen gerbyd milwrol clonciog a dynnai'r wagenni yn trolio o amgylch cornel, rhedwn o'r coed gan saethu a bloeddio yn wyllt. Codwn ofn (neu chwerthin, os ydw i'n onest) ar y teithwyr, a mynnwn gael yr holl arian a gasglid gan y gyrrwr.

'You can't have this money,' datganai'r gyrrwr. 'Otherwise these people ain't gonna get their breakfast! They'll starve!'

'Shucks, by the looks of some of 'em, they could stand to skip a meal!' atebwn gydag acen cowboi cartŵnaidd. 'Yeeeeeeha!'

Chwifiwn fy *six-shooter* a saethu i'r awyr. Wedyn bŵm mawr gan ddryll y gyrrwr. Fi'n gorwedd yn y llwch. Bant â'r wagenni.

Bob ganol dydd a phob tri o'r gloch y prynhawn, cawn innau fy ffrwydro allan o *outhouse* ('tŷ bach allan', yn ôl *Geiriadur yr Academi*, er tybiaf fod gan Brydeinwyr ddiffiniad gwahanol o'r ymadrodd i fy un i. Mewn *parlance* Americanaidd, mae 'outhouse' yn golygu tŷ bach yn yr awyr agored). Taflai Buck Bloodsworth, y pennaf *gunfighter*, ffon ddeinameit i mewn i'r adeilad bach, byddai yna ffrwydriad uchel, cwympai'r muriau, a baglwn innau o gwmpas yn simsan o falurion y *biffy* â'm trowsus o amgylch fy ffêr. Cwympwn i'r ddaear a gwnâi Buck jôc am ffa. Doedd hi ddim, efallai, yn ddrama o'r safon uchaf, ond gallai dyn gael swyddi haf gwaeth.

Digwyddai hyn ar Ponderosa Ranch, sef magl dwristaidd ar lan Lake Tahoe, y llyn alpaidd enwog hwnnw sy'n pontio'r ffin rhwng Nevada a California rhyw 25 milltir o Reno (a 3,000 troedfedd uwchlaw). Os ydych chi'n berson hŷn - neu'n Almaenwr – efallai eich bod yn cofio'r rhaglen deledu *Bonanza*, sef cyfres *western* o'r 60au a adroddai anturiaethau'r Cartwrights: Ben, Adam, Little Joe a Hoss. Seiliwyd y rhaglen ar Ponderosa Ranch ffuglennol, a ffilmiwyd sawl golygfa o'r rhaglen ar y Ponderosa Ranch go iawn, sef y Ponderosa Ranch yn Lake Tahoe oedd wedi'i seilio ar y Ponderosa Ranch ar y teledu. *Life imitating art imitating life*. Neu rywbeth i'r gwrthwyneb, efallai. Ta beth, roedd yn fagl dwristaidd berffaith, gyda'i chymysgedd o'r hanesyddol, enwogrwyddol, cawslyd ac annioddefol. Ac am ryw reswm anhysbys-i-mi roedd Almaenwyr wrth eu boddau â'r rhaglen. Tyrrent i'r ransh fel petaent yn bobl ordew yn mynd i fwffe *all-you-can-eat* – yn gwisgo hetiau cowboi, trwseri lledr ac ati. Yn ogystal â'n cyfeillion o *Deutschland*, deuai amryw hen bobl a thwristiaid disynnwyr eraill. Am dâl pitw gallent gael brecwast, gweld tŷ ransh Cartwright, tynnu eu llun mewn dillad cowboi, a gwylio fy lladd. Miri i'r teulu oll.

Roeddwn i wedi glanio yno ar ôl ffoi rhag gwastadrwydd rhewedig diflas Fargo, North Dakota, lle roeddwn yn byw er mwyn mynychu prifysgol is-safonol a meddwi ac ysmygu gormod. Yn undeb myfyrwyr y brifysgol unwaith, gwelais arwydd syml a hysbysebai: INTERVIEW TODAY: SUMMER JOBS @ PONDEROSA RANCH, LAKE TAHOE, NEVADA, USA.

Mae'r ffaith bod angen nodi taw *yn yr UDA* y mae Nevada yn datgelu rhywbeth am safon wael y brifysgol. Er, a dweud y gwir, doedd gennyf i ddim syniad ble roedd Lake Tahoe. Ac ni chlywais erioed am y Ponderosa Ranch (er gwaethaf y ffaith –

deuwn i wybod yn ddiweddarach – taw cyfaill coleg fy nhad-cu oedd Dan Blocker, yr actor a bortreadai Hoss). Meddyliwn i taw ransh go iawn ydoedd. Ond doedd dim ots. Roeddwn yn ofnadwy o anhapus yn Fargo ac yn awyddus i adael am unrhyw beth, yn unrhyw le. Brasgamais yn bwdlyd i mewn i'r ystafell gyf-weld a datgan wrth y cyfwelydd: 'I can do just about anything, and I don't care what you have me do. I'm just ready to get the hell out of this place. Tell me when to show up and I'll be there.'

Yn hwyr ym mis Mai 1998, llwythais fy nhrŷc a gyrru ar draws ehangder mawr yr Unol Daleithiau – Minnesota, Iowa, Nebraska, Wyoming, Utah a Nevada. Trwy'r gwastadeddau, lan i'r mynyddoedd, i lawr i'r anialwch a lan i'r mynyddoedd eto. Gwag. Enfawr. Unig. Poeth. Ces losg haul drwg ar fy mraich chwith a fu'n gorffwys ar sil ffenestr y trŷc wrth iddo ymlusgo 2,100 milltir yn yr haul. Cymerodd dri diwrnod i mi gyrraedd y 'ransh'. Ac er syndod i mi, nid ransh oedd hi o gwbl ond parc thema. Ac er syndod i fy nghyflogwr, roeddwn i wedi dweud celwydd yn y cyfweliad; doeddwn i ddim yn gallu gwneud 'just about anything'. Fel mae'n digwydd, gallwn wneud 'just about' dim. Ni allwn drwsio ffensys, na choginio byrgyrs, na gweini diodydd yn y salŵn, na gofalu am anifeiliaid, nac unrhyw dasg arall. Yr unig beth y gallwn ei wneud gydag unrhyw fedr oedd ffugio fy marw.

Nawr ac yn y man, yn y sioe ganol-dydd byddai merch bryd tywyll, dal, wirioneddol hardd, â llygaid gwinau, yn ymuno â ni. Rosita oedd enw ei chymeriad. Yn y sioe, dywedwn rywbeth brwnt wrthi hi, a rhoddai imi gic sydyn yn fy man gwan. Er gwaethaf hyn, neu oherwydd y perygl efallai, ces i fy swyno ganddi yn syth. Weddill y dydd, gweithiai hi naill ai yn y tŷ ransh, neu wrth y brif fynedfa yn casglu tocynnau. Un tro, pan oedd hi wrth y brif fynedfa, es i at berchennog y ransh a dweud wrtho: 'Hey, help me out, will you? Put me on the gate with that girl. I want to ask her out.'

Buganodd â chwerthin.

'You haven't got a chance!' ebychodd.

Cytunodd, dim ond er mwyn cael cyfle i fy ngweld i'n methu. Ta beth, es i ati o ddifrif i geisio denu'r ferch hon. Methais ar y diwrnod cyntaf, wrth gwrs. A'r diwrnod nesaf. A'r diwrnod nesaf. Ac yn y blaen. Ond penderfynais ddal ati. Dywedais wrthi bob un jôc a wyddwn, canmolwn hi, rhois i'r gorau i ysmygu sigârs, a theflais fy hunan wrth ei thraed nerth corff ac enaid. Fis yn ddiweddarach, roedd y ferch anodd-i'w-hennill hon a fi'n eistedd ar garreg fawr uwchben dŵr asur disglair dwfn Lake Tahoe. Diwedd ein *first date* oedd hi. A rhaid cyffesu nad oedd pethau wedi mynd yn hollol berffaith ar y noson. Pallodd injan y trỳc ar y ffordd i lawr y mynydd tuag at Reno; collais y *power steering* a bu bron i'r trỳc hedfan dros y clogwyn. Dyma gyngor caru i chi ddynion ifanc oddi wrth eich hen gyfaill, Chris: nid y ffordd orau i ennill merch yw ei lladd. Yn ogystal â hyn, gwnes y camgymeriad amaturaidd hwnnw o ddewis tŷ bwyta nad oeddwn erioed wedi bod ynddo o'r blaen (peidiwch byth â gwneud hyn, chwaith, ar *first date*, bois: cewch ormod o bethau annisgwyl). Roeddwn i wedi siarad gormod o lol. A hefyd (fel y deallais yn nes ymlaen), roeddwn i wedi llwyddo i sarhau ei chrefydd.

Ond dydw i'n ddim os nad ydw i'n uchelgeisiol o obeithiol. Agosais ati hi ar y garreg. Ymestynnais am ei llaw. Trawyd fy llaw i ffwrdd. Pwysais fy mhen-glin ar ei phen-glin hi. Gwthiwyd fy mhen-glin yn ôl. Ceisiais edrych i'w llygaid hi. Trodd ei phen i gyfeiriad arall.

'You should kiss me,' meddwn.

Cododd ei hael. Chwarddodd yn watwarus. Dywedodd hi ddim byd.

'Really,' meddwn. 'You and I are going to be married someday, so you might as well just kiss me now.'

Ches i ddim cusan.

Lai na blwyddyn yn ddiweddarach, fe briodon ni.

*

Credaf y datgelir sawl peth amdanaf i gan hanes fy nghyfarfod â Rachel, sef y ferch bryd tywyll honno a gipiodd fy nghalon trwy fy nghicio. Yn gyntaf, mae'n amlwg fy mod yn fyrbwyll. Dywediad yr ast anfad o gyn-gariad sy'n dwyn eneidiau oedd, 'Chris, you just don't think', ac mae yna wirionedd yn yr hyn a ddywedai. I ryw raddau. Mae gennyf duedd i weithredu yn ôl y peth amwys, pwy-a-ŵyr, a deimlaf yn fy enaid. Person emosiynol ydw i yn y bôn. Rydw i'n hapusach pan nad ydw i'n meddwl gormod am bethau; mae'n well gennyf neidio i mewn i sefyllfa a wedyn delio â hi fel y mae. OK, chwarae teg, nid dyna'r ffordd orau i fyw, ond mae yn haws. Ac yn fwy cyffrous.

Yr ail beth a gewch o'r hanes yw fy mod yn credu mewn ffawd. Ac mae gennyf duedd i ddibynnu arni. A ydych chi erioed wedi chwarae'r hen gêm honno o feddwl beth fyddech chi'n ei wneud petai gennych gyfle i fynd yn ôl mewn amser ac ail-fyw eich bywyd? Hynny yw, pe gallech chi fynd yn ôl i ryw adeg benodol yn eich gorffennol, i ble (neu, i ba gyfnod) byddech chi'n mynd? Pa bethau y byddech chi'n eu newid am eich bywyd? Diolch i'm tueddiad i beidio meddwl, mae'n anodd dewis yn bendant i ba gyfnod y byddwn i'n mynd yn ôl iddo. Meddyliaf am y senario hon yn aml. Yn rhy aml, efallai. (I baratoi ar ei chyfer byddaf yn ceisio cofio canlyniadau cystadlaethau chwaraeon ar gyfer bod yn barod i fetio arnyn nhw yn y gorffennol.) Mae yna gynifer o gamgymeriadau – pa mor bell yn ôl byddai rhaid i mi fynd er mwyn sicrhau bywyd delfrydol? Maes ffrwydron o edifeirwch yw fy hanes. Ond er syndod i mi – gymaint ag i unrhyw un – mae sawl penderfyniad a wnes i wedi llwyddo. Yn sgil hynny rydw i wedi dod i goelio bod yna rywbeth sy'n fy arwain trwy fy mywyd. Nid 'ffawd' yw'r gair gorau amdano. Mae'n rhywbeth mwy na hynny. Rhywbeth (rhywun?) dwyfol, efallai.

Ar ben hyn, mae'r ffordd y bues i'n ymlid Rachel yn datgelu fy mod yn ystyfnig. Wrth gwrs, os ydych chi'n fath o ddyn diawledig o wallgof sy'n igam-ogamu o gwmpas yn dilyn eich emosiynau ac yn meddwl taw Duw sy'n gosod eich llwybrau, gall fod yn anodd cyfaddef eich bod chi wedi gwneud uffach o lanast o bethau. Ffordd gynnil yw hynny o ddweud fy mod i'n ystyfnig. Uffernol o ystyfnig. Gafaelaf mewn syniadau a gwrthodaf eu rhyddhau. Felly, pan ddes i o hyd i'r ferch hon a allai ddyrnu fy nghalon wrth godi ei hael, darbwyllais fy hun taw hi oedd yr un i fi. Roedd popeth wedi fy arwain ati, meddyliwn; tynged oedd hyn. A daliais ati. Yn yr un modd, daliaf ati o hyd gyda'r Profiad Cymraeg. Er, hyd yma, ni ellir dweud ei fod mor bleserus â'm priodas.

Efallai y byddai Rachel yn honni taw'r noson honno ar lan Lake Tahoe oedd y tro cyntaf a'r tro olaf yn ystod ein priodas i mi fod yn iawn. Ac efallai y byddai hi'n dweud y gwir. Ond does dim ots am unrhyw beth arall os ydych chi'n iawn am y pethau pwysig. A diolch i'r drefn, yr oeddwn yn iawn. A mynd ar ei hôl hi oedd y peth mwyaf deallus i mi ei wneud erioed. Mwy na thebyg na fyddech yn darllen y llyfr hwn oni bai am Rachel. Hynny yw, ni fyddwn i wedi ysgrifennu'r peth. Ni fyddwn wedi symud i Gymru. Ni fyddwn wedi dal ati i ddysgu. Mwy na thebyg, ni fyddwn i wedi *dechrau* dysgu. Y peth tebygol yw na fyddai Cymru a Phrydain ac yn y blaen yn ddim ond testunau hiraeth lleddf wrth feddwi. Mae'n debygol, hyd yn oed, na fyddwn i'n fyw. Ar hyd ein priodas mae Rachel yn fy nghefnogi, yn fy annog, yn fy nghodi, yn fy llonni, a bron pob berf gadarnhaol arall y gellwch feddwl amdani.

Ac, i fod yn holl gywir, sawl berf rywiol hefyd.

'Y briodferch ifanc' yw fy llysenw i ar Rachel. Daeth y syniad i roi'r enw hwnnw arni o'r ffaith bod yna gynifer o ddynion yn cyfeirio at eu gwragedd neu'u cariadon gydag ymadroddion difrïol megis 'the old ball and chain'. Uffach, pwy sydd eisiau neidio i'r gwely a chnocio bŵts gyda honno? Ond 'y briodferch ifanc' (a ddaeth o'm llysenw Saesneg arni, 'the child bride'): wel, mae hynny'n swnio'n ddeniadol. Mae'n swnio'n anghyfreithlon – y math *da* o anghyfreithlon. Mewn tafarn, pe dywedai dyn, 'Wel, rhaid dychwelyd at yr hen wraig', byddai ei gyfeillion yn cydymdeimlo, yn tynnu ei goes, ac yn ei annog i aros am beint arall. Ond pe dywedai, 'Wel, rhaid dychwelyd at y briodferch ifanc', byddai ei gyfeillion yn ferw o eiddigedd.

A dylen nhw fod yn eiddigeddus. Teimlaf weithiau fy mod wedi llwyddo i dwyllo'r cyfanfyd, rywsut. Fel petawn i wedi sleifio i mewn i gala frenhinol a chipio waledi pawb. Dwi ddim yn haeddu'r briodferch ifanc. Does dim rheswm iddi fod mor berffaith. Ond mae hi yn berffaith. Ac rydw i'n *lucky mofo* ei bod hi mor fodlon goddef y drafferth sy'n ffased cynhenid o fyw gyda fi. O'r dechrau, fu pethau ddim yn hawdd i ni.

Fe wnaeth ei rhieni ymddwyn fel dihirod pantomeim pan glywon nhw am ein bwriad i briodi. Ceision nhw bob math o ystryw i newid meddwl Rachel. Bygythion nhw ei dileu o'u hewyllys, a gwrthodon nhw dalu ceiniog yn rhagor nag oedd rhaid am briodas fechan, bitw, druenus yng ngardd gefn eu tŷ.

Llwyddon nhw i droi'r peth yn achlysur a deimlai'n warthus, fel petaem ni'n Mr Wickham a Lydia yn *Pride and Prejudice*, heb y talu gan Mr Darcy. Roedd teimlad o gywilydd ynglŷn â'n priodas, fel petaem ni'n Bristol Palin a Levi Johnston yn cael *shotgun wedding* er mwyn cadw wyneb ac osgoi niweidio ymdrech mam Bristol i fod yn is-lywydd yr Unol Daleithiau. Wrth edrych yn ôl, roedd y gwiriondeb oedd yn hofran o amgylch ein priodas yn chwerthinllyd a chwithig.

Erbyn hyn teimlaf fod antics fy rhieni-yng-nghyfraith yn ddoniol. Ar y cyfan. Anodd yw peidio â chwerwi, weithiau. Ond os oes yna *silver lining*, hwnnw yw bod yr holl bantomeim wedi crisialu'r berthynas rhwng Rachel a fi. Hynny yw, wrth sefyll yno ar ddiwrnod y seremoni a dweud y llwon priodas wrth ein gilydd yn yr ardd gefn grasboeth honno (mae rhieni'r briodferch ifanc yn byw yn anialwch de Utah), doedd dim uffach o reswm arall i ni eisiau bod yno. Roeddwn i yno ar ei chyfer hi – dim ond hi, a hi yn unig. Bu'n rhaid i'r ddau ohonom fod yn gadarn a sicr am ein penderfyniad. Clymwyd ni ynghyd gan y profiad o gael ein hynysu gan ei theulu. Ac o hynny ymlaen byddai Rachel yn biler i mi.

Fel y dywedwyd eisoes, doedd yna ddim rheswm iddi fod mor berffaith. Ymhen blwyddyn ar ôl priodi ces i fy niswyddo yn Reno. Bu'n rhaid i ni fenthyca arian gan fy rhieni er mwyn symud i San Diego i gael swydd. Ymhen pedwar mis wedyn, brasgamais o'r swyddfa honno mewn llid ofnadwy ac es i ddim yn ôl. Bu'n rhaid i ni fyw mewn dyled. Llwyddais i ddod o hyd i swydd newydd; a chwympodd y byd dot-com. Hyn i gyd o fewn deunaw mis cyntaf ein priodas. Ac ar hyd yr amser hwnnw parhâi fy natur ansad, anrhagddywedadwy, hunanddinistriol.

Gwn erbyn hyn taw ofn yw un o'r rhesymau yr ydw i mor fyrbwyll. Os ydych chi'n neidio i mewn i sefyllfa heb feddwl, a methu, mae yna lai o gywilydd i'r peth rywsut. Bod yn fyrbwyll yw eich esgus am ffaelu. Ond os ydych chi'n meddwl yn ddwys am y peth a'i drin yn ddeallus ac astud, ac yn dal i fethu, pa esgus sydd gennych chi wedyn? Nawr, a minnau wedi cyrraedd fy 30au, rydw i – bron – yn gallu gweld pam y gwnaf benderfyniadau hurt (gwnaf nhw o hyd ar brydiau, ond o leiaf deallaf pam). Ond yn fy 20au, doedd gennyf ddim cliw pam y gwnawn yr hyn a wnawn; doedd gennyf ddim cliw bod fy mhenderfyniadau'n hurt.

Ond goddefai Rachel fi. Roedd hi'n santes. Cefnogai fi a charai fi. Yn araf, araf iawn, adeiladodd hi gryfder mewnol ynof. A des i i fod yn berson gwell. Meithrinodd hi ynof hunanhyder newydd. Hyder academaidd. Hyder i wneud rhywbeth, nid er mwyn difyrru pobl eraill, ond oherwydd bod gennyf ddiddordeb yn y peth a ffydd ynof fi fy hunan. Hyder i fynd ati i wneud rhywbeth o ddifrif er gwaethaf y perygl o fethu. Parhaodd y briodferch ifanc i'm cefnogi drwy'r amser. Pan ddaethom i Gaerdydd, hi oedd yr un a aeth allan i gael gwaith tra awn i i'r brifysgol. Bu'n rhaid i'r ddau ohonom ymdrechu gyda'n gilydd er mwyn byw yng Nghymru ac anodd dyfalu sut y byddem ni wedi llwyddo oni bai amdani hi. Pan fyddai pethau ar eu gwaethaf, ymatebai fy ngwraig â chryfder a chysur.

Wrth chwarae'r hen gêm honno o fyfyrio beth fyddwn i'n ei wneud petai gennyf gyfle i fynd yn ôl i'm gorffennol, gwn bob tro y byddai'n rhaid imi ganfod eto'r ferch bryd tywyll honno. Anodd yw dychmygu dyfodol gwerthfawr hebddi.

5

Y ffordd hir i Gymru

'Un, dau, tri . . .'

Teimlwn y boen yn llosgi cyhyrau croth fy nghoes wrth ymlwybro lan tua chopa Kwaay Paay.

'Pedwar deg pump, pedwar deg chwech, pedwar deg saith . . .'

Dywedir bod Mission Trails Regional Park – y parc 23 km^2 sy'n cynnwys Kwaay Paay – yn arfer bod yn faes ymarfer milwrol yn ystod yr Ail Ryfel Byd. Camp Elliot oedd ei enw yn y dyddiau hynny. Tybed a anfonwyd un o'm tad-cuod yno? Gorfodwyd y ddau i fynd i rywle yn San Diego i gael hyfforddiant sylfaenol. Ond mae gan sir San Diego tua phymtheg canolfan milwrol ar hyn o bryd ac roedd yna lawer mwy yn y dyddiau a fu. Ble bynnag yr aethon nhw iddo, o San Diego anfonwyd y naill dad-cu i'r Môr Tawel (onid yw hwnnw'n enw eironig?), ac anfonwyd y llall yn ôl adref i Texas. Dywedodd y Marine Corps fod calon wan gan dad fy mam. Cynigiodd ef gwffio â sarsiant er mwyn profi ei ffitrwydd ond ofer fu hynny. Mae'n grac am y peth hyd heddiw.

'Cant tri deg dau, cant tri deg tri, cant tri deg pedwar . . .'

Erbyn hydref 2002 roeddwn yn addasu i drefn gysurus, normal. Roedd gennyf swydd weddol sefydlog, roedd y briodferch ifanc yn mynychu prifysgol San Diego State University, ac roeddwn innau'n ceisio ymgorffori'r Gymraeg yn fy mywyd beunyddiol. Rhifwn fy nghamau wrth gerdded bryniau a mynyddoedd anialwch De California; siaradwn â fi fy hunan yn y car; gwrandawn ar Radio Cymru ar-lein wrth weithio. Bellach roeddwn yn rhoi tua 45 munud bob dydd i ddysgu'r Gymraeg, cyfanswm a deimlai ei fod yn llawer. Doeddwn i erioed wedi dangos ymroddiad cyffelyb i bwnc academaidd o'r blaen. Fy mhrif atgof o'r cyfnod hwnnw yw gorweddian ar y llawr (doedd gennym ni ddim soffa) yn ystafell fyw ein fflat, yn gwisgo fy nghlustffonau a gwrando ar ffeiliau sain *Catchphrase*. Yr eiliad hon, gallaf glywed arwyddgan y gyfres yn canu yn fy mhen; llosgnodwyd hi ar fy nghof.

Rhoddai cyfundrefn o ddysgu ryw fath o heddwch mewnol imi; mae yna rywbeth cysurlon am batrymau. Ac o ganlyniad, byddwn yn afresymol o anhapus pan gâi'r patrwm hwn ei dorri. Os nad oedd y ffeiliau ar gael, neu os oedd y wefan yn araf, anfonid e-bost deifiol o gŵyn at staff y wefan. Rydw i'n siŵr fy mod yn gymaint o boendod iddyn nhw fel eu bod yn cofio fy enw hyd heddiw. Ac rydw i lawn mor siŵr nad oedd ganddyn nhw bethau arbennig o ganmoliaethus i'w dweud amdanaf pan welent e-bost arall oddi wrthyf. Ond dangosai fy anaeddfedrwydd pa mor bwysig oedd y Gymraeg yn dod i mi.

Yn ogystal â dysgu ar-lein, hefyd arteithiwn i fy hunan gydag ymdrechion i ddeall llyfrau i ddysgwyr, sef straeon ffuglen bach mewn iaith weddol syml, megis *Bywyd Blodwen Jones* gan Bethan Gwanas. Prynwn y llyfrau hyn o wefan http://www.gwales.com heb lwyr ddeall eu disgrifiadau. Yn aml prynwn bethau heb ddim rheswm ond fy mod i'n hoffi'r clawr. Dyma sut y des i'n berchen ar *Dim Heddwch* gan Lyn Ebenezer; ar y clawr mae llun o ddau ddyn aflêr yn codi dau fys.

'O, dau ddyn yn codi dau fys – dyma'r nofel i mi,' meddyliais.

Ond pan gyrhaeddodd yn y post methais â'i darllen. Ni ddarllenais y nofel honno tan ryw dair blynedd ar ôl ei phrynu.

Ond fel hyn yr oedd pethau. Roedd dod o hyd i adnoddau Cymraeg yn broses *lucky dip*. Roeddwn yn byw rhyw 5,000 o filltiroedd o Gymru a deuai bron pob cipolwg arni drwy gyfrifiadur. Roedd gennyf, felly, ddelwedd chwerthinllyd o aneglur o Gymru a'r Cymry. Er i mi geisio dysgu mwy a mwy amdanyn nhw, ar y cyfan roeddwn yn parhau i goleddu'r syniadau a fu gennyf gynt yn Portsmouth. Hefyd, roeddwn yn aelod o sawl grŵp e-bost a effeithiodd ar fy nealltwriaeth. Oesoedd yn ôl, cyn i flogiau a gwefannau cymdeithasu ddod yn boblogaidd, *when bison still roamed the great American plain*, ymunai pobl â grwpiau e-bost er mwyn rhyngweithio ar bwnc penodol. A thrwy grwpiau fel hyn cawn ddelwedd o Gymru a broselytir gan Gymry afrealistig ac Americanwyr eraill â gafael gwan ar bethau. Cawn oddi wrthyn nhw'r ystrydebau *Pollyannish*, y portread Sain Ffaganaidd, y lol 'na am Madog, ac yn y blaen. Yn y bôn, felly, wyddwn i ddiawl o ddim am Gymru. Ond, am ryw reswm, rhown iddi fy holl egni a'm henaid.

*

Yr hydref hwnnw aeth British Airways ati unwaith eto i hyrwyddo ei lwybrau awyr rhwng San Diego a Llundain, a llwyddais i sicrhau tocyn dychwelyd am $150. Oherwydd cyfrifoldebau prifysgol Rachel, es ar fy mhen fy hun y tro hwn – yn gynnar ym mis Rhagfyr 2002. Bu'n ymweliad saith diwrnod.

Beirniadaeth fynych a glywaf am Americanwyr yw na theithiwn y tu hwnt i ffiniau'n gwlad yn ddigon aml. Ond credaf fod gan bobl Ewrop (er, gwn na feddylia llawer o Gymry am eu hunain fel Ewropeaid) duedd i anghofio taw ast o anhawster yw teithio o'r Unol Daleithiau. Yn gyntaf, does gan weithiwr yr

UDA ddim cymaint o wyliau â'u cymheiriaid Ewropeaidd; rhoddid 15 diwrnod y flwyddyn imi gan fy nghyflogwyr ar y pryd, ac roedd hynny gryn lawer yn well na pholisïau cyflogwyr eraill. Ac er mwyn teithio i Brydain/Ewrop, rhaid llosgi diwrnod cyfan ar y daith ei hunan. Mae'n hediad o sawl awr ar hen awyren glòs i gyrraedd Llundain. Ychwanegwch yr amser yn y maes awyr cyn gadael, yr amser ar ôl cyrraedd, yr amser yn y tollau, yr amser i deithio i ble bynnag yr ydych chi eisiau mynd (mae'n annhebygol taw i Crawley mae Americanwyr eisiau mynd), ac yn y blaen ac yn y blaen, ac mae gennych daith annioddefol o hir a blinedig. A drud. Ac ar ben yr heriau eraill mae'r gost. Nid yw'n syndod, felly, taw profiad unwaith-mewn-bywyd-os-o-gwbl yw teithio tramor i gynifer o Americanwyr.

Yn gyfan gwbl bu'n daith o 27 awr o San Diego i Fangor. Prin ymwybodol oeddwn pan gyrhaeddais fy ngwesty. Roedd gennyf y cerddediad hwnnw o wegian yn geg-agored sydd ar berson heb syniad ganddo o ble na phryd y mae. Roedd gan yr ardal ryw deimlad swrrealaidd o ganlyniad i ddiffyg cwsg. Dyna fy argraff gyntaf o ogledd Cymru, ac mae'n argraff sy'n parhau, rywsut.

Es i Fangor am y rheswm syml taw yn y gogledd y mae'r ddinas. Ac mae *pawb* yn y gogledd yn siarad Cymraeg, onid ydyn nhw? Does *neb* yn y de yn ei siarad, nac oes? Neu dyna fyddech chi'n ei gredu petai eich gwybodaeth am Gymru yn dod oddi wrth Americanwyr eraill mewn grwpiau e-bost. Roeddwn yn awyddus i ymweld â rhywle lle gallwn glywed a defnyddio'r iaith, ond pan ofynnwn i bobl am le penodol i fynd iddo, cawn yr ateb amwys hwnnw: 'yn y gogledd'. Y Gogledd Godidog. Felly dewisais fynd i Fangor, yn rhannol oherwydd gallwn gyrraedd y lle ar y trên.

Rhyw ddiwrnod, pan fyddaf i'n frenin Cymru, sefydlaf dref gyda chysylltiadau rheilffordd da, lle mae pawb yn siarad Cymraeg a lle gall ymwelydd fod yn sicr o'i chlywed. Oherwydd dyw Bangor ddim yn gyfan gwbl fel y lle delfrydol hwnnw. Chwarae teg, clywais dad yn siarad yr iaith â'i ferch fach mewn tafarn, ond ar y strydoedd: Saesneg a glywais. A ches i fy synnu nad oedd ond un siop llyfrau Cymraeg. Rhy lym yw dweud i mi gael fy siomi gan y lle, ond doedd e ddim fel yr oeddwn yn ei ddisgwyl. Er, a bod yn onest, wn i ddim beth yn union yr oeddwn i *yn* ei ddisgwyl 'chwaith. Mae'n chwithig i mi gyfaddef hyn, ond, heb wybod dim am Fangor, efallai fy mod i'n disgwyl iddi fod yn rhyw dref Thomas Kinkade-aidd.

A ydych chi'n gwybod pwy yw Thomas Kinkade? *Satan's contribution to landscape painting*, dyna pwy yw e. Mae'n boblogaidd dros ben yn yr Unol Daleithiau, yn enwedig ymhlith pobl geidwadol sydd heb unrhyw syniad o beth yw celfyddyd. Ar fur cyntedd tŷ fy rhieni-yng-nghyfraith mae yna baentiad gan Kinkade, sef *Spirit of Christmas*, sy'n llun mewn gwawr euraidd o dref fach Fictoraidd berffaith yn yr eira. Mae mwg yn codi o'r simneiau tra chwaraea teuluoedd ar afon sydd wedi rhewi. A hwnt ac yma mae yna fonheddwyr sy'n chwifio 'Helô' calonnog i'w cyfeillion. Mae'n ddigon i beri confylsiynau. Yn fy mhen, ychwanegais at y ddelwedd wirion hon fy atgofion o Portsmouth yn nhymor y Nadolig, pan fydd bandiau pres yn chwarae yng nghanol y ddinas. A dyna i chi beth y disgwyliwn ei weld ym Mangor. Yn y bôn, roeddwn i'n disgwyl i Fangor fod yn fersiwn Cymraeg o'r math o gachu hwnnw a welir ar duniau *shortbread* Marks & Spencers. Ac os ydych chi erioed wedi bod ym Mangor, rydych chi'n darllen hwn nawr ac yn meddwl, 'Chris, yr hurtyn. Beth uffach sy'n bod arnat ti?!'

Ie, mi wn. Ac rydych chi'n iawn. Ond, fel y gwelwch o'm

hanes, thema gylchol yn y Profiad Cymraeg yw fy methiant i weld Cymru fel y mae. Hynny yw, mae gennyf duedd i gymysgu'r Gymru go iawn â rhyw Gymru ddelfrydol na fu'n bodoli erioed. Melltith y dysgwr yw hyn.

Yn ffodus, roeddwn i wedi rhagfeddwl digon i beidio dibynnu ar hap i gwrdd â siaradwyr yr iaith. Roeddwn i hefyd wedi dewis mynd i Fangor er mwyn ymweld â dosbarth dysgu Cymraeg. Cyn mynd i Brydain, cysylltais â'r Coleg Dysgu Gydol Oes yno i ofyn a allwn ddod draw i weld beth sy'n digwydd mewn gwers Gymraeg go iawn. Erbyn hyn, rydw i'n sylweddoli taw peth anghyffredin yw disgwyl cael caniatâd i bopio i mewn i wers heb dalu, ac rydw i'n ddiolchgar iawn i'r adran Cymraeg i Oedolion ym Mangor am ganiatáu i mi wneud hynny. Roeddwn wedi addysgu'r Gymraeg i fi fy hunan ers tua dwy flynedd ond hwn fyddai'r tro cyntaf i mi glywed pobl eraill yn siarad yr iaith *in the flesh*, fel petai.

Dyma'r tro cyntaf hefyd i mi sylwi ar y ffaith taw gwragedd tŷ a phensiynwyr sy'n cynnal yr iaith. Mae'n anodd dychmygu pwy fyddai'n mynychu'r dosbarthiadau Cymraeg i gyd oni bai amdanyn nhw. Dylen nhw gael rhyw fath o gydnabyddiaeth arbennig yn yr Eisteddfod. Yn y dyddiau hynny, roedd gennyf wallt hir a barf fel môr-leidr. Tybed beth oedden nhw'n ei feddwl am yr Americanwr rhyfedd oedd yn dysgu'r Gymraeg ar ei ben ei hun? Beth bynnag oedd eu hamheuon, roedden nhw'n gyfeillgar iawn a threuliwyd y wers gyfan yn sgwrsio. Ac o'r sgwrsio cyntaf hyn nodais ddau beth sy'n digwydd o hyd mewn sgyrsiau Cymraeg.

Yn gyntaf, gofynna pobl i mi pam rydw i'n dysgu'r iaith. A hyd heddiw does gennyf ddim ateb neilltuol o dda i'r cwestiwn hwnnw. Gallaf restru rhai rhesymau posibl, yn ogystal â sawl ffactor a arweiniodd at y dysgu, ond yr ateb go iawn yw: wn i ddim. Gellid tybio y byddai yna fwy o reswm na hap a lwc am roi cynifer o flynyddoedd a chymaint o egni ac o ymdrech i ddysgu a dal ati i ddysgu. Ond os oes yna reswm mwy, wn i ddim beth yw e.

Efallai taw'r diffyg hunanymwybyddiaeth hwn sy'n cyfrannu at yr ail beth a ddigwydda mewn sgyrsiau Cymraeg: mae gan bobl duedd i fod yn hyfryd o siaradus â fi. Mae yna rywbeth am y ffaith nad ydw i'n Gymro sy'n achosi i bobl fod yn fwy cyffyrddus wrth siarad. Mae gennyf ddamcaniaeth bod yna ragdybiaeth bod Americanwyr . . . wel . . . yn dwp. *It's OK, you can admit it*: rydych chi'n meddwl nad ydw i mor ddeallus â chi. O ganlyniad, mae pobl yn ymlacio wrth siarad â fi. Ni chredant fy mod i'n medru eu deall nhw, efallai. Felly teimlant nad oes angen iddyn nhw feddwl am yr hyn a ddywedant wrthyf. Mae yn syndod y math o stwff y dywed pobl wrthyf amdanynt eu hunain weithiau. Ond rydw i'n meddwl fy mod i'n lwcus o'r herwydd. Mae'n uffernol o anodd addasu i gymdeithas Gymraeg, a byddai'n waeth o lawer petawn i'n berson anodd i siarad ag e. Beth bynnag y rheswm, ar ôl yr awr o sgwrsio â'r dosbarth hwnnw ym Mangor, dywedodd y tiwtor wrthyf na fu'r myfyrwyr erioed mor siaradus o'r blaen.

Treuliais ddiwrnod arall wrthi'n crwydro Bangor. Er nad oedd fel paentiad *Spirit of Christmas* o gwbl (doedd yna ddim eira hyd yn oed), roeddwn yn fodlon â'r arogl tân glo a hongiai yn yr awyr aeafol. Es i i'r siop llyfrau Cymraeg a phrynais gynifer o lyfrau ag y gallwn eu fforddio, yn cynnwys *Y Geiriadur Mawr*. Mae hwnnw gennyf o hyd ac mae e wedi cael ei orddefnyddio i'r fath raddau fel bod rhaid dal y peth at ei gilydd â *duct tape*.

*

Bant â fi i Gonwy. Ni chofiaf pam es i yno. Oherwydd bod hostel ieuenctid y dref ar agor yn y gaeaf, efallai. Weithiau gwnawn benderfyniadau heb reswm mwy *über-sexy* na chyfleustra. Ac weithiau, y penderfyniadau bychain hyn fydd y penderfyniadau gorau. Yng Nghonwy darganfûm rywbeth agosach i'r ddelwedd Gymreig yr oeddwn yn gobeithio amdani. Roedd y ffaith bod rhaid rhoi gwybod i docynnwr y trên os oeddech chi eisiau stopio yng Nghonwy yn ddigon o reswm ar ei ben ei hun i mi ei charu. Rhywbryd yn fy nyfodol, hoffwn i fynd i bob un o'r gorsafoedd hyn yng Nghymru, y gorsafoedd hynny lle mae'r trên yn hedfan trwyddynt heb stopio oni bai bod rhywun yn datgan dymuniad i sefyll yno. Mae hyn yn rhoi teimlad o le egsotig, pellennig. Dwi ddim yn ymwybodol o unrhyw le yn yr Unol Daleithiau ble mae yna arhosfan ar gais. Y dyddiau hyn, byddaf i a'r briodferch ifanc yn mynd yn aml i Iwerddon ar y llong fferi o Gaergybi i Dún Laoghaire, ac wrth gropian trwy Gonwy cyhoeddaf i'm gwraig: 'Look! Look! This is Conwy. You have to tell the conductor if you want to stop here!'

'Yes, I know. You say that every time,' medd hi.

'It's so cool! Because if you don't tell them, they'll just keep on going,' parhaf yn blentynnaidd, wrth neidio o'm sedd bron.

'Yes. I know. You've told me before,' bydd hi'n ateb.

'They'll just keep going! How awesome is that?!' bloeddiaf.

'Pretty awesome,' yw'r ateb heb ddiddordeb.

'Damn right it's awesome! Conwy is awesome! Conwy is made of awesome! It is built on a bedrock of awesome!'

Yn ogystal â'i gorsaf rhaid-dweud-os-ydych-chi-eisiau-stopio, mae gan Gonwy deimlad hynafol, henaidd-Prydeinig ac o'i chwmpas mae yna fryniau gwyrdd sy'n ychwanegu at ei theimlad o fod yn anghysbell. Roeddwn yn dwlu ar y lle. Mor fuan ag y gallwn, es i am dro ar Fynydd Conwy a llwyddais i fynd ar goll yn syth. Es lan y peth gyda map a ddarparwyd gan yr hostel – map oedd yn annefnyddiol, braidd, yn rhannol oherwydd darluniwyd ef â llaw. Gwers y map hwnnw oedd: peidiwch â dibynnu ar fapiau a gewch am ddim. Er, a dweud y gwir, ni wyddwn fod y map yn ddiwerth tan i mi gwrdd â Dave.

Doedd y map ddim yn arbennig o fanwl, nac oedd, ond roedd y môr wedi ei nodi arno. Tirnod gweddol amlwg yw'r môr, meddyliais, felly roeddwn yn tybio nad oedd yna broblem cyn belled â bod yna gorff mawr o ddŵr yn y golwg. Ond, jyst rhag ofn, penderfynais fynd at yr unig berson arall roeddwn i wedi ei weld ar y mynydd a gofyn iddo ddangos i mi ble yn union ar fy map yr oeddwn. Bwriodd olwg ar y map, edrychodd arno'n llygatgroes a throdd y peth dair gwaith.

'We're not on this map, I'm afraid,' meddai.

A dyma Dave. Gofynnodd i ble roeddwn am fynd, a chyffesais iddo nad oedd gennyf syniad. Felly cynigiodd i mi ymuno ag e a'i gi, Mollie, ar eu taith i Eglwys Llangelynin. Beth yw'r ods y byddai person yn crwydro ar fryn yng nghanol mis Rhagfyr ac yn dod o hyd i dywysydd cydnaws, gwybodus? Ni fyddwn i fyth wedi disgwyl cwrdd â rhywun hoffus fel hwnnw ar ben mynydd yn San Diego. Am ryw reswm, mae pobl De California yn ymddwyn ar ben mynydd yn union fel y maen nhw'n ymddwyn mewn lifft: siaradan nhw ddim â neb. Ond dyna Gymru, yntê? Pobl yn gyfeillgar ac yn awyddus i helpu. Wel, weithiau. Wel, dyna oedd fy nelwedd ohoni, o leiaf.

'Tyrd, Mollie,' meddai Dave.

'Dych chi'n siarad Cymraeg?' gofynnais.

'Ydw. Wel ychydig. A ti! Americanwr yn siarad y Gymraeg. Da iawn ti,' meddai.

'Dwi'n dysgu,' meddwn i.

A bant â ni. Gyda fy *tour guide* personol yn fy arwain, gallwn ganolbwyntio mwy ar y byd o'm hamgylch, a ches fy swyno ganddo. Cerddasom ni'n dau am sbel ar hyd y bryniau hynny sy'n edrych dros y môr ar y naill ochr a dyffryn Conwy ar y llall. Daeth yr haul allan, disgleiriai'r môr, ac ergydiai'r gwynt yn fy erbyn gydag awelon ffres. Byddai'r foment hon yn dod yn ôl i'm cof drosodd a throsodd yn y blynyddoedd i ddod. Hwn oedd y math o beth a roddir mewn pamffledi twristaidd. Roedd y ddau ohonom ni mewn hwyliau da. Gan fân siarad ar y ffordd fe frasgamon ni tua'r eglwys. Caniataem i'n meddyliau grwydro ac adeiladu senarios Cymreig perffaith. Penderfynodd Dave y dylai e brynu Land Rover oherwydd ei fod yn beth Cymreig i'w gael. Ceisiais ddewis pa dŷ y byddwn yn ei brynu petawn i'n ennill y loteri.

'You'll like this church,' meddai Dave. 'It has the most amazing sledge. What's interesting is that you would not really know it to be a sledge just by looking at it.'

'O,' meddwn i, wrth wneud fy ngorau glas i guddio'r ffaith na wyddwn beth uffach oedd 'sledge'.

Ches i ddim cyfle i ddysgu, chwaith, oherwydd roedd yr eglwys ar glo. Doedd hyn ddim yn syndod i mi, wrth gwrs. Pam ddylai person ddisgwyl cael mynediad i eglwys ar ddiwrnod o'r wythnos nad yw'n ddydd Sul? Ac o edrych arni, roedd Eglwys Llangelynin yn hen iawn (sefydlwyd hi yn y 12fed ganrif – yn ôl Wikipedia, *so it must be true*); efallai nad oedd neb yn ei defnyddio erbyn hyn. Yn yr Unol Daleithiau, ni allai neb ddisgwyl mynd i mewn i le fel hwn. Mwy na hynny byddai peryglu iddo gael ei arestio am dresbasu. Ond dyna beth ardderchog am Gymru: gellwch fynd i mewn i eglwys pryd bynnag y byddwch chi eisiau, yn rhad ac am ddim; gellwch fynd i mewn i eglwys sydd mor hen fel y byddai hi mewn câs gwydr *hermetically sealed* yn cael ei gwarchod gan ddynion caled gyda reifflau M-16, petai hi yn yr Unol Daleithiau. Ond nid yn yr Unol Daleithiau yr oeddem ni. Yng Nghymru yr oeddem ni, a doedd Dave ddim yn hapus i weld bod y lle ar gau.

Bron fel yr oedd yn cynnig ymddiheuriad am 'siom' yr eglwys, penderfynodd Dave y dylem ni fynd i'r dafarn. Cerddasom i lawr y bryn trwy gaeau fferm a choed i bentref Rowen, lle cawson ni fwrdd o flaen y tân glo yn nhafarn Tŷ Gwyn. Roedd dwy ferch a weithiai yn y dafarn yn ei haddurno ar gyfer Nadolig. Siaradon nhw'n gyfeillgar â Dave a fi mewn cymysgfa o Gymraeg a Saesneg, a theimlais, yn y bôn, fod popeth yn iawn â'r byd. Roeddwn i wedi darganfod y math o Gymru chwedlonol y sonient amdani ar y grwpiau e-bost. Anodd oedd cadw fy hunan rhag eistedd yno a gwên lembo ar fy wyneb wrth nyrsio fy mheint.

Ymddangosodd Michelle, gwraig Dave, i gael diod fach gyda ni.

'Gest ti gyfle i weld y *sledge*?' gofynnodd hi.

'No, it's all gated-off,' meddai Dave.

'Yes. Vandals apparently,' meddai hi. 'But all you have to do is ask the farmer up there for the key.'

'Excellent! Next time you're here,' meddai wrthyf, 'bring your wife. You can stay with us. And then we'll get back out there to see it.'

Beth bynnag yw *sledge*, rhaid bod 'na uffach o *sledge* arbennig yn Llangelynin.

*

Y brifddinas oedd yr arhosiad olaf ar y daith fach hon. Roeddwn i a'r briodferch ifanc wedi aros noson yng Nghaerdydd yn 2001 ar ein ffordd i rywle arall. Buom ni yno am lai na phedair awr ar hugain a llwyddom ni i weld dim ond yr hyn y gall berson grwydro ato ar hap o'r Holiday Inn Express – er doedd dim llawer i grwydro ato o'r man hwnnw. Mae'r gwesty'n guddiedig yn y bae a doedd dim lot yn yr ardal i'w weld yn y dyddiau cyn-Canolfan-y-Mileniwm, cyn-Senedd hynny. Diolch i'r arwyddion twristaidd, daethom ni o hyd i Gastell Caerdydd, ac wrth sefyll ar ben ei dŵr hynafol, ces i fy nhwyllo gan ehangder Parc Bute i feddwl nad oedd dim mwy o'r ddinas y tu hwnt i'w chastell. Bellach, flwyddyn a hanner ar ôl pasio trwyddi gyda fy ngwraig, roeddwn yn awyddus i fforio'r hen ddinas yn fwy manwl. Y tro hwn, roeddwn i wedi amserlennu diwrnod a hanner iddi.

Cyrhaeddais hostel ieuenctid ger Parc y Rhath yn hwyr ar noswaith lawog. Mae'r hostel ar gornel rhwng yr A48 a chledrau trên sy'n mynd lan i Coryton, Caerffili, ac yn y blaen. Anodd fyddai dweud, felly, taw lle pell o bobman yw hwn, ond teimlai fel hynny ar y noson honno. Teimlai fel petai'r hen ddinas yn fath o allbost – *Deep Space Nine Cymru*, fel petai (yng nghanon *Star Trek* mae *Deep Space Nine*, neu 'DS9' i ni *geeks*, yn orsaf ofod ar gyrion y cyfanfyd diffiniedig). Efallai taw'r strydoedd gwlyb a sgleiniog, a phopeth yn chwyldroi o'm cwmpas, a roddodd i mi'r argraff hon. A thipyn o ludded jet, hefyd. Y noson honno byddai'r tro cyntaf a'r olaf i mi gysgu'n llwyr yn ystod y daith.

Mentrais i ganol y ddinas yn hwyr fore trannoeth. Ac mae'r daith fer i ganol y dre yn cynrychioli elfen o fywyd Caerdydd sy'n dal i fy swyno o hyd: eu bysiau. Gyrwyr Bws Caerdydd yw gyrwyr gorau'r byd. Wrth i'r bysiau lithro trwy'r strydoedd cul wedi'u leinio â cheir, mae'r gyrwyr yn dangos medr goruwchddynol. Yn wir, mae ganddynt gymaint o fedr nid yw'r gair 'medr' yn air digon canmoliaethus i'w diffinio. Rhaid creu gair newydd, rhywbeth fel 'medruffachffantastigodidog'. Gallan nhw hwylio bws ar hyd strydoedd na fyddwn i'n hoffi eu taclo mewn Peugeot 306. Maen nhw'n ddewiniaid; byddwn i'n fodlon betio y gallai gyrrwr Bws Caerdydd yrru bws trwy fy nhŷ heb hyd yn oed symud y llenni.

Yn ogystal â hyn, maen nhw'n rhyfeddol o gyfeillgar. Anghyffredin iawn yw dod o hyd i bobl gymdogol mewn dinas fawr (wel, dinas weddol fawr – tua 330,000 yw poblogaeth Caerdydd annwyl), heb sôn am rywun sy'n cael ei orfodi i ddelio â'r cyhoedd trwy'r dydd. Yn enwedig cyhoedd Caerdydd – meddwon yw pob un dyn (minnau yn eu plith, cofiwch), menyw a phlentyn yn y brifddinas. Ond os ydych chi'n barchus tuag atyn nhw, mae gyrwyr Bws Caerdydd yn siriol ac yn dirion, fel y dysgais i ar y noswaith honno. Ar ôl treulio diwrnod cyfan yn crwydro, siopa, bwyta a meddwi, roeddwn i wedi llwyddo i wario fy arian parod i gyd. Wrth esgyn ar y bws, dangosais fy nhocyn dychwelyd i'r gyrrwr ond ysgydwodd ei ben.

'That's a single ticket, mate,' meddai.

Edrychais ar y tocyn mewn syndod. Roeddwn i'n siŵr mod i wedi prynu tocyn dychwelyd. Mwmiais y ffaith hon wrthyf fi fy hunan o dan fy anadl, ond doeddwn i ddim eisiau achosi problemau.

'Hmm, I thought for certain I bought a return. Oh well. Do you know where the nearest cash machine is?' gofynnais iddo fe. 'I'm out of money, so I'll have to get some cash and take the next bus.'

'Last bus of the night this is, butt,' meddai. 'You definitely paid for a return, did you?'

'Yeah,' meddwn.

'Alright. Let's go have a chat with my supervisor.'

Cerddom ni'n dau draw at ddyn oedd yn pwyso ar wal ac yn yfed paned o de.

'American fella here,' meddai'r gyrrwr wrth amneidio ei ben tuag ataf. 'Says he bought a return. But he's got a single, see? I'm thinking of lettin' him on.'

Cododd y goruchwyliwr ei ysgwyddau, fel petai'n dweud, 'Hei, dim ots 'da fi', a llymeitiodd ei de heb ddweud dim.

'Good stuff. Come on, mate,' meddai'r gyrrwr wrthyf.

Bore trannoeth, roeddwn yn sefyll yn ymyl Parc y Rhath yn aros am fws i'm cludo i orsaf drên Caerdydd Canolog ar fy ffordd i Lundain ac yna'n ôl i San Diego. Edrychais ar y rhesi tai mawr chwenychadwy yn Lake Road West.

'Hoffwn i fyw yn y ddinas hon,' meddyliais.

Ni fuaswn erioed wedi breuddwydio y byddwn yn cael fy nymuniad ymhen llai na phedair blynedd.

6

Rydw i'n un

Pop Quiz – Cyfieithwch y canlynol o'r Gymraeg i'r Saesneg: 'Cymru'n un'.

Anodd yw dod o hyd i bethau Cymreig yn yr Unol Daleithiau. Mae gennym sawl tafarn Wyddelig, wrth gwrs, a nifer o dafarnau Prydeinig. Ym Minneapolis, Minnesota, mae yna dafarn Albanaidd hyd yn oed. Ond pethau *Cymreig*? *Not so much*. Dywedir bod yna dafarn Gymreig yn yr Unol Daleithiau amser maith yn ôl, sef Dylan's Pub yn San Francisco, California. Ond The Homestead yw ei henw erbyn hyn ac yn hytrach na bod yn lle o wrogaeth i lenor Cymreig mae nawr yn 'Home of Tequila Tuesdays'. Hefyd mae yna sawl siop Brydeinig hwnt ac yma yng ngwlad fy mebyd. Gwerthant farrau siocled, te, ac ychydig o'r bwyd arall sy'n anodd ei ganfod yn yr UDA, megis jariau saws cyrri. A rhai pethau rhyfedd megis tuniau ffa pob Heinz (na wna lawer o synnwyr oherwydd cwmni Americanaidd yw Heinz).

Ochr yn ochr â'r bwyd, mae yna bob math o sothach na fyddai neb yn ei iawn bwyll eisiau yn ei dŷ, megis tebot a lluniau'r teulu brenhinol arno, ffedog Jac yr Undeb, a chapiau tebot plod. Ymhlith y sbwriel hwn, fel arfer, gellir canfod crys-T a'r ddraig goch arno ac ar ei waelod, mewn ffont o'r 1980au, yr ymadrodd: *Cymru'n Un!*

Dwi ddim yn hollol siŵr beth yw ystyr y crys-T hwn. Mae yna nifer o bosibiliadau yr ydw i wedi meddwl amdanynt:

– *Wales is number 1!* efallai? Dehongliad gor-Americanaidd yw hwn, fe gredaf. Rydym ni yn yr Unol Daleithiau'n obsesu ynglŷn â phwy sy'n rhif un. Siant boblogaidd mewn digwyddiadau chwaraeon yw 'We're number 1!' Ond dwi ddim yn meddwl bod y Cymry'n meddwl cymaint â hynny am eu safle mewn hierarchaeth ddychmygol. Hefyd, pryderaf am beth yn union fyddai'r Cymry'n cyfeirio ato wrth hawlio'r teitl o fod yn rhif un. Darllenais rywbryd taw gan Gymru yr oedd y gyfradd uchaf ym Mhrydain o bobl ag asthma. Ond go brin bod hynny'n rhywbeth i'w ganmol ar grys-T. Ysywaeth, efallai, oherwydd gellid defnyddio'r mwysair 'Wheeze number 1!'

– *Wales is one!* Os hyn yw'r neges fwriadol, dyw'r ystyr ddim yn glir. A yw hyn yn golygu taw un darn o rywbeth mwy yw Cymru? Hynny yw, bod Cymru'n un o'r pedair (pum?) cenedl a gynhwysir yn y Deyrnas Unedig? Neu a yw'n golygu nad gwlad rwgnachlyd yw Cymru? Hynny yw, ei bod yn wlad unedig a chydgordiol, lle mae pawb yn cytuno taw Bryn Terfel yw'r canwr gorau erioed.

– *One Wales!* Dyma ddehongliad Llywodraeth Cynulliad Cymru pan ddefnyddion hwythau'r ymadrodd wrth ffurfio llywodraeth glymblaid Plaid Lafur a Phlaid Cymru yn ôl yn 2007. Ond roedd yr ymadrodd ar grysau-T sawl blwyddyn cyn iddo ymddangos mewn jargon llywodraethol. Gobeithio nad yw llywodraeth Cymru'n dwyn ei syniadau oddi ar grysau-T. Os felly, dim ond mater o amser ydyw tan y cawn ni'r *Han Shot First Government*.

Beth bynnag yr ystyr, mae gennyf bedwar o'r crysau hyn. Anrhegion oedden nhw i gyd, oddi wrth amryw aelodau o'r teulu. Erbyn fy mhen-blwydd yn 27, ym mis Mawrth 2003, roedd fy hoffter o'r Gymraeg mor hysbys fel bod unrhyw beth Cymreig yn anrheg *de rigeur*. Yn ogystal â chrysau-T di-chwaeth roedd yna faneri Cymru, tywelion te, a bron pob llyfr gyda'r gair 'Wales' yn ei deitl. Adlewyrchai'r anrhegion y ffaith bod y Gymraeg yn ganolog i'm bywyd, a bod hyn yn amlwg i bawb a'm hadwaenai.

Roedd y Gymraeg mor bwysig, yn rhannol oherwydd fe roddai i mi gyfle i ddianc rhag fy mywyd beunyddiol. Er gwaethaf popeth y cewch chi mewn ffilmiau, teledu, caneuon, llyfrau ac yn y blaen, nid De California yw'r lle mwyaf dymunol yn y byd. Nid i mi, o leiaf. Roeddwn yn anhapus ymhlith ei thraffyrdd enfawr a'i phobl hunanol. Mae yna ddyrnaid bach o ddysgwyr Cymraeg yn California, felly cydnabyddaf fy mod yn mentro i dir peryglus wrth feirniadu eu hafan. Efallai taw dim ond lwc druenus o ddrwg oedd fy mhrofiadau yn y *Golden State*. Efallai taw dim ond digwydd cwrdd â phob un person annymunol wnes i yn ystod y tair blynedd y bues i'n byw yn San Diego, ac efallai bod yna dorfeydd o bobl hoffus yn cuddio mewn rhan o'r ardal na fues i ynddi erioed. Ta beth, dyma hanesyn sy'n crisialu'r hyn sydd o'i le am San Diego yn fy marn i:

Gweithiwn yn y byd newyddiadurol yn y cyfnod hwnnw, ac un tro roedd yna stori am ddwy butain a gafodd eu hymlid gan dad a'i fab lan a lawr stryd breswyl am 3 o'r gloch y bore. Roedd y pedwar ohonyn nhw'n hollol noeth ac yn saethu at ei gilydd. Hyn i gyd mewn cymdogaeth gymharol gyfoethog. Felly bant â ni gyda chriw camera er mwyn dilyn y stori, a dyma ni'n dechrau ar yr hen arfer hwnnw o gnocio ar y tŷ drws nesaf a gofyn, yn syml: 'Be sy'n bod ar y bois 'ma?'

Gofynnom ni i'r fenyw ddrws nesaf a oedd hyn yn ymddygiad arferol i'w dau gymydog. A ydyn nhw erioed wedi gwneud rhywbeth tebyg o'r blaen? Pa fath o gymdogion oedden nhw? A oes rhywun arall wedi gwneud hyn? A yw rhedeg ar ôl puteiniaid yn yr oriau mân yn rhywbeth arferol yn y gymdogaeth hon? Ac yn y blaen, ac yn y blaen.

'I don't know,' meddai'r cymydog yn hollol ddigywilydd. 'I don't really care about anyone else. I moved here to be close to the beach.'

Ar fy llw. Dyna ddywedodd hi wrth y camera.

Ar wahân i breswylwyr cwbl hunanol, cŵyn arall gennyf oedd y ffaith bod yr ardal yn lle annioddefol o gostus i fyw ynddi. Yn gyffredinol, roedd costau byw San Diego ddeugain y cant yn uwch nag yng ngweddill y wlad. Roedd y briodferch ifanc a fi'n byw mewn dyled. Teimlwn fel gwas ymrwymedig. Felly trwy wrando ar Radio Cymru a gwylio darllediadau *Newyddion* ar-lein, a darllen llyfrau Cymraeg, gallwn ffoi rhag fy mywyd i rywle arall. Yn fy mhen, awn yn ôl i fryniau Dyffryn Conwy; awn i Gymru ddelfrydol fy nychymyg. Cofiaf yn glir wrando ar Radio Cymru a breuddwydio y gallwn deithio trwy wifren fy nghlustffonau, trwy fy nghyfrifiadur, trwy'r opteg-ffibr, tros y môr ar signal lloeren, trwy pa system delathrebu bynnag sydd gan Brydain, a chyrraedd stiwdios y BBC – stiwdios y dychmygwn eu bod ar ben rhyw fynydd gwyntog pell (allwch chi ddychmygu fy siom y tro cyntaf i mi weld stiwdios Llandaf?).

Roeddwn ar dân i ddysgu'r iaith, yn rhannol am fod hynny'n rhoi teimlad o lwyddiant a hunanwerth imi. Wrth frwydro â phroblemau ariannol, roeddwn yn ymwybodol na allwn ganfod swydd arall. Roeddwn yn sownd yn y man lle'r oeddwn i oherwydd doedd gennyf ddim gradd prifysgol. Dywedir yn yr Unol Daleithiau eich bod chi'n treulio pedair blynedd, ac yn gwario miloedd o ddoleri, er mwyn cael yr hawl i dicio blwch ar ffurflen gais am swydd. A doedd yr hawl honno ddim gen i. Er gwaethaf mynychu prifysgol ym Minnesota, Lloegr, Nevada a California, ches i erioed radd. A bron yn amhosibl yw dod o hyd i swydd o werth yn yr Unol Daleithiau os nad oes gennych y darn bach hwnnw o bapur oddi wrth brifysgol. A dweud y gwir, bu'n rhaid i mi ddefnyddio tipyn o ystryw er mwyn sicrhau'r swydd oedd gennyf. Rai blynyddoedd yn ddiweddarach, wrth siarad â goruchwyliwr am fy niffyg gradd, dywedodd wrthyf yn blaen: 'You're probably one of the hardest-working people here, but If I had been the one to interview you, and had seen that you don't have a college degree, there is no way I would have hired you.'

Teimlwn, felly, fy mod mewn magl ac nad oedd fy mywyd yn mynd i unman. Doedd gennyf ddim dyfodol. Ond rhoddai'r Gymraeg obaith i mi. Trwy ganolbwyntio arni gallwn deimlo fy mod yn *gwneud* rhywbeth. Hynny yw, deuai teimlad o lwyddiant trwy ddysgu'r iaith; wedi'r cyfan doeddwn i ddim yn berson anobeithiol na di-ddawn. Gyda'r iaith, doeddwn i ddim yn berson heb ddyfodol; cawn ganddi gyfle i weithio *tuag at* rywbeth. A'r hyn yr oeddwn yn gweithio tuag ato oedd bod yn rhugl.

Cefais ychydig o ysbrydoliaeth yn hanes Djimon Hounsou, actor o Benin, Affrica, a berfformiodd yn y ffilm *Amistad*. Mewn cyfweliad gydag Oprah Winfrey unwaith, honnodd ei fod wedi dysgu'r Saesneg trwy wylio teledu Americanaidd. Ie, rydw i yn ddyn trist am dynnu ysbrydoliaeth o wylio *The Oprah Winfrey Show*, ond dyna ni. Mae'n debygol bod yna fwy o siaradwyr Saesneg yn Benin na siaradwyr Cymraeg yn San Diego, ac mae'n werth nodi bod Djimon yn ddyn golygus, felly mwy na thebyg ei fod wedi cael mwy o help wrth ei ddysgu nag y cawn i. Ond, meddyliais, os gall ef ddysgu iaith heb fyw yn y wlad, gallaf innau wneud yr un peth. Defnyddiodd Djimon ei Saesneg i fod yn actor Oscar-enwebedig; doedd gennyf i ddim syniad beth i'w wneud gyda'r Gymraeg. Ar y cyfan ni chredwn y byddwn yn gwneud rhywbeth gyda hi byth. Ond byddwn yn cellwair gyda chyfeillion fy mod am ddefnyddio'r iaith i fod yn actor mewn ffilm bornograffig Gymraeg.

*

Ddechrau'r haf hwnnw, prynais docynnau awyren i fy mrawd a'i wraig hedfan o Minnesota allan i San Diego. Fe lwythom ni drelar, gwaelod fy nhrŷc a Ford Escort 1994 gyda holl eiddo Rachel a fi, a rholio ar hyd Y Gorllewin Americanaidd Mawr. Trwy anialwch de California, Nevada, ac Arizona i dde Utah, lle ymwelom ni â rhieni'r briodferch ifanc. Nofiais i a'm brawd a'i wraig ym mhwll nofio fy rhieni-yng-nghyfraith tra bod Rachel yn clebran â'i chwiorydd. Ddeuddydd yn ddiweddarach cychwynnodd ein carafán fach ar ei thaith eto, ar draws ehangder gwyntog Utah ac wedyn lan i Fynyddoedd y Rockies. Brwydrodd fy nhrŷc i lusgo'r trelar lan y 11,158 troedfedd uwch lefel y môr (ffaith sydyn: 3,560 troedfedd yw'r Wyddfa) i groesi'r 'Great Divide'. Gwasgais fy nhroed ar y sbardun ac anogais yr injan trwy regi arni, a hithau'n ymdrechu i gael ddigon o ocsigen yn yr awyr denau. Pan arhosom ni'r noson honno ym Mhwy-a-ŵyr, Colorado, roeddwn i wedi ymlâdd yn llwyr trwy geisio ewyllysio'r trŷc i wneud mwy na 40 milltir yr awr. Fore trannoeth, fe lithron ni i lawr i Denver, ar draws gwastadedd anfaddeugar o wyntog dwyrain Colorado ac ymlaen i gaeau fferm di-ben-draw Nebraska. Noson yn Lincoln, Nebraska, ac wedyn, o'r diwedd, hwylio trwy fryniau meddal Iowa a lan i Minnesota. Roeddwn i gartref eto.

Y rheswm swyddogol dros symud yn ôl i 'The Land of 10,000 Lakes' oedd er mwyn i'r briodferch ifanc fynychu Prifysgol Minnesota i wneud gradd meistr. Ond o dan yr wyneb roedd fy awydd i i ddychwelyd. Er taw brodor o Texas ydw i, ac rydw i'n falch iawn o hynny (dim ond hanner jocan ydw i pan ddywedaf na fyddwn i wedi priodi Rachel oni bai iddi gael ei chenhedlu yn Texas), mae Minnesota'n meddiannu rhan fawr o'm calon. Roedd hyn yn amlwg i'm cyd-weithwyr yn San Diego; prynodd un ohonyn nhw grys-T i mi ac arno: I ❤ ~~JESUS~~ MINNESOTA.

Roeddwn i a Paul, a'n cylch o ffrindiau, wedi ysu am adael y dalaith yn ein hieuenctid. Breuddwydiem am adael y dalaith am byth, gan chwerthin nerth ein pennau gyda bys canol yn yr awyr wrth groesi ffiniau'r dalaith am y tro olaf erioed. Credaf fod hyn yn rhywbeth a deimlir gan rai o bobl ifainc Cymru hefyd. Ond ar ôl rhai blynyddoedd o grwydro deuai nifer ohonom ni yn ôl. Mae yn ffenomen neilltuol i Minnesota, efallai, y bydd ei brodorion (neu'r rheiny sy'n cymryd arnynt eu bod yn frodorion) mor awyddus i'w gadael ac wedyn yn hiraethu amdani yn ddi-baid. Cyfeirir at hon yn y gân 'Shhh', gan Atmosphere, sef grŵp hip-hop o'r 'Twin Cities':

> Follow the dream doesn't mean leave the love.
> Roam if you must,
> But come home when you've seen enough.

Fe'm hadfywiwyd trwy symud yn ôl i Minnesota. Roeddwn mor falch o gael miloedd o filltiroedd rhyngddo' i a California. Gallwn 'drink tap water and breathe the air', chwedl arall Atmosphere, yn ogystal â bod yn agos at hen gyfeillion a'm teulu. Roedd fy nghyflogwr wedi caniatáu imi drosglwyddo o San Diego i'w bencadlys yn y 'Twin Cities', felly doedd dim angen canfod swydd newydd. Hefyd, roedd y symud cystal â chael codiad cyflog oherwydd bod costau byw yn is ym Minnesota.

Fel person sinigaidd-yn-y-bôn mae'n brifo i gyfaddef hyn, ond roeddwn yn hapus.

Yn sgil hynny, daeth y Gymraeg i fod yn fwy na modd i osgoi'r byd o'm cwmpas. Wrth fynd ati i ddysgu gydag agwedd bositif, ymestynnai gorwelion fy myd Cymraeg. Hynny yw, doeddwn i ddim yn plygio fy hunan i mewn i gyfrifiadur er mwyn dianc, bellach. Roeddwn i'n dal i gysylltu â phopeth Cymraeg trwy gyfrwng fy nghyfrifiadur, ond doedd yna ddim cymaint o awydd i gael fy nghludo trwy'r gwifrau. Daliwn ati i ddysgu oherwydd fy mod yn mwynhau, a daeth yr iaith yn rhan annatod o bob elfen o'm bywyd. Roedd bod yn ôl ym Minnesota wedi rhoi awydd newydd i mi ehangu fy ngorwelion, fel petai, i fod yn ddyn mwy cyflawn. A rhoddodd y Gymraeg yr hyder i mi wneud y pethau hyn. Hyd yn oed pan oedden nhw'n uffernol o wallgof.

Ymunais â chlwb rygbi: Eastside Banshees RFC.

Pob tro y dywedaf wrth bobl fy mod i'n arfer chwarae rygbi, maen nhw'n ymateb gyda thipyn o syndod ac amheuaeth. A gwnânt sylw fel, 'Be, rygbi go iawn?' – sy'n fy nharo i fel cwestiwn twp a bod yn onest. *Wrth gwrs* rygbi go iawn.

Ar brydiau rydw i eisiau ateb yn wawdlyd: 'Wel, mae yna rai gwahaniaethau rhwng y rygbi yma a'r rygbi yn yr UDA. Er enghraifft, rydym ni'n chwarae'r gêm gyda phêl fach wen a'i tharo ar draws cae gyda ffon. A does dim taclo yn ein gêm ni. O, a dydyn ni ddim yn ei galw hi'n "rygbi", chwaith. "Golff" yw ei henw draw yn America.'

Ond efallai taw achos y syndod yw'r olwg sydd arnaf i. Deuddeg stôn ydw i mewn dillad gwlyb. Mae gennyf gorff sy'n dda ar gyfer rhedeg pellter, neu gael ei ollwng i lawr siafft gul er mwyn achub plentyn sydd wedi cwympo i mewn i ffynnon, neu i fod yn snac ysgafn i arth wen. Dwi ddim yn ddewis cyntaf ar gyfer atal stêm-roler o ddyn 22 stôn (yn yr UDA daw'r mwyafrif o chwaraewyr rygbi o fyd pêl-droed Americanaidd, felly mae ganddyn nhw duedd i fod yn fwy – ac yn arafach – na chwaraewyr Cymru). Ond dyna ni; roedd angen her arna i.

Hefyd roedd arnaf eisiau cael rhyw fath o gysylltiad corfforol â'r iaith yr oeddwn yn ei dysgu. Felly es i allan i gael fy maeddu gan ddynion dwywaith fy maint. Chwarae teg, mae *yn* fodd eithafol o ymlynu at iaith. A sylweddolais hyn yn llawn y tro cyntaf i mi gamu ar y cae. Cyn hynny, roeddwn wedi ymarfer gyda'r tîm unwaith neu ddwy, ond dim ond rhedeg a phasio'r bêl ychydig ac ati. Ni fu yna esboniad clir am reolau'r gêm, na strategaeth, neu beth bynnag; athroniaeth y Banshees yw dysgu wrth wneud.

'Woody, what am I doing here?' gofynnais i'm cyd-ganolwr tra oeddem ni'n paratoi ar gyfer y gic gychwyn.

'Is that a philosophical question, Cope? This isn't really the time,' meddai.

'No. On this field,' meddwn. 'I don't know what the hell is going on. Doesn't this strike you as stupid?'

'Hey, you signed up for it, buddy. And you paid your dues; you pay, you play.'

'But, dude, I don't know how to play.'

'You'll figure it out. It's not that hard. If someone on the other team has the ball, kill them. If you have the ball, run. The ref will let you know when you do something wrong. Although, if you get us a bunch of penalties I'm kicking your ass.'

Cawn i fy nharo yn aml gan Woody. Heb fymryn o amheuaeth, fi oedd y chwaraewr rygbi mwyaf diwerth yn hanes chwaraewyr diwerth. Am dri thymor cyfan awn allan bob dydd Sadwrn i chwarae mewn dull mor ddrewllyd byddai'n achosi i gerflun

Gareth Edwards grio. Ond roeddwn i'n brydlon yn talu'r ffioedd, felly roedd yna le i mi yn y tîm.

Dyw'r gêm ddim yn ddigon poblogaidd yn yr Unol Daleithiau i dimau fod yn rhy gysetlyd ynglŷn â phwy sy'n chwarae iddynt. Mae hyn yn arbennig o wir am dimau mewn ardaloedd gwledig. Yn y 'Twin Cities' (ardal ddinesig) mae yna dri thîm rygbi dynion (yn ogystal â dau dîm rygbi merched), ac yn gyffredinol mae ganddynt ddigon o chwaraewyr i gynnal dwy sgwad. Ond ym Mhwy-a-Ŵyr, Iowa, neu ble bynnag (lle mae Ewrop yn gyfystyr â hoyw i lawer), gall fod yn anodd dod o hyd i 15 dyn sydd eisiau chwarae rhyw gêm Ewropeaidd. Yn sgil hynny, cawn fy rhoi ar fenthyg yn aml i dimau eraill er mwyn iddyn nhw gael digon o chwaraewyr at y gêm. Wrth wneud hyn, cawn gyfle, rywbryd neu'i gilydd, i chwarae pob un safle ar y maes, ac eithrio prop, mewnwr, neu faswr. Do, bûm i – dyn 12 stôn, 6 throeddfedd ac 1 fodfedd – yn fachwr unwaith. Afraid dweud, doedd y timau eraill ddim yn anferth o hapus i fy nghael fel aelod.

Ynghyd â bod yn chwaraewr erchyll o anfedrus, roeddwn i'n weddol fregus. Roedd gennyf agwedd braidd yn orhyderus ar y maes, o ystyried fy maint. A chan hynny roedd gennyf duedd i dreulio llawer o amser yn gwingo mewn poen. Yn fy nhymor olaf, roedd y boen yn fy nghoesau mor ddrwg fel y syrthiwn i'r llawr bob tro yr âi'r bêl heibio'r llinell ystlys. Yn y gwaith, yn ystod yr wythnos, yfwn cyn lleied o ddŵr â phosibl er mwyn osgoi gorfod codi o'm cadair a mynd i'r tŷ bach, gan fod yr awydd i beidio cerdded mor gryf. Yn y diwedd, penderfynodd fy nghapten gael sgwrs fach gyda fi am fy ngyrfa rygbi:

'You enjoy playing, don't you?' gofynnodd.

'Yeah, actually. I really do,' meddwn.

'I can see that. But . . . uhm . . . I think you have too much fun, you know? It's your personality, I think. You're not really trying to hurt anyone out there,' meddai.

'Well, no. Of course not. We've all got to go to work on Monday morning.'

'Yeah. I'm not sure other people think that,' meddai. 'They're not thinking that when they hit you, definitely. And, well, you know . . . Don't get me wrong, I think it would be hilarious to see you get seriously messed up – broken leg or arm or coma or whatever. But, well, that's kind of what I think is gonna happen sooner or later.'

Dyma oedd ei ffordd o ddweud wrthyf ei fod e'n pryderu am fy iechyd, ac na ddylwn barhau i chwarae. Roedd yn *heartbreaking*, ond, rhyngoch chi a mi a thudalennau'r llyfr hwn, rydw i'n falch iddo wneud hynny; roedd y briodferch ifanc yn blino gwrando arnaf i'n crio yn fy nghwsg. Ond rydw i'n falch hefyd fy mod i wedi cael y cyfle. Er ei fod yn swnio'n ddiniwed ac yn dwp i ddweud hyn, wrth chwarae, teimlwn yn nes at Gymru, rywsut. Gwn erbyn hyn nad yw'r gêm mor boblogaidd ag yr awgrymwyd gan yr hen grwpiau e-bost, a gwyddwn hyd yn oed yn y cyfnod hwnnw na allwn honni bod yn Gymro dim ond oherwydd i mi gael fy nghuro ar brynhawn Sadwrn. Ond rhoddai imi brofiad byw – teimlad bod yr iaith yn rhywbeth real, teimlad bod yna werth i'r hyn yr oeddwn yn ei wneud. Roedd rygbi yn ffordd (wallgof, rhyfedd, eithafol) i mi gysylltu'r â'r Profiad Cymraeg. Roedd yn ffordd gorfforol o adeiladu ar yr hyder a ddeuai o ddysgu'r iaith. A dysgais i gan rygbi wers arbennig y byddai ei hangen arnaf rai blynyddoedd yn ddiweddarach: peidiwch byth â rhoi'r gorau i wthio.

7

God shed his grace on thee

'Oh! Fuck!'

Dyma'n union pryd y gwyddwn fod rhywbeth o'i le; rhywbeth erchyll o fawr o'i le. Does neb yn rhegi ar y radio. Mae'r *Federal Communications Commission*, sef y corff llywodraethol sy'n goruchwylio darllediadau radio a theledu yn yr Unol Daleithiau, yn enwog am fod yn llym a surbwch ynglŷn â rhegi. Daw dirwyon yn syth, a go brin y cadwa'r troseddwr ei swydd. Gall gyrfa ddod i ben mewn eiliad, o ganlyniad i un gair bach pedair-llythyren. Ac os clywch air 'drwg' ar y radio gellwch ddisgwyl llif o ymddiheuriadau eithafol i'w ddilyn.

Ond ddaeth dim pledio am faddeuant gan 'Dave, Shelly a Chainsaw', y criw bore *wacky*. Ni chafodd yr ebychiad sylw gan neb.

Bore 11 Medi, 2001, oedd hwn.

Roeddwn i yn fy nghar, yn gyrru ar hyd Friars Road tuag at heulwen ddisglair bore cynnar o haf yn San Diego. Roedd y criw bore yn gwylio rhyw fath o adroddiad newyddion arbennig ar y teledu pan drois y radio ymlaen, ond doedden nhw ddim yn glir am yr hyn yr oedden nhw'n ei weld. Roedden nhw'n ymateb i'r peth yn ormodol i wneud llawer o synnwyr. Prin y gallwn i ddehongli oddi wrthynt bod awyren wedi taro yn erbyn rhyw adeilad yn Efrog Newydd. Dychmygais taw Cessna neu rywbeth tebyg oedd hi – awyren fach, un sgriw – wedi taro yn erbyn nendwr. Hurtrwydd ei pheilot fyddai'n cael y bai, bid siŵr. Ac ar y mwyaf dim ond tri neu bedwar person wedi cael eu lladd, meddyliais. Ar ôl sawl blwyddyn yn y byd newyddion gallwn ddychmygu'r rhan fwyaf o stori heb angen ei chlywed. Stori drist oedd hon, ie, OK, ond nid y math o beth a deilyngai gael rhyw griw radio bore 3,000 milltir i ffwrdd yn treulio cymaint o amser arno. *Stupid morning shows*, meddyliais. Roeddwn ar fin diffodd y radio a gwrando ar CD pan glywais y rhegi.

'Oh! Fuck!' meddai dyn.

'Oh my God!' meddai'r gyflwynwraig. 'That building just fell down. Oh my God. Oh my God.'

Daeth rhagor o regi.

Pryd bynnag mae yna ddigwyddiad mawr yn y newyddion, tynnir newyddiadurwyr i'w swyddfeydd. Maen nhw'n tyrru i mewn, heb gael eu galw oherwydd teimlad o ddyletswydd neu rywbeth wn-i-ddim. Mewn trasiedi mae yna eisiau, angen, ysu am fynd i mewn i'r swyddfa a gwneud *rhywbeth.* Dyma ein modd o ddelio â'r peth, efallai; fel petai pwyntio a dweud, 'Edrychwch ar hwn! Edrychwch ar hwn', yn gallu gwneud *fuck all* o wahaniaeth. Felly bant â fi i'r swyddfa i eistedd o flaen cyfrifiadur a cheisio dadansoddi a dehongli ac adrodd yr hyn oedd yn digwydd. Ym mhob un dinas, tref a phentref yn yr Unol Daleithiau roedd yna deimlad erchyll ac ofnus o: 'Beth yn y byd sy'n digwydd?'

Roedd yna amharodrwydd, a holi sut i ddelio ag e – beth bynnag oedd e. Es i ati i ysgrifennu stori ar ôl stori ar ôl stori; cliciais fy hunan i mewn i'r modd gweithio. Dim meddwl. Llafurio. Datgysylltais â'r hyn yr oeddwn i'n ysgrifennu amdano. Roedd y sŵn teipio yn ddi-baid. Ffônau. Adroddiadau newyddion. Daeth rhywun â phitsas. Gweiddi. Rhegi. Ffwdanu. Ymlafnio. Gweithiais am 36 awr heb stop. Wn i ddim hyd yn oed pa awr o'r dydd y daeth rhywun draw at fy nesg gyda blwch toesenni Krispy Kreme. Awgrymodd hi y dylwn i fynd adref am ychydig o gwsg. Roedd teledu ar fy nesg yn darlledu'r *live satellite feed*, a gorweddais yn ôl yn fy nghadair i'w wylio. Filoedd o filltiroedd i ffwrdd, safai Gwarchodlu Coldstream yn gefnsyth y tu fas i Balas Buckingham, yn gadarn a chryf i gyd. Clywais fwrlwm drwm cyfarwydd ac yn sydyn dyna fand y gwarchodlu'n perfformio 'Star-Spangled Banner', sef anthem genedlaethol yr Unol Daleithiau.

Torrais.

Roedd yr arddull stacato y perfformiwyd yr anthem ynddi mor herfeiddiol, mor rymus, mor berffaith. Dw i erioed wedi clywed fersiwn well. Beichiais wylo. Crynodd fy nghawell asennau a phlygais gan y boen a deimlwn yn fy nghalon. Fe'm tarwyd fi gan bopeth ar unwaith, ac yn bennaf yn eu plith oedd parch y weithred hon. Rhan hanfodol o fod yn Americanwr yw dod i dderbyn bod pawb yn mwynhau eich gweld yn methu. Chwarae teg, mae hynny'n haeddiannol yn aml. Felly, ymhlith y miliynau o emosiynau a deimlid gan Americanwyr ar y diwrnod hwnnw, yr oedd unigrwydd. Ond dyna Brydain, mor gyflym, mor sicr, mor amlwg, wrthi'n dangos ei chefnogaeth i ni.

*

Wrth gwrs, cyn hynny, roeddwn yn neilltuol o blaid Prydain, ond cadarnhawyd fy nheimladau tuag ati gan y weithred honno. Fel y digwyddodd pethau, daeth cydymdeimlad o bedwar ban byd. Ond Prydain oedd y cyntaf. Anodd yw disgrifio'r effaith lethol a pharhaus a gâi hynny arnaf i. Ac, ie, cydnabyddaf fy mod i'n dawnsio ar iâ ofnadwy o denau wrth sôn am hoffter tuag at 'Brydain' pan fo cynifer o Gymry'n gwingo o weld Jac yr Undeb yn chwifio ym Mhwllheli, lle sefydlwyd Plaid Cymru, ond dyna chi. Cryfhaodd fy nheimladau tuag at Gymru yn yr un modd. Wn i ddim ai 'gwladgarwch' yw'r gair gorau i'w ddefnyddio, ond datblygodd rhywbeth nerthol ynof tuag at yr ynysoedd bach hyn yng nghornel gogledd-orllewin Ewrop – sut bynnag y cyfeirir atynt.

Erbyn hyn, anodd yw cofio'r ewyllys da a gafodd yr Unol Daleithiau gan weddill y byd yn sgil 9/11 oherwydd aethom ati bron yn syth i'w golli. Bu ymateb yr Unol Daleithiau i'r hyn a ddigwyddodd yn siom. Plymiodd yr economi yn y misoedd ar ôl y drychineb – collodd fy nhad ei swydd, collodd tad Paul ei swydd, tad gwraig fy mrawd, cyfeillion, bron hanner y bobl yn y cwmni y gweithiwn iddo. Ond gwariodd llywodraeth UDA ei harian (ein harian) ar achub cwmnïau hedfan a oedd yn darged ymchwiliad Congress yn y misoedd cyn yr ymosodiadau. Cychwynnwyd rhyfel dibwynt.

Ac yn y blaen, ac yn y blaen.

Roedd ymddygiad llawer o bobl fel parodïau cartŵn o berson tra-gwladgarol. Daeth 'Courtesy of the Red, White & Blue', sef cân country gan Toby Keith, i fod yn un o ganeuon mwyaf poblogaidd yr Unol Daleithiau. Mae'n cynnwys llinellau a ddehonglais i fod yn eironi y tro cyntaf i mi eu clywed:

> You'll be sorry that you messed with the U.S. of A.
> We'll put a boot in your ass; it's the American way.

Ond, yn anffodus, nid eironi yw hwn. Ysgrifennwyd y geiriau o ddifrif, ac fe'u cenir o ddifrif hyd at heddiw. Hon oedd yr agwedd ddychrynllyd o eithafol a ddewisodd nifer fawr o Americanwyr fel ymateb i'r ymosodiadau. O'm safbwynt i, fel person a weithiai yn y cyfryngau, roedd yn anodd credu weithiau nad oeddwn wedi cwympo drwy hollt amser/gofod *Doctor Who*-aidd i mewn i gyfanfyd arall. Efallai taw'r enghraifft orau o'r cyfeiriad meddwl ôl-9/11 swrrealaidd hwn yw'r person a gyhuddodd fi o deyrnfradwriaeth.

Roeddwn i wedi ysgrifennu stori newyddion oedd yn cynnwys dyfyniad gan filwr lleol (cofiwch fod sir San Diego yn gartref i sawl gorsaf filwrol). Yn yr Unol Daleithiau, os ydych chi'n siarad â milwr ar gyfer stori, y peth cyntaf y mae'r milwr eisiau ei wybod yw ble bydd y stori'n ymddangos, a phryd. Oherwydd ei fod yn awyddus i ddweud wrth ei fam a'i dad, ac yn y blaen, y bydd ef yn y newyddion. Mae e eisiau ei 15 munud o enwogrwydd. Ni chwrddais i erioed â milwr nad oedd eisiau cael ei enw llawn mewn stori. Ond yn y misoedd ar ôl 9/11, penderfynodd rhai pobl – nid y lluoedd arfog, mae'n bwysig nodi – na ddylai'r cyfryngau ddefnyddio enwau milwyr o gwbl, byth. Roedd lefel yr ofn mor uchel fel na allai pobl feddwl yn glir. Felly danfonwyd e-bost ataf gan y math o berson gwallgof hwnnw sy'n mynnu YSGRIFENNU MEWN PRIFLYTHRENNAU I GYD!!! AC SY'N DEFNYDDIO GORMOD O EBYCHNODAU!!!!

Os ydych chi'n gwneud hyn, rydych yn datgan yn glir wrth dderbynnydd eich neges taw hurtyn ydych chi; rydych chi'n cyhoeddi na ddylai neb dalu sylw i chi, oherwydd does gennych chi ddim gafael ar realiti. A dyna'r gwir yn achos ein hysgrifennwr e-bost.

'In WWII they had Tokyo Rose!!! You are AFGHAN ANNIE!!!!' hefrodd yr e-bost. 'I promise that I will see you charged with TREASON as soon as this war is over!!!'

Doedd Rhyfel Irac (fersiwn 2.0) ddim wedi cychwyn yn y dyddiau hynny. Felly tybiaf taw cyfeirio at y *War on Terror* yr oedd e, ond wn i ddim. A dweud y gwir, mae gan yr Unol Daleithiau gymaint o ryfeloedd ideolegol fel ei bod yn anodd iawn bod yn siŵr am ba ryfel yr oedd yn sôn amdano. Efallai taw cyfeirio at y *War on Drugs*, neu'r *War on Obesity* oedd e.

Erbyn fy nhaith i Gymru ym mis Rhagfyr 2002, roedd yr Unol Daleithiau wedi afradu'r rhan fwyaf o'r ewyllys da rhyngwladol yr oedd wedi ei ennill y flwyddyn cynt. Roedd y sôn i gyd am *WMDs* a rhyfel yn erbyn Irac. Cododd hwn fel testun yn y sgwrs ges i â'r dosbarth ym Mangor. Ar ôl mynd trwy bynciau arferol y dysgwr o gyflwyno ein hunain a dweud o ble d'yn ni'n dod, ac ati, neidiodd y sgwrs yn syth i gwestiynau am bolisïau George W. Bush. *Oh, huzzah*, meddyliais. Dychmygwch yr her: dyma'r tro cyntaf erioed i mi siarad y Gymraeg â phobl eraill wyneb yn wyneb, a gofynnwyd i mi gwestiynau am Weinyddiaeth Bush. A dweud y gwir, ni allwn roi esboniad i'r dyn yn Saesneg.

Hyd yn oed ar ôl dal Saddam Hussein parhâi yr un dull o feddwl eithafol yn yr Unol Daleithiau. Efallai i rai agweddau fynd hyd yn oed yn waeth. A rhywsut, daeth gwladgarwch i olygu hunanoldeb a hunanddiddordeb. Hynny yw, roedd canolbwyntio'n unig arnoch chi eich hunan yn beth da, Americanaidd i'w wneud. Daeth 'ymynysiaeth', ym mhob ystyr, i fod yn norm. Bodolai rhyw fath o resymeg afresymol a awgrymai taw rhywbeth gwrth-Americanaidd oedd beirniadaeth. Derbynnid bod milwyr yn dda; a'r ceidwadwyr oedd cefnogwyr mwyaf tanbaid y milwyr. Felly, yn ôl y rhesymeg wan, roedden hwythau'n dda. Yn sgil y gwirionedd hwn derbynnid bod polisïau ceidwadol yn dda hefyd. Roedd hunanoldeb a phrynwriaeth yn arwyddion o berson da. Roedd yn beth gwladgarol i wario arian – anogid Americanwyr i 'Keep America Rolling', trwy brynu ceir mawr newydd. Anwybyddwyd syniadau i atgyfnerthu cludiant cyhoeddus, neu wella'r amgylchedd, neu ddatblygu gwasanaeth iechyd, oherwydd doedd y pethau hyn ddim yn ymladd yn erbyn terfysgwyr. Roedd y syniadau hyn yn rhyddfrydiaeth – sy'n wrth-geidwadol, yn wrth-filwrol, yn wrth-Americanaidd. Hyd yn oed yn fy Minnesota annwyl, ni allwn ddianc. Yn etholiad lleol 2003, ymgyrchodd y Gweriniaethwyr lleol ar slogan syml: 'Build More Roads!'

Ym mlynyddoedd hir a phoenus y 2000au, ymddangosai fod Americanwyr eisiau camu yn ôl i ryw gyfnod delfrydol *Cold War*-aidd. Hiraethent am gyfnod *nouveau* yn y gorffennol lle na fodolai bygythiadau'r byd modern. Ymatebodd yr Unol Daleithiau i'w sefyllfa trwy geisio ffoi rhagddi.

Ond sut y gallaf i feirniadu? Gwnes i'r un peth. Yn fy ffordd fy hun.

Yn y dyddiau ffôl yn ystod cyfnod etholiad arlywyddol 2004, daeth y Gymraeg a'i haddurniadau i fod yn fodd o ddianc unwaith eto. Roeddwn yn fwyfwy rhwystredig gydag agwedd fy nghyd-Americanwyr; cawn fy ngorlethu gan deimlad o ddiymadferthedd. Roedd fy rhwystredigaeth yn ffynhonnell ddifyrrwch i'm cyfeillion. Mwynhâi Eric, un o'm cyfeillion gorau, fy nghynhyrfu trwy ofyn cwestiynau gwleidyddol ac yna eistedd yn ôl i chwerthin ar fy mhen tra bod fy wyneb i'n cochi a'r gwythiennau yn neidio ar fy nhalcen. Efallai ei bod yn ddifyr fy ngwylio i'n mynd yn grac, ond doeddwn i ddim yn mwynhau. Felly enciliwn i'm byd bach Cymraeg, delfrydol. Ambell waith, mor gryf oedd fy awydd i beidio â bod yn rhan o'r pethau rhwystredig hynny o'm cwmpas, dywedwn gelwydd wrth bobl taw Cymro oeddwn. Wrth edrych yn ôl, mae'n chwithig meddwl pa mor grac yr oeddwn tuag at bopeth. Roedd anfodlonrwydd yn fy nallu. Ac, wrth edrych yn ôl, gwaethygid fy anhapusrwydd gan fy meddyliau dihangfaol, efallai.

Ta beth, doeddwn i ddim eisiau bod yn rhan o'r lol. A dwysaodd y teimlad hwn ar ôl etholiad 2004. Roeddwn i yn y gwaith yn golygu straeon trwy'r dydd ar ddiwrnod yr etholiad, ac roeddwn yn isel fy ysbryd pan gyrhaeddais adref o'r diwedd tua un o'r gloch y bore (mae oriau hir yn rhan o fywyd newyddiadurwyr yn ystod etholiad). Ond roedd tymer y briodferch ifanc yn waeth fyth. Pan agorais y drws roedd hi'n crio.

'The wrong guy won,' datganodd.

Do. Y dyn anghywir enillodd. Enillodd George W. Bush dymor arall. Roedd yr etholiad hwnnw'n annioddefol o boenus i filiynau o Americanwyr, a dweud y gwir. Nid fi oedd yr unig un. Teimlai'r holl beth fel rhyw fath o chwalu perthynas nad oeddem ni'n ei ddisgwyl. Efallai bod hyn wedi digwydd i chi: yn sydyn, o'r awyr las, dywed eich cariad nad yw eisiau eich gweld mwyach. 'Things just aren't working out. It's not you, it's me. We can still be friends.' Ac yn y blaen. Ac mae'r peth yn uffach o sioc enfawr – fel cael eich bwrw gan lorri gyda'r gair 'SIOC' wedi ei ysgrifennu arni. Mor anodd yw credu y gallech fod wedi gweld pethau mor wahanol i'r person arall, fel eich bod yn dechrau amau eich gallu i ddehongli'r byd. Efallai *nad* yw'r awyr yn las. Mae'n ergyd emosiynol sy'n eich llorio. Bu etholiad arlywyddol 2004 yn rhyw fath o ast anfad o gyn-gariad sy'n dwyn eneidiau ar raddfa wladol. Yn fy achos i, teimlwn angen i ymddiheuro i'r byd. Ar http://maes-e.com, sef bwrdd-neges rhyngrwyd, cofnodais yn fy Nghymraeg gwan:

> Dwi'n pryderus iawn y bydd y byd yn ein casáu ni oherwydd ein arlywydd twp wallgof. Pleidleisiais i ar Kerry, ond doedd fy mhleidlais yn digon. Doedd y pleidlais fy ngwraig yn digon. Doedd y pleidleisiau Minnesota yn digon.

Ac ar fy mlog Cymraeg ysgrifennais:

Dw i ddim eisiau bod Americanwr. Dw i eisiau gadael y lle ma. Dw i ddim yn perthyn yma.

O hyn ymlaen, cynyddu wnaeth yr anghysur a'r anhapusrwydd a deimlwn gyda bywyd yng ngwlad fy mebyd. Enciliwn yn ddyfnach i'm byd Cymraeg, a dechreuwn ddadansoddi pethau trwy ddadleuon *slippery slope*, sef y dwyllresymeg honno bod hapddigwyddiad yn gallu cychwyn adwaith-cadwyn erchyll. Ymhobman o'm cwmpas, felly, gallwn weld arwyddion marwolaeth yr Unol Daleithiau. Dechreuai'r economi ballu, chwalai'r amgylchedd, a malwyd sylfeini'r wlad. Ond canolbwyntiai'r llywodraeth ar bethau pitw o ddibwys megis priodas hoyw. *The end was nigh*, roeddwn yn siŵr.

Wrth gwrs, yn yr UDA, fel ymhobman, os ydych chi'n beirniadu'r wlad ac yn awgrymu bod angen newid dwys, cewch chi'r neges: 'If you don't like it, why don't you just leave?'

Ac erbyn diwedd 2005, roeddwn i wedi penderfynu taw gadael yr oeddwn am ei wneud. Glynwn wrth fy atgofion o Ddyffryn Conwy a phryderwn y byddai rhyw fath o drychineb Unol Daleithiol yn fy rhwystro rhag dianc. Yn y misoedd cyn symud i Gymru roeddwn mewn panig cyson. Pryderwn y byddai'r economi'n chwalu ac na fyddai gennyf arian ar gyfer symud. Neu y byddai'r llywodraeth yn rhoi ar waith rhyw urdd tra-Orwellian na fyddai'n caniatáu i bobl adael y wlad. Neu, wn i ddim beth – go brin bydd pethau megis rheswm yn mynd i'm hatal rhag pryderu. Pan gyrhaeddais i a'r briodferch ifanc Faes Awyr Gatwick ym mis Gorffennaf 2006, teimlais gymaint o orfoledd fel fy mod eisiau syrthio ar fy ngliniau a chusanu'r llawr. Ar ôl mynd trwy'r tollau, ces i bwl o feddwl am daflu fy mhasbort yn y bin; doeddwn i ddim eisiau mynd yn ôl byth.

*

> From time to time, I think that people have trouble hearing the words coming from my mouth because they hear them in an American accent. What they hear me saying is based on their assumption of what they'd expect me to say as an American. It is assumed that I am somehow incapable of understanding certain things because I know the lyrics to 'Star Spangled Banner.'
>
> But I don't feel prejudiced by it. People will sometimes take the piss or misunderstand me, but I take it all in my stride. You're only jealous because Jesus likes us more.
>
> – Cofnod o fy mlog Saesneg.

Mae fy agweddau tuag at yr Unol Daleithiau wedi lleddfu ychydig yn y blynyddoedd ers symud i Gymru. Ni theimlaf y dicter gwallgof a deimlwn gynt; efallai fy mod wedi newid, efallai bod yr UDA wedi newid. Efallai taw gweithio yn y cyfryngau oedd rhan o'm problem; cawn fy moddi gan newyddion. Os ydych chi'n canolbwyntio ar ddim ond y newyddion dewch i gasáu'r byd yn gyflym iawn. Dyw hi ddim yn anodd cydymdeimlo ag Elvis a fyddai'n arfer saethu ei setiau teledu.

Erbyn hyn, gallaf feddwl am bethau da, elfennau o fywyd yr Unol Daleithiol sy'n werthfawr. Mae yna werth i'r 'unlikely story that is America', chwedl Barack Obama, a gallaf ei weld yn well nawr. Gallaf ddeall yn well feddylfryd Americanwyr eraill – nid cytuno â'u holl syniadau, efallai, ond o leiaf gallaf weld bod yna le ar eu cyfer yn y Cynllun Mawr (wel, rhai ohonynt). Ond, ar y cyfan, teimlaf yn amwys. Pan fydd pobl yn gofyn i mi am fy nheimladau tuag at hyn-a-hyn sy'n digwydd yn yr UDA, fel arfer ochneidiaf yn hir a dywedaf: 'Well, it's just not the country I grew up in.'

Hiraethaf am fy nheulu a chyfeillion a phethau a lleoedd a bwyd ac ati. Does gan neb yng Nghymru damaid o gliw sut i goginio bwyd Mecsicanaidd, er enghraifft (rydw i'n hiraethu am *tamales*). Wn i ddim a ydw i eisiau dychwelyd i fyw yn yr Unol Daleithiau eto, ond rydw i wedi dod i dderbyn y caf fy labelu fel Americanwr beth bynnag a wnaf yng Nghymru. Bydd gwlad fy mebyd yn rhan o'm diffiniad am byth. Petawn i'n cael fy nghladdu yng Nghymru, byddai'r gair 'Americanwr' ar fy ngharreg fedd.

8

The way forward

Y peth gorau yn hanes pethau gwych yw 'the great Minnesota get-together'. Wel, gorliwiad bach yw hynny, efallai, ond rydych chi'n gweld fy mhwynt, mae'n siŵr. Mae'n beth gwych dros ben. Minnesota State Fair yw ei henw swyddogol ac mae'n beth anodd ei ddisgrifio. Mae gan bob un talaith yn yr UDA ei *state fair* ei hunan, ac fe'u cynhelir yn flynyddol. Mae'n ddigwyddiad sy'n gymysgedd o eisteddfod, sioe amaethyddol, ffair bleser, gŵyl gerddoriaeth, tref farchnad, a rhagor. Yn y bôn, mae'n ddathliad o dalaith a'i diwylliant. A chan Minnesota y mae ffair fwyaf yr Unol Daleithiau. Yn ystod wythnos a hanner yn hwyr yn yr haf daw tua 2 miliwn o ymwelwyr i'r cae ffair 320-erw yn St Paul. Mae'n enwog am weini pob math o fwyd ar *stick* (India corn ar ffon, selsigen ar ffon, pysgodyn ar ffon, aligator ar ffon, pitsa ar ffon, teisen *key lime* wedi'i dipio mewn siocled ar ffon, ac yn y blaen), a cherflunwaith Princess Kay of the Milky Way (sef cerflunwaith o enillydd pasiant harddwch a gerfir allan o dwmpath 90-pwys o fenyn gradd A). Y ffair yw uchafbwynt yr haf ym Minnesota a'r taleithiau o'i chwmpas.

A bod yn onest, does dim pwynt i mi ganmol Minnesota State Fair, heblaw am esbonio i chi fy mod yn credu ei bod yn wych, ac y dylai pawb wybod amdani. Ac i roi gwybod mai yn ystod ffair 2004 yr aeth y briodferch ifanc a fi i stondin Peace Corps. Asiantaeth lywodraethol yr UDA yw'r Peace Corps, sy'n gweithio i roi cymorth i amryw wledydd difreintiedig o gwmpas y byd. Yn annhebyg i gyrff cynorthwyo megis y Groes Goch, gweithia Peace Corps i fuddsoddi mewn gwlad trwy wneud pethau megis helpu i ddatblygu busnesau neu sefydlu rhwydweithiau cyfrifiadur neu wella dulliau ffermio neu hybu ymwybyddiaeth o HIV/AIDS, ac yn y blaen. Mae'n gorff sy'n gweithio i wella isadeiledd gwlad. Roedd y briodferch ifanc a fi wedi blino ar y sefyllfa wleidyddol/ gymdeithasol yn yr Unol Daleithiau ac fe dybion ni y gallai'r Peace Corps fod yn gyfle i adael y lol am sbel. Yn y dyddiau hynny, roedd dwy flynedd o fyw mewn tlodi yn Turkmenistan, neu ble bynnag, yn fwy deniadol inni na bywyd Americanaidd.

Ond doedd gennyf mo'r darn bach hwnnw o bapur oddi wrth brifysgol; ni allwn dicio'r blwch hwnnw ar ffurflen gais swydd. Disgwylia'r Peace Corps i ymgeisydd fod â gradd prifysgol neu gymwysterau neilltuol. Byddai rhaid imi ennill gradd neu ddod o hyd i sgiliau defnyddiol. Ffordd gyflymach i ymuno felly fuasai imi wneud cwrs arbennig dwy-flynedd i fod yn *certified master gardener*, sef rhywun a ŵyr lawer am arddio ac a all ddysgu pobl eraill sut i dyfu eu bwyd eu hunain neu i fod yn fwy effeithiol wrth ffermio. Swniai fel gwaith buddiol a pharchus, ac roeddwn yn fodlon ei wneud, ond y broblem yw fy mod i'n casáu garddio. Petaech chi'n gweld fy ngardd gefn, byddech yn meddwl nad oes neb yn byw yn fy nhŷ. Mae gennyf siswrn perth rhydlyd a ddefnyddiaf tua unwaith y flwyddyn er mwyn cadw mynediad i'm sièd a'r barbiciw tu mewn. Hefyd mae gen i alergedd i bob dim. Weithiau cyhuddir aelodau'r Peace Corps gan bobl leol o fod yn aelodau dirgel o'r Central Intelligence Agency. Heb os nac oni bai, byddai hyn wedi digwydd i mi oherwydd rydw i'n uffernol o ddi-werth fel garddwr. Ond yn ogystal â hyn, doedd bywyd yn y Peace Corps ddim yn apelio gan nad oedd cyfle imi ddefnyddio'r Gymraeg.

Erbyn hyn roeddwn wedi bod yn dysgu'r iaith ers pedair blynedd ac roeddwn yn dechrau dyheu am fodd i'w defnyddio.

Felly rhoddais y gorau i feddyliau am ymuno â'r Peace Corps, ond parhâi'r awydd am fyw yn rhywle newydd, gwahanol, nid yn yr Unol Daleithiau. Daeth yr ateb fel sgil effaith arall y Profiad Cymraeg – un llai poenus na fy ymdrech i chwarae rygbi: nofel.

*

Ysgrifennwr ydw i. Neu'r hyn rydw i'n honni i fi fy hunan ers ennill rhuban glas yr *Houston Independent School District Young Creative Writers Competition* pan oeddwn i'n 9 oed. Aeth merch a finnau i'r gystadleuaeth i gynrychioli ein hysgol. Ar ôl y gystadleuaeth, prynodd ein hathrawes ginio inni gan Whataburger, sef tŷ bwyta cadwyn bwyd-sydyn yn ne'r Unol Daleithiau. Ces i fy swyno gan y sylweddoliad y byddai pobl yn rhoi pethau – bwyd, arian, ac ati – imi am ddweud straeon.

Ond cyn y Profiad Cymraeg nid oedd gennyf lawer i brofi'r teitl hunanosodedig hwnnw o 'ysgrifennwr' – ac eithrio dyrnaid o gerddi annioddefol a ysgrifennais yn fy arddegau gyda'r nod o ddenu merched, a sawl dyddiadur a lanwyd â chynlluniau gwan ar sut i ddarbwyllo'r merched hynny i ddadwisgo. O dro i dro ysgrifennwn ddarn o rywbeth, megis stori fer, o ganlyniad i'm hawydd i fynnu wrthyf fy hunan fy mod *yn* ysgrifennwr – er gwaethaf y diffyg tystiolaeth. Dechreuid y darnau hyn gyda brochi ac ymffrostio (*OK! Now I will finally write that novel about a Mormon missionary who falls in love with a stripper and becomes a hit-man. I'm finally gonna do it! I'm gonna be serious and write and write and write! And it will win me a Pulitzer!*), ond ymhen wythnos collwn stêm a châi'r papurau eu stwffio i ffeil gyda thomen o ymgeisiau aflwyddiannus eraill.

Ym mis Ionawr 2004 ces i fy ysbrydoli unwaith eto i fynd ati i ysgrifennu nofel. Ffynhonnell yr ysbrydoliaeth hon oedd chwerwedd, sy'n gallu bod yn ysbrydoliaeth syndod o dda weithiau. Chwerwedd oedd e yn erbyn yr hen gyn-gariad honno. Er *Doctor* Gast Anfad o Gyn-gariad Sy'n Dwyn Eneidiau oedd hi bellach. Yn ystod pryd blwyddyn-newydd gyda grŵp mawr o hen gyfeillion, cafodd fy nghyfeillion ychydig gormod o bleser o'r ffaith nad oedd gennyf rywbeth mawr i'w ganmol amdanaf fy hunan. Nid fy nghyfeillion i gyd. Dim ond yr ast anfad o gyn-gariad sy'n dwyn eneidiau. Yn syth ar ôl y noson honno, bu awydd angerddol arnaf i brofi fy hunan i fy hunan (ac i'r ast anfad o gyn-gariad sy'n dwyn eneidiau). Eisteddais i lawr i greu nofel wedi'i sylfaenu ar fy mhrofiadau o fyw yn Portsmouth, gan gynnwys hanes am sut y daeth yr ast anfad o gyn-gariad sy'n dwyn eneidiau i ennill ei chyfenw. Fel arfer, byddwn i wedi siomi fy hunan erbyn mis Chwefror, ond deuai o'r Profiad Cymraeg hunanddisgyblaeth newydd a hyder o wybod y gallwn lwyddo i wneud rhywbeth pe bawn i'n dal ati. Os gallaf addysgu fy hunan sut i siarad iaith nad oes neb yn fy ardal yn ei siarad, meddyliwn, yn sicr gallaf ysgrifennu nofel. Gallwn. A gwnes. Yn araf iawn, ar hyd y misoedd, ar ôl dychwelyd adref o'm gwaith, tros nosau hir, ar y penwythnosau, yn ystod gwyliau, ysgrifennais nofel.

Un noson, wrth wneud ymchwil ar Brifysgol Portsmouth i'r llyfr, darganfûm fod benthyciadau llywodraeth ffederal – sef 'Federal Student Aid Loans' – ar gael i fyfyrwyr sydd eisiau astudio yn Portsmouth. Yn sydyn, ces i un o'r profiadau hynny pan ddaw pob dim ynghyd mewn fflach. Tebyg i'r tro hwnnw pan fuoch chi mewn damwain car ac yn yr eiliad fach honno rhwng gweld yr eliffant a'i daro gallech ddychmygu popeth a fyddai'n dod ar ôl y ddamwain: yr heddlu, yr wythnos mewn ysbyty, y taliad yswiriant enfawr gan y syrcas, a'r 'cildwrn ychwanegol' i'ch cadw rhag dweud gair am y peth wrth PETA, y car newydd y byddwch chi'n ei brynu, y *road trip* i Las Vegas, y ferch bron-rhy-ifanc y byddwch yn ei chyfarfod ac a fydd yn eich priodi er mwyn eich arian . . .

OK, efallai nad oedd y profiad yn debyg i hynny o gwbl. Ond y pwynt yw, ymhen eiliadau es i drwy'r broses o feddwl nad oedd y benthyciadau hynny ar gael pan oeddwn i'n mynychu Portsmouth, a tybed beth fuasai'n digwydd petasai pethau'n wahanol? Meddyliais am fy niffyg gradd prifysgol, y freuddwyd am ddychwelyd i Brydain, a'r awydd i wneud rhywbeth gyda'm Cymraeg. Dyfalwn a allwn gael benthyciadau ar gyfer mynd i brifysgol yng Nghymru. Dyfalwn a allwn wneud rhywbeth yng Nghymru trwy gyfrwng y Gymraeg. Dyfalwn a oedd yna'r fath beth â gradd yn y Gymraeg. Gallwn. Gallwn. Oedd. Ac mor gyflym â hynny, penderfynais symud i Gymru.

Y diwrnod nesaf, camais ar awyren, a hedfanais i Lundain. Ac yn awr yr wyf yn byw yma yng Nghymru fach ddel ac mae popeth yn hollol berffaith. *The end.* Diolch yn fawr iawn ichwi am ddarllen fy llyfr annwyl.

Yhm. Na.

Ni fyddai pethau mor syml. Roedd heriau o bob math o'm blaen. Y cam cyntaf, wrth gwrs, oedd siarad â'r briodferch ifanc. Dychmygwch sut y byddech chi'n ymateb petai eich priod yn dod atoch chi ryw noswaith a dweud wrthoch ei fod wedi penderfynu ei fod eisiau symud dros y môr i rywle lle nad oes gennych chi'ch dau swyddi na chyfeillion na theulu na dim. Lle a welsoch chi ddim ond unwaith, lle gyda phobl ac arferion gwahanol. Petai eich priod yn dod atoch chi ac yn dweud, 'Dw i eisiau i ti adael pawb a phopeth a dod gyda fi i ddilyn breuddwyd', beth fyddai eich ymateb?

'Jesus on a stick!' ebychodd Kristin, gwraig Eric, pan soniais am fy nghynlluniau wrth fy nghyfeillion. 'If Eric came to me and said, "Honey, I've learned Swahili and I want to move to Africa", I'd tell him: "Fuck off. Go get a job." Why don't you just learn to play the guitar or something?'

Ond nid Kristin yw fy ngwraig, diolch byth (er ei bod yn ferch hyfryd). Ar ôl meddwl am y peth am ddiwrnod neu ddau ar fy mhen fy hun, ces i sgwrs hir gyda Rachel amdano. Gallai hi weld fy mod o ddifrif yn fy amcan. Anodd oedd siarad. Pan mae rhywbeth yn bwysig imi rydw i'n dawel a llonydd; dinoethir fy nerfau, af yn hollol frau gan ofn. Cythraul o elyn yw ofn. Sawl gwaith yn fy mywyd yr ydw i wedi rhoi'r gorau i rywbeth heb ei gychwyn, hyd yn oed, oherwydd ofn methu? Ac roeddwn mor agos at wneud yr un peth gyda'r syniad hwn. Onid gwell fyddai cadw'r math o feddwl ffansïol hwn i fi fy hunan? Gallai fod yn beth i feddwl amdano, breuddwydio amdano, ar brynhawniau Sul. Meddyliau preifat i fynd gyda'r breuddwydion plentyndod o fod yn chwaraewr pêl fâs proffesiynol. Ond os gallai'r freuddwyd hon ddod yn wir . . .

'Do you think this will make you happy?' gofynnodd Rachel.

'I don't know,' meddwn i. 'Maybe. I hope.'

'Then let's do it.'

*

Haws dweud 'Dacw'r mynydd' na mynd trosto, medden nhw. Idiom arall a ddefnyddiant yw: 'The devil is in the details.' Ac maen nhw'n iawn yn y ddau achos. Yn gyffredinol, dyw Prydain ddim mor wahanol â hynny i'r Unol Daleithiau. Yn wir, pan deimlaf yn gas, cyfeiriaf ati fel *the 51st state.* Ond daw'r gwahaniaethau yn y manylion bach, megis sut i wneud cais i fynd i brifysgol. Mae gan bopeth ei drefn ond os dewch o'r tu allan i'r drefn honno, gall fod yn anodd ei deall. Hefyd, gall fod yn anodd i'r drefn eich deall chithau.

Wrth fynd ati i ymgeisio i brifysgol roedd gennyf gannoedd o gwestiynau, ac roedd yna dwr o gwestiynau ychwanegol na wyddwn fod rhaid eu gofyn. Er 'mod i wedi mynychu prifysgol yn Portsmouth, roedd hynny fel myfyriwr cyfnewid; doedd gennyf ddim cliw sut i ddelio â dryswch biwrocrataidd prifysgolion Prydain ar fy mhen fy hun. Anfonais e-bost at Ysgol y Gymraeg Prifysgol Caerdydd ac yn ffodus roeddent yn fodlon cynnig tipyn o arweiniad. Ar ôl nid ychydig o regi ac eisiau taflu fy nghyfrifiadur allan drwy'r ffenestr, llwyddais i wneud cais trwy UCAS, sef y gyfundrefn sy'n prosesu ceisiadau addysg uwch ym Mhrydain (nid oes yna beth tebyg yn yr Unol Daleithiau). Yng ngaeaf 2004, gwnes gais i ddechrau yn hydref 2005.

Ond prin roeddwn i wedi gwneud y cais cyn iddi ddod yn amlwg na fyddai'r antur hon yn hawdd ei chyflawni. Yn gyntaf roedd y broblemau o'm hasesu. Doedd gennyf ddim prawf swyddogol fy mod yn medru siarad y Gymraeg. Dim Safon Uwch (sef lefel A) na'i thebyg. Anfantais addysgu eich hunan yw diffyg tystysgrifau pert i'w hongian ar eich mur neu i'w chwifio yn wyneb swyddog derbyn prifysgol. Fel myfyriwr hŷn nid oedd pethau megis canlyniadau Safon Uwch yn angenrheidiol i mi, ond yn amlwg byddai rhaid i'r brifysgol fod yn siŵr y gallwn i siarad yr iaith cyn cynnig lle i mi.

Wel, meddyliwch, y modd hawsaf o wneud hynny yw siarad â nhw, yntê? Gallasent fod wedi gofyn i fi ddod mewn am gyfweliad ac am brawf. Ac rydych chi'n iawn. Dyna'n union wnaethon nhw. Ond cofiwch yr hyn a ddywedais am Americanwyr a theithiau i Ewrop. Yn y dyddiau hynny, costiai tocyn o'r 'Twin Cities' i Lundain tua $700 i $900 – rhyw $100 i $300 yn fwy na thaliad rhent mewn mis. Ar ben hynny byddai'r costau ychwanegol o lety a bwyd ac ati. Roedd yn go annhebyg y gallwn fforddio'r daith mewn cyn lleied o amser. Heb sôn am yr anhawster o gael digon o ddyddiau gwyliau o'm swydd i fynd ar y daith. Hyn i gyd dim ond er mwyn cael fy asesu.

Hyd yn oed petaswn i'n cael cynnig lle ar y cwrs (a fyddai'n dybiaeth braidd yn ymffrostgar), buasai yna bla o broblemau logistaidd i'w hymladd: benthyciadau, teithebau, llety, arian, ac yn y blaen, ac yn y blaen. Daeth yn amlwg y byddai angen rhagor o amser i drefnu'r fenter. Byddai angen rhagor o baratoi cyn y gallwn feddwl o ddifrif am ymgeisio.

Ar fy mhen-blwydd ym mis Mawrth 2005, penderfynais o'r diwedd dynnu fy nghais yn ôl. Er fy mod yn gwybod y byddwn yn gwneud cais arall cyn gynted ag y bo modd, teimlais iselder llethol. Roeddwn i'n 29 oed heb radd, heb ddim i'w ganmol amdano'i hun, a bellach roeddwn i wedi methu *eto* i sylweddoli breuddwyd fawr or-obeithiol arall. Teimlais fy mod yn fethiant.

9

Y sgwrs go iawn

Roedd y swyddfa gofrestru ar gau. Dyna'r rheswm swyddogol na phriodon ni. Wrth gwrs, *byddai* swyddfa gofrestru ar gau am un o'r gloch yn y bore. Ac mae'n annhebyg y bydden nhw wedi caniatáu i Shiona a fi briodi pan oeddem ni mor feddw, beth bynnag. A doeddem ni ddim yn gariadon hyd yn oed – nid oeddwn i erioed wedi dal ei llaw. Ond pwy a ŵyr beth fyddai wedi digwydd oni bai bod y drysau hynny ar glo.

'We could be married right now,' meddwn wrthi.

Roedd y ddau ohonom yn cerdded ar draws y caeau sy'n amgylchu tŷ ei mam, ger Llwydlo. Roedd yn gynnar yn yr hydref; hongiai oerni mân yn awyr y bore. Tynnai'r cŵn ar eu tenynnau ac ymlwybrai Shiona a fi ar eu hôl trwy'r glaswellt tal gwlyb.

'We would not be married right now,' meddai hi. We would have annulled as soon as we were sober.'

'Yeah. That's definitely true,' meddwn. 'It would have been a divorce, though. I'm not sure you can get an annulment if the marriage has been consumated, and so I would have shagged you first.'

'Not if you wanted to keep all your bits intact you wouldn't have.'

Hen gyfaill yw Shiona, sy'n fy nabod i ers dyddiau diota a mercheta Portsmouth. Bellach roedd yn fis Hydref 2005 ac roedd pethau wedi dod at ei gilydd yn hwylus, felly byddai cyfle imi ymweld â hi ar y ffordd i Gymru. Ym Mhrydain yr oeddwn i gael cyfweliad yn Ysgol y Gymraeg Prifysgol Caerdydd am le ar ei chwrs BA yn yr iaith. Roeddwn i wedi cynilo arian, cynllunio'n ddwys a gwneud cais arall. Ryw flwyddyn ar ôl dychmygu'r peth roeddwn i wedi cyrraedd cam nesaf y broses. Roeddwn yn gamblo ychydig ar lwyddiant, felly roeddwn i wedi gofyn am ragor o ddyddiau o'r gwaith nag oedd angen. Roeddwn i wedi penderfynu gwneud gwyliau bach wythnos-a-hanner o'r daith. Wrth wneud hyn, roeddwn yn gobeithio brwydro yn erbyn lludded jet a bod mor barod â phosib ar gyfer fy nghyfweliad.

Wrth gerdded trwy gefn gwlad Lloegr teimlai pethau'n iawn, fel petaent yn disgyn i'w lle. Roeddwn ar y ffordd i Gymru bum mlynedd yn union ar ôl dechrau dysgu'r Gymraeg, roeddwn yn ymweld â chyfaill a adwaenai fi ers y tro diwethaf imi fyw ym Mhrydain; roedd edafedd fy mywyd yn dod ynghyd. Edrychais o'm cwmpas a meddwl: gallai fy mywyd fod fel hyn. Nid Lloegr, nid Shiona, nid y cŵn uffernol o ddrewllyd hyn (magwraig cŵn yw mam Shiona ac mae ganddi ddwsinau o'r bastardiaid swnllyd ar ei thir), ond bywyd *tebyg* i hwnnw. Bywyd gwell. Bywyd delfrydol. Yng Nghymru, gyda'r briodferch ifanc, a'r ddau ohonom ni'n byw mewn ardal hardd, hyfryd, Ddyffryn Conwy-aidd. Erbyn hyn roeddwn yn dechrau teimlo taw yng Nghymru roeddwn *i fod*. Rai misoedd yn gynharach ces i freuddwyd am fod ar ben mynydd anhysbys yng Nghymru a dod o hyd i flwch aur bychan. Roedd gwyrddni'r mynydd o dan fy nhroed, glesni'r môr o'm cwmpas. Yr awyr lân yn llenwi fy ysgyfaint. Agorais y blwch, gwelais olau meddal, a theimlais yn gynnes tu mewn ac yn hapus. Roedd fy enaid yn y blwch.

OK, chwarae teg. *Cliché* hurt dros ben llestri oedd y

freuddwyd honno. *The Tarantino soul-in-a-box thing – that's been done, man.* Ac ni roddais lawer o bwys ar y peth. Ond, wedi dweud hynny, awn drwy fy nyddiau gyda'r ddelwedd honno yng nghefn fy meddwl – y teimlad hwnnw o ffawd. A oeddwn i'n wallgof? Oeddwn (ac ydw). Ychydig. Ond roedd yn agwedd fuddiol i'w chael wrth fynd i gyfweliad ar gyfer gwneud rhywbeth a fyddai'n fy ngorlethu.

*

Yn y dyddiau hynny, gallwn i fod wedi bod yn aelod o'r Yakuza ac eto'n gallu cyfrif ar fy mysedd y nifer o sgyrsiau Cymraeg yr oeddwn wedi'u cael yn fy mywyd. Roeddwn, felly, yn anfesuradwy o nerfus am gael cyfweliad trwy gyfrwng y Gymraeg. Diolch i'r drefn (neu, o leiaf, diolch i'r rhyngrwyd), ar y noson cyn fy nghyfweliad â'r brifysgol ces i gyfle i ddefnyddio fy Nghymraeg yn y Mochyn Du, y dafarn a adwaenir fel 'tafarn Gymraeg' yng Nghaerdydd. Cwrddais â grŵp bach o bobl yr oeddwn wedi dod i'w hadnabod trwy flogio – sef Geraint, Mair a Rhys – a threuliais tua thair awr wrthi'n siarad lol â nhw.

Yn *an*ffodus, ar y noson cyn fy nghyfweliad â'r brifysgol y ces i gyfle i ddefnyddio fy Nghymraeg yn y Mochyn Du, y *dafarn*. Efallai nad tafarn oedd y lle gorau i fynd iddo ar noson cyn achlysur a gâi effaith mor fawr ar weddill fy oes. Ond bu'r nerfusrwydd yn ddigon i ddirymu unrhyw ben mawr. Roedd y nerfusrwydd yn llethol wrth godi ar fore'r cyfweliad. Ymddangosodd yr hen dwyllresymeg *slippery-slope*-aidd honno; gallwn ddychmygu sut y byddai methu yma yn arwain rywsut at fyw yn ddigartref o dan bont yn rhywle. Teimlwn mai hwn oedd Fy Nghyfle Olaf i wneud rhywbeth â fi fy hunan.

Wrth gwrs roeddwn yn ymddwyn yn or-ddramatig, ond roedd yna ronyn o wirionedd i'r pryderu. Roedd fy nyfodol fy hunan yn fy nwylo fy hunan; doedd dim ffactorau allanol i'w beio. Cydbwysai popeth arnaf: ar fy medr i hunangyflwyno, fy medr i siarad yr iaith a phrofi fy hunan fel ymgeisydd gwerth ei dderbyn. Ar gefn y straen hwn, dyma fyddai'r tro cyntaf erioed imi gael Sgwrs Gymraeg Go Iawn. Hynny yw, byddai'n sgwrs ffurfiol, sgwrs na fyddai'n dderbyniol rhegi ynddi neu igam-ogamu o'r Saesneg i'r Gymraeg. Bu sgyrsiau eraill yn hwyl; byddai hon yn ddigwyddiad o bwys. Hon fyddai Y Farn Fawr.

A dweud y gwir, mor llethol oedd y nerfusrwydd fel nad ydw i nawr yn gallu cofio pethau yn glir. Cofiaf na allwn fwyta brecwast. Cofiaf deimlo'n sâl. Cofiaf fy mod yn uffernol o dwym oherwydd roeddwn i wedi gwisgo yn ôl hinsawdd Minnesota ym mis Hydref, sef tywydd oer. Felly, gwisgwn siwmper wlân drwm mewn tywydd 17°C.

Roedd dau ddarlithydd Ysgol y Gymraeg wedi cytuno i gwrdd â fi yn arbennig ar y diwrnod; deallent nad oedd yn hawdd nac yn gyfleus imi deithio i Brydain ar unrhyw bryd. Felly ces i'r parablu diwrnod-agored ar lefel fwy wyneb yn wyneb. Yn lle'r sefyllfa lle mae person yn rhoi cyflwyniad PowerPoint i lond ystafell, dim ond fi a'r darlithydd oedd yno. Efallai y byddech chi'n tybio, felly, taw mantais fyddai'r sefyllfa hon. Byddwn i'n cael mwy o gyfle i wrando'n astud, gofyn cwestiynau, a sicrhau dealltwriaeth glir o'r hyn a gynhwysir mewn gradd sengl yn y Gymraeg. Ond byddech chi'n anghywir wrth feddwl hynny. Hwyliodd popeth dros fy mhen. Gofynnai'r darlithydd a oedd gennyf gwestiynau ac ysgydwais fy mhen i ddweud 'na' fel ci bach. Gwnes i hyn yn rhannol oherwydd pryderwn am andwyo fy nghyfle. Nid oeddwn eisiau datgelu fy mod yn anwybodus, felly gwnes i fy ngorau i gogio bod popeth a ddywedodd y darlithydd yn hollol glir. A gwnes i hynny'n rhannol oherwydd doeddwn i ddim yn talu sylw. Roeddwn i eisiau astudio Cymraeg. Ni wyddwn beth yn union a olygai hynny ond roeddwn i'n sicr amdano. Doeddwn i erioed wedi cael gwers Gymraeg go iawn, felly roedd y *syniad* yn gyffrous imi ar ei ben ei hun. Y peth pwysicaf oedd cael cyfle i ddysgu'r Gymraeg mewn dosbarth go iawn fel person 'normal', cyfle i fyw yng Nghymru a gwneud rhywbeth (unrhyw beth) trwy gyfrwng y Gymraeg. Cymru Cymraeg Cymry Cymreig. 'All that Welsh shit', i aralleirio cân Anweledig. Beth bynnag, *dude*. Dim ots am y manylion, *baby*.

Ac os meddyliwch taw agwedd wirioneddol hurt oedd hon, rydych chi'n iawn. Dod yn ôl i'm harteithio yn greulon a wnâi fy nifaterwch am yr hyn yr oeddwn i mor awyddus i ymuno ag e.

Ar ôl esbonio'r cwrs i fi a'r mur – y ddau ohonom yn talu sylw cyfartal – cyflwynodd y darlithydd arholiad anffurfiol bach i asesu safon fy Nghymraeg. Roedd yna amryw gwestiynau gramadegol a darn bach i'w gyfieithu. Hyd heddiw dwi ddim yn llwyr ddeall y pwynt o gael cyfieithu fel elfen angenrheidiol mewn gradd yn y Gymraeg, oherwydd mae'n golygu bod angen sgiliau Saesneg. Beth fyddai'n digwydd petai Gwladfäwr yn dod o'r Ariannin i wneud gradd yng Nghymru? 'Lo siento, amigo. Estás follada en el segundo año.' Rydw i'n casáu cyfieithu. A doeddwn i ddim yn hoff o'i wneud yn y dyddiau hynny, chwaith. Yn enwedig fy mod yn rhewlifol o araf wrth fynd at y dasg. Daeth yr amser i ben cyn y gallwn orffen y dasg.

Peth arall rydw i'n ei gasáu yw arholiadau a amserir. Caiff blwyddyn o ddysgu ei gywasgu i mewn i arholiad dwy awr. Sut mae hyn yn deg? A gwae chi os ysgrifennwch yn araf. Yn yr oes fodern, anaml iawn yr ysgrifenna berson fwy na 100 gair â llaw (rydw i'n teipio bron popeth ac eithrio rhestr siopa), ond yng nghyfundrefn hynafol prifysgolion bydd popeth yn troi ar geinder a chyflymder eich ysgrifen. Tybed a yw'r bobl sy'n ennill graddau dosbarth cyntaf yn ddeallus mewn gwirionedd? Neu a yw'r radd honno ganddyn nhw dim ond oherwydd medr i ysgrifennu'n uffernol o gyflym? *Not so much brilliant as speedy.*

Yn amlwg, dyma bethau eraill y dylwn i fod wedi talu sylw iddynt. Os defnyddir modd i'ch asesu, megis cyfieithu mewn amser penodol, mae braidd yn debygol y caiff y modd hwnnw ei ddefnyddio dro ar ôl tro yn ystod y cwrs go iawn. Ond anodd yw dadansoddi rhywbeth wrth wthio eich hunan i'w ennill. A hyd yn oed petawn i wedi myfyrio'n ddwys ar y peth, mae'n annhebygol y byddwn wedi newid fy meddwl. Mae gennyf ormod o falchder i gyfaddef pan ydw i allan o'm dyfnder.

Tro bach o gwmpas y campws, nesaf: caffi Adeilad y Dyniaethau, y llyfrgell, Undeb y Myfyrwyr, y Prif Adeilad a Pharc Cathays. Ac wedyn cinio. Fe'm rhyddhawyd fi i'r hen ddinas i ddod o hyd i rywbeth i fwyta a dychwelyd mewn awr. Dyna beth da am Ysgol y Gymraeg, efallai. Ni fyddai rhywbeth tebyg wedi digwydd yn yr Unol Daleithiau. Os daw darpar fyfyriwr i gampws, mae'n gwneud synnwyr tybio nad yw'r person yn gyfarwydd â'r lle. Byddai Americanwr ar goll am byth ymhen tri munud o fod ar ei ben ei hun. Efallai taw prawf arall oedd hwn: gosod yr ymgeisydd rhyw bellter o swyddfeydd yr adran a gofyn iddo ganfod ei ffordd yn ôl. Os na ddychwela, wel, doedd e ddim yn ddigon deallus i fod yn fyfyriwr ym Mhrifysgol Caerdydd. Dethol naturiol, fel petai.

Ond dychwelais o ganol y ddinas ar ôl llyncu pastai Gernyw. Roeddwn wedi bod wrthi am dair awr erbyn amser cinio. Ni all ymennydd dysgwr gynnal y canolbwyntio yn arbennig o hir, a theimlai'r un truenus hwn fel petai e wedi toddi. Wrth gerdded yn ôl tuag at y campws, teimlwn fel petai fy nghorff hefyd yn toddi y tu mewn i'm siwmper drofannol.

O'r diwedd daeth Y Cyfweliad dychrynllyd. Sgwrsiodd y ddau ddarlithydd â fi am tuag awr. O leiaf, rydw i'n meddwl iddo fod am awr. Efallai taw am 15 munud oedd e. Roedd y nerfusrwydd yn ei anterth yr adeg honno, ac erbyn hyn ni chofiaf ddim o gwbl am y cyfweliad ac eithrio dau beth: chwys a 'bu'.

Heb rybudd, ac yn sydyn, penderfynais yng nghanol y cyfweliad na allwn i ddioddef gwres fy siwmper am eiliad arall. Yng nghanol brawddeg, fel mae'n digwydd, llwyddais i fwmian rhyw fath o ymddiheuriad a thynnais fy siwmper fel dyn gwyllt, fel petai'r siwmper yn llawn gwenyn. Efallai bod yr hen syniad o fod yn actor porn Cymraeg yn dod i'r blaen: *Hmm, time to take this interview to the next level and get my kit off.*

Gwaetha'r modd, o dan fy siwmper roedd yna grys-T yn wlych â chwys, â'r geiriau 'Hard Cock Lager' ar ei draws. Wrth gwrs, cyfeiriai'r geiriau hyn at lun o geiliog ymladd ffyrnig. Ond pam ddiawl oeddwn yn gwisgo'r crys hwnnw? Hurtyn! Wel, ie, cydweddai â'r siwmper ond mae yna *fashion* ac mae yna *sense*, a doedd yna ddim synnwyr yn fy chwaeth. Wrth sylweddoli beth oedd y sefyllfa, ces i bwl o banig a chwithdod. Serch hynny, wrth feddwl yn ôl, ni chofiaf a edrychodd y naill na'r llall ar fy nghrys. Ta beth, ceisiais eistedd mewn ffordd i guddio'r geiriau, ac wrth wneud hynny dechreuais fethu â chanolbwyntio'n llwyr ar y cyfweliad. Yn sgil hynny, trawyd fi gan y cwestiwn gyda'r gair 'bu' ynddo fel petai'n fricsen.

Os taw dysgwr ydych chi, mae'n debyg y gallwch chi gofio'r dyddiau cynnar pan na allech chi ddeall pob dim a ddywedid wrthoch chi. Yn y dyddiau hynny, byddech chi'n gwrando'n astud i glywed yr hyn a wyddech, ac yn llenwi'r bylchau â'ch dychymyg. Felly'r oedd hi yn fy achos innau. Ni ddeallwn bob un gair mewn sgwrs ond os gallwn adnabod berf a goddrych, fel arfer gallwn ateb cwestiynau a chogio math o ddealltwriaeth. Ond doeddwn i ddim yn hollol gyfarwydd â'r gair 'bu' yn y dyddiau hynny (hynny yw, doeddwn i ddim yn gyfarwydd â ffurf gryno gorffennol y ferf 'bod'). Pan ymddangosodd yn sydyn mewn cwestiwn, ni allwn glywed dim yn fy mhen ond rhegi llawn panig.

Run away! ebychodd llais yn fy mhen.

'Sori. Unwaith eto?' meddwn i wrth y darlithydd.

Bla bla bla bla *bu* bla bla Prifysgol Caerdydd?' gofynnodd y darlithydd.

It's over. You're toast. Just walk away now, meddai'r llais yn fy mhen.

'Yhm. Sori. Eto?' meddwn i.

'Bla bla bla bla *bu* bla bla Prifysgol Caerdydd?' gofynnodd y darlithydd unwaith eto.

Fuuuuuuuuuuuuuuck! sgrechiodd llais yn fy mhen.

'Sori,' meddwn, bron â dechrau crio. Dwi ddim yn deall.'

Ar ôl ymgais neu ddwy eto symudodd y darlithydd ymlaen i gwestiwn arall. Parhaodd y cyfweliad am nifer o funudau yn rhagor ond ni chofiaf ddim amdanynt. Aeth hi'n nos arnaf, mewn ffordd. Yn fy nghalon teimlwn fy mod i wedi methu. Roedd y freuddwyd wedi marw. Gofynnodd y ddau ddarlithydd imi fynd i aros mewn ystafell staff. Eisteddais a chael paned o de gwanllyd wrth iddynt drafod y cyfweliad gyda'i gilydd. Teimlais emosiynau'n chwalu; roeddwn yn sicr na fu'r cyfweliad yn ddigon da i ennill lle ar y cwrs. Pwysais yn ôl yn fy nghadair a dechrau meddwl am beth i'w wneud nesaf. Byddai rhaid dweud wrth y briodferch ifanc. Yr angen am gofleidiad ganddi, a hithau filoedd o filltiroedd i ffwrdd. Yn ôl i St Paul. Yn ôl i'm swydd ddiflas. Angen cyffesu wrth gyfeillion fy mod i wedi methu. Unwaith eto.

Daeth darlithydd i'm casglu a gobeithiwn na fyddent yn fy ngwrthod i'm hwyneb. Gweddïwn. Plîs, peidiwch â'm gorfodi i eistedd yma a cheisio ffugio rhyw fath o raslonrwydd. Jyst dywedwch, 'diolch am ddod', a dweud y byddwch yn cysylltu â fi trwy'r post rywbryd yn yr wythnosau nesaf. Anfonwch y gwrthodiad mewn llythyr. Gadewch i'r postmon wneud y *dirty work*. Peidiwch â thorri fy nghalon heddiw.

Ond ni wnaethon nhw hynny. Dywedon nhw eu penderfyniad i'm hwyneb.

Cefais gynnig lle ar y cwrs.

Cynnig answyddogol oedd e, medden nhw. Ni fyddai'r hysbysiad go iawn yn dod am fisoedd; ond gwyddent fod symud tros y môr yn anodd ei drefnu ac roeddent eisiau rhoi imi gymaint o amser ag yr oedd modd ar ei gyfer.

'OK. Wel. Diolch am eich amser,' mwmiais.

Ychwanegwch y foment honno at y rhestr hir o eiliadau yn fy mywyd yr ydw i eisiau teithio yn ôl atynt a'u hail-fyw. Petawn i'n gallu mynd yn ôl, byddwn yn dangos llawer mwy o frwdfrydedd wrth ymateb i'r newyddion. Efallai y byddwn yn bloeddio; efallai y byddwn yn rhoi cusan i'r ddau; efallai y byddwn yn gwneud dawns fywiog fach a saethu *six-shooters* dychmygol yn yr awyr gyda'm bysedd. Rhywbeth – unrhyw beth – mwy na mwmian diolch diserch. Ond roeddwn i wedi paratoi fy hunan ar gyfer gwrthodiad. Oherwydd fy mod yn canolbwyntio ar hynny mor galed gwnes i fethu â chlywed y geiriau, bron. Tra hidlai'r realiti i'm pen yn araf, ceisiwn wneud yn iawn am y diffyg cynnwrf cychwynnol gan or-ddiolch i'r ddau. Wrth sgwrsio ychydig am fanylion ac yn y blaen, dywedwn 'diolch' bob yn ail air.

Ac yna roeddwn yn cerdded yn ôl i'm gwesty ar Cathedral Road. Wrth wneud, teimlais gymaint o ollyngdod bron na allwn gerdded o gwbl. Crwydrais ar draws Parc Bute a meddyliais wrthyf fy hun: Cymru, fy nghartref newydd.

*

'Mae hi'n bwrw glaw.'

Hon oedd un o'r brawddegau cyntaf imi ei dysgu. Ni chefais fy nysgu sut i ofyn am gwrw, efallai, ond go brin y parhewch yn hir yn y Profiad Cymraeg cyn y cyfarwyddir chi sut i gwyno am y tywydd. Mae gennyf ddamcaniaeth taw'r pethau pwysicaf i gymdeithas sy'n cael eu haddysgu gyntaf yn ei hiaith. Hynny yw, adlewyrchir blaenoriaethau cymdeithas gan yr hyn a gynhwysir yn ei dysgu iaith. Pan ddechreuais ddysgu Sbaeneg, addysgwyd fi bron yn syth sut i sôn am flas bwyd a dweud wrth ferch ei bod hi'n ddeniadol. Ymhen yr awr gyntaf o ddysgu Gwyddeleg, dysgais dri gair gwahanol am feddwdod. Felly beth sy'n bwysig i'r Cymry? Y tywydd, a mynegi a ydyn nhw'n hoff o *EastEnders* (dwi'n hoffi *EastEnders*, dwi ddim yn hoffi Alpen). Ac wrth gwrs y rheswm dros addysgu 'mae hi'n bwrw glaw' mor fuan yw ei fod e'n rhywbeth sy'n digwydd braidd yn aml yng Nghymru. Nid oedd gennyf esgus, felly, dros deithio i'r *Land of Song* (a glaw) heb ymbarél na chot law. Ond dyna wnes i. Ac roeddwn i'n wlyb at fy nghroen wrth gyrraedd yr Armless Dragon, sef tŷ bwyta Cymreig yng Nghathays. Penderfynais fynd yno i ddathlu fy llwyddiant ar ennill lle ar y cwrs. Ac am ryw reswm hurt na chofiaf bellach, penderfynais gerdded yno o Bontcanna. Chwarae teg i weinyddes y tŷ bwyta, ddywedodd hi ddim am fy nillad gwlyb diferol – cynigiodd dywelion papur, a gofynnodd ble roeddwn i am eistedd. Merch ddoeth oedd hi;

enillodd y weithred honno o dact gildwrn gweddol deg. Mwy na gweddol deg, a dweud y gwir, oherwydd ces i sawl potel o gwrw gyda'm pryd, a laciodd fy waled.

Bwyteais ac yfais ddigon i ddau berson a baglais yn ôl i'r noson dywyll wlyb Gaerdyddig. Teimlwn yn hapus, ac yn fy hanner meddwdod ceisiais amsugno popeth am Gaerdydd. Yr hen ddinas. Fy nghartref i fod. Roeddwn am fynd at bobl a chyflwyno fy hunan: 'Hi, I'm Chris. I'll be moving here next year; maybe we'll see each other around.'

Ond llwyddais i beidio. Gwelais fyfyrwraig dyna'r-ffasiwn yn stemio heibio i fi gyda'i chlustdlysau gorwych mawr a'i hesgidiau'n clician a chlacian ar y palmant. Camodd i bwll o ddŵr a bloeddiodd: 'Gah! Bloody Wales!'

Mewn ffordd ryfedd, edrychwn ymlaen at yr adeg pan allwn innau ddweud rhywbeth tebyg. Hynny yw, rhaid bod yn gyfforddus â lle i'w felltithio yn gyhoeddus fel hynny. Yn *Dolenni Hud*, gan Owen Martell, mae yna gymeriad sy'n gwneud y sylw: 'Ti ddim wedi byw mewn lle, ddim yn iawn, tan i ti fod yn anhapus yno.' Ond teimlwn i fel twrist. Roedd Prydain yn ennyn rhyfeddod ynof o hyd; prin y gallwn ddychmygu diwrnod pan fyddai pethau'n teimlo'n normal. Prin y gallwn ddychmygu diwrnod pan fyddwn i'n teimlo fel rhan o'r lle. Teimlais yr adeg honno y gallai pobl *weld* fy Americanrwydd rywsut. Fel petawn i'n gwisgo arwydd ar fy ngwddf a gyhoeddai: 'Nid o'r lle yma rydw i'n dod'.

Roeddwn mor awyddus i berthyn i'r lle, i fod yn breswyliwr, i fod yn Gaerdyddwr, i fod yn Gymro. A chyffrous oedd meddwl am y peth.

*

Treuliais y diwrnod nesaf yn crwydro'r hen ddinas: Parc Bute, Canol y Ddinas, y Bae, Treganna, Pontcanna ac yn y blaen. Penderfynais y byddai'r briodferch ifanc a fi'n byw ym Mhontcanna. Edrychais mewn ffenestri asiantau tai a cheisiais ddewis tŷ y byddem yn ei brynu. Dim ots nad oedd gennym yr arian am y fath beth; teimlai popeth fel ffantasi. Pam na allem fyw yng Nghastell Caerdydd?

Llwyddais i ganfod C@ban, siop lyfrau Cymraeg ym Mhontcanna. Roedd un o'r darlithwyr wedi dweud wrthyf ar ôl y cyfweliad y dylwn ddarllen cymaint â phosib yn ystod y cyfnod cyn dechrau ar y cwrs. Roedd hwn yn awgrym cryf a ddeallwn drwy'r hidlwr anwybodaeth a weithredai fel safon fy Nghymraeg. Er y teimlai popeth yn ffantasïol, gwyddwn y byddai yna waith caled i'w wneud. Prynais gynifer o lyfrau ag y gallwn eu fforddio, felly. Ond gwnes i dipyn o lanast o'r peth.

Dychmygwch eich bod chi wedi addysgu eich hunan sut i siarad Saesneg ond eich bod wedi gwneud hyn mewn math o swigen – filltiroedd i ffwrdd oddi wrth unrhyw un arall sy'n siarad Saesneg. A nawr, rydych chi newydd ennill lle ar gwrs BA yn Saesneg, a dywedir wrthoch chi y dylech ddarllen tipyn cyn y cwrs. Beth yw'r ods y byddech chi'n cerdded i mewn i siop a phrynu nofel Charles Dickens? Neu Ernest Hemingway? Neu unrhyw beth llenyddol? Mwy na thebyg y byddech chi'n dewis pethau yn ôl eu clawr neu'r teitl. Ac felly y bu yn fy achos i. Cerddais o'r siop gyda sawl nofel lai-na-llenyddol, megis *Y Sach Winwns* gan Gary Slaymaker, o dan fy nghesail. Llyfr difyr yw *Y Sach Winwns*, ond dyw e ddim y math o beth ar gyfer codi'r iaith i safon prifysgol. Fel nifer o bethau eraill ar y daith hon, byddai hyn yn dod yn ôl i'm haflonyddu yn ddigon buan.

*

Cyn gynted ag y dychwelais i Minnesota, es i a'r briodferch ifanc ati i gynllunio symud i Gymru. Bant â'n heiddo a'n dillad a phopeth dianghenraid i'r siop elusen. Cafodd pob un geiniog sbâr ei chynilo. Penderfynwyd (ni chofiaf pam) y byddem ni'n symud y mis Gorffennaf canlynol – sef ymhen deg mis – ac yn sydyn teimlai fel petai nad oedd yna ddigon o amser. Cynyddodd fy nghynnwrf yn feunyddiol.

Fe ddathlom ni Nos Galan gydag Eric a Kristin a sawl hen gyfaill arall. Ar gorn y cwrw, troellai fy mhen ar feddyliau am yr hyn oedd i ddod. Meddwais ar feddyliau am y dyfodol. O'r diwedd byddai'r freuddwyd yn dod yn wir. O'r diwedd byddwn i'n cael lle i berthyn iddo. Wrth i 2005 dician i mewn i 2006 tynnais fy ngwraig yn agosach ataf a'i chusanu. Ceisiais ddychmygu sut y byddai fy mywyd flwyddyn yn ddiweddarach.

'Just think: a year from now we'll be living in Wales. Are you excited?' gofynnais i'r briodferch ifanc.

'Yeah,' meddai hi. 'And scared.'

Am reswm da.

10

Tidbits electronig

O'r byd newyddiadurol y daw fy nhad hefyd (yn ogystal â'm tad-cu). Ces i fy magu ym myd newyddion y teledu; gallwn olygu tâp Beta pan oeddwn i'n wyth oed. Nid yr ymffrost mwyaf effeithiol ar fuarth yr ysgol oedd hwnnw, rhaid cydnabod, ond y pwynt yw fy mod wedi treulio llawer o amser mewn ystafelloedd newyddion. Ac yn ystafell newyddion fy nhad yr oeddwn yn y 90au cynnar pan ddaeth dyn i arddangos sut y gweithiai fideo *live-streaming*. Ymgasglodd pawb o amgylch sgrin cyfrifiadur a chiledrych i wylio clip 30-eiliad mewn ffenestr fach. Pan orffennodd y clip, safodd y dyn yn falchder i gyd a datgan: 'Pretty cool, huh? Have you ever seen anything like that?'

'Yeah,' meddai fy nhad. 'It's called a television.'

Roedd gennyf i'r un math o sinigiaeth at gyfrifiaduron am flynyddoedd. Yn fy arddegau, roeddwn wastad yn cario beiro ac yn mynnu bod cyfrifiaduron yn tynnu gormod o sylw. 'The Luddite' oedd fy llysenw gan Paul. Mae fy agwedd wedi newid erbyn hyn. Er, a dweud y gwir, pryderaf weithiau fy mod yn rhy sinigaidd o hyd. Yn nhermau technolegol, teimlaf yn hynafol. Fel pawb a'i gi yn Ewrop mae gennyf ffôn symudol, ond aiff dyddiau heibio heb i mi ei ddefnyddio. Y tro diwethaf imi anfon llythyr yn y post oedd 2007 (at fy mam-gu, a ysgrifennodd e-bost yn ôl i ofyn pam oeddwn i wedi gwastraffu stamp ac amser ar lythyr go iawn).

Ond prin y diffoddaf fy nghyfrifiadur. Trwyddo cysylltaf â'r byd a phrin y gallaf ddychmygu byw hebddo. Ar y cyfan, defnyddiaf fy nghyfrifiadur i gyrraedd y rhyngrwyd. Edrychaf ar fy mewnflwch e-bost sawl gwaith y dydd. Mae gennyf feddalwedd a rydd wybod imi pryd bynnag mae yna e-bost newydd ond yn aml edrychaf ar y mewnflwch beth bynnag, rhag ofn. Chi'n gwybod, er mwyn bod yn siŵr bod y meddalwedd yn gweithio. Hefyd, cyfathrebaf â chyfeillion ar amryw wefannau cymdeithasu, ac rydw i'n cynnal o leiaf ddau flog. Trwy feddalwedd VoIP (terminoleg ffansi am drawsyrru llais), defnyddiaf y rhyngrwyd i siarad â'm rhieni a chyfeillion yn ôl yn yr Unol Daleithiau. Ac yn y blaen ac yn y blaen. Mae'r rhyngrwyd yn beth godidog – rydym ni wedi clywed hyn ers blynyddoedd.

Ond yn nhermau'r Profiad Cymraeg, mae hwn yn arbennig o wir. Y rhyngrwyd oedd fy nghymuned am chwe blynedd.

Mae gan y Cymry duedd i roi pwyslais go arbennig ar y cysyniad o gymuned. Gormod o bwyslais, ar adegau, yn fy marn i. Cyn sôn am y tywydd hyd yn oed, dysgir mewn dosbarthiadau iaith sut i fynegi 'O ble dych chi'n dod'. Hwn yw'r peth cyntaf a ddatgana Cymro am ei hunan. Ewch i'ch cwpwrdd llyfrau a chael cipolwg gyflym ar y disgrifiadau o'r awduron ar gefn eich llyfrau Cymraeg: faint ohonynt sy'n sôn am ardal yr awdur? Dewiswyd tair nofel ar hap o'm cwpwrdd llyfrau fy hunan a dyma frawddegau cyntaf eu disgrifiadau o'r awdur:

'Nofelydd ifanc o Geredigion.'

'Brodor o Gaerdydd yw Llwyd.'

'Newyddiadurwr 24 oed o'r Waunfawr yng Ngwynedd yw Ifan Morgan Jones.'

Trwy leoliad y cysyllta nifer o Gymry â Chymru, ac â'u teimlad o Gymreictod. Yn sgil hyn, clymir hunaniaeth â lleoliad.

Trwy leoliad y maen nhw'n diffinio – a thrwyddo'n cael eu diffinio – eu lle a'u gwerth yn y gymdeithas Gymraeg. Ond brodor o Austin, Texas, ydw i, a dreuliodd hanner ei febyd ym Minnesota. Sy'n golygu uffach o ddim yn nhermau Cymreictod heblaw y caf fy nghamddeall am byth. (Na, dwi *ddim* yn berchen dryll. Na, dydych chi *ddim* yn ennill fy nghyfeillgarwch wrth weiddi 'Yî-ha!' arnaf. Na, dwi *erioed* wedi dweud 'Have a nice day.' Ac ati.) Felly, daw fy nghysylltiad â phethau iaith a diwylliant trwy'r rhyngrwyd. Am fwy na hanner degawd trosglwyddwyd bron popeth Cymru/Cymraeg/Cymry/Cymreig trwy sgrin gyfrifiadur. Yn yr ystyr hon, felly, yno, y tu mewn i'r cyfrifiadur, yr oedd fy nghymuned.

Wrth gwrs deuai pob dim o'm deunyddiau dysgu o'r we. Hefyd roeddwn yn gallu dilyn materion cyfoes a'r hyn a ddigwyddai yng Nghymru trwy amryw wefannau. Roedd *streaming media* (sef darlledu fideo a sŵn tros y rhyngrwyd) wedi gwella cryn dipyn ers y 90au, felly gwyliwn y newyddion ar wefan BBC Arlein, yn ogystal ag amryw raglenni teledu gan wefan S4C. Gwrandawn ar Radio Cymru a phodlediadau (sef rhaglenni radio y gellir eu lawrlwytho) gan ®adio Amgen ac ati. Roedd gennyf, felly, y *sights and sounds* o Gymru, neu flas ohonynt. Ynghyd â hyn, roedd yna lefel o gymdeithasu â phobl trwy fy mlog. Os meddyliwch am y math o fywyd sydd gan rai Cymry yng Nghymru, pa mor wahanol oedd fy mywyd i yn yr Unol Daleithiau? Mewn ffordd ryfedd roeddwn *yn* byw yng Nghymru eisoes, heb anadlu'r aer na chael fy mathru ar drenau budr Arriva. A phan ddaeth y cyfle i 'uwchraddio' – hynny yw, symud i'r wlad yn hytrach na byw ynddi yn fy nychymyg yn unig – trwy'r rhyngrwyd yr es i ati i baratoi.

Des i o hyd i fy nhŷ ar-lein, ynghyd ag archebu gwasanaeth ffôn, nwy, trydan ac yn y blaen. Yn y misoedd cyn symud i

Gymru, treuliwn oriau'n ymgyfarwyddo â strydoedd Caerdydd trwy gyfrwng Google Earth, meddalwedd sy'n cynnig mapiau wedi'u plethu â lluniau lloeren. Felly, gallwn lygadrythu ar luniau o'm darpar dŷ, y strydoedd o'i gwmpas, y siopau cyfagos, ac ati. Pan symudodd y briodferch ifanc a fi i Gaerdydd, hedfanom ni yn gyntaf i Lundain a gyrru i'r hen ddinas. Diolch i'm misoedd o lygadrythu ar fapiau o'r brifddinas (prifddinas Cymru, hynny yw, nid Lloegr), llwyddais i gyrraedd ein tŷ heb fod angen gofyn i Rachel helpu gyda'r cyfeiriadau. Diolch byth am hynny oherwydd dryswyd y briodferch ifanc yn llwyr gan fapiau Prydeinig.

Cafodd hyd yn oed fy mhenderfyniad i ddewis Prifysgol Caerdydd ei effeithio gan y rhyngrwyd. Mae gan y brifysgol, ac Ysgol y Gymraeg yn benodol, wefannau addysgiadol, hawdd-eu-defnyddio sy'n darparu mwy o wybodaeth nag a welais ar wefannau prifysgolion eraill. Dyma hint gyfeillgar i chi'r prifysgolion hynny sydd eisiau achub mantais ar arian myfyrwyr rhyngwladol: mae'n syniad da cael rhan o'ch gwefan yn datgan yn blwmp ac yn blaen sut mae'r myfyrwyr i fod i dalu am y pleser o fynychu eich sefydliad addysg uwch. Dylanwadwyd ar fy newis o brifysgol yn rhannol gan yr amryw dudalennau 'Funding Your Degree' ar wefan Prifysgol Caerdydd a rhwyddineb eu defnyddio. Hefyd, dylech chi, brifysgolion eraill, ateb eich e-byst gyda'r troad. Yn fy achos i, fel person na allai bopio draw am sgwrs a phaned jyst unrhyw bryd, adlewyrchir gwerthoedd a threfnusrwydd Ysgol y Gymraeg Prifysgol Caerdydd gan ei medr i fyw a gweithredu yn y byd modern ac ateb ei he-bost.

Un o'm hoff raglenni teledu yn yr 80au oedd *Night Court*, comedi am farnwr ifanc anghonfensiynol ym Manhattan. Wn i ddim a ddarlledwyd y gyfres ym Mhrydain. Ta waeth, mor anghonfensiynol oedd Judge Harry T. Stone – sef y prif gymeriad – fel y gofynnai pobl sut yn y byd y llwyddodd ef i fod yn farnwr. Esboniodd fod ei enw wedi bod ar waelod y rhestr o farnwyr posibl hyd nes y daeth angen i lys y ddinas ganfod a sefydlu person newydd yn reit gyflym. Ffoniwyd yr ymgeiswyr eraill i gyd ond roedden nhw allan, yn mwynhau'r penwythnos. Yn y diwedd daethpwyd at enw ein barnwr anghonfensiynol.

'I'm a judge,' meddai'n ostyngedig, 'because I was home on a Saturday.'

Atebwyd y ffôn gan Harold T. Stone. Atebwyd e-byst gan Ysgol y Gymraeg Prifysgol Caerdydd. Nid dyna'r unig reswm yr oeddwn yn dymuno mynychu prifysgol yn yr hen ddinas, ond roedd yn elfen na chyfrifodd yn ei herbyn. Fel person a ddefnyddia'r rhyngrwyd ym mhob un rhan o'i fywyd bron, roedd prifysgol a ddeallai sut i ddefnyddio technoleg gyfoes yn apelio ataf.

*

'Blogs are possibly the most amazing things that have emerged from the webbernets,' cyhoeddodd fy nghyfaill, Heather, wrthyf yn ddiweddar.

Ac wrth gwrs, trwy'r 'webbernets' hynny (chwedl Heather am y rhyngrwyd) rydw i'n ei nabod hithau – trwy fy mlog Saesneg yn benodol. Anodd yw dychmygu y byddai angen esbonio beth yw blog, ond os ydych chi'n byw mewn ogof, neu wedi bod mewn côma er 1995, neu'n aelod o fwrdd Undeb Rygbi Cymru, mae'n bosibl nad oes gennych chi afael da ar y byd o'ch cwmpas. Yn sgil hynny, efallai nad ydych chi wedi clywed am flogiau. Wel, gyfaill, croeso i'r presennol. Yn y bôn, mae blog yn beth tebyg i'r llyfr hwn – petai gan y llyfr hwn luniau, sŵn a fideo, a phe gallai pobl o gwmpas y byd ei weld a chyfrannu ato ar unwaith. Roedd 2004 yn 'Year of the Blog' yn ôl cyfryngau'r Unol Daleithiau; bellach ffasiwn sydd wedi lleihau ychydig ymhlith diwylliant 'pop' America yw'r weithred. Neu, o leiaf, mae'n mynd trwy fath o *paradigm shift*; bydd blogiau gyda ni am amser hir, tybiaf. A bydd cofnodi arnyn nhw'n parhau i fod yn *geeky*. Mae *yn* beth *geeky* i'w wneud. Yn bendant. Heb gwestiwn. Ond rydw i, yn ogystal â sawl person arall, yn dal ati serch hynny. A gall gwneud hynny fod o fudd i gymunedau Cymraeg eu hiaith.

Os ydych chi'n berson enwog, gallwch ddefnyddio blog fel teclyn i'ch hunanhyrwyddo. Dyma beth a wneir yn yr Unol Daleithiau gan *blog celebrities* megis Rex Sorgatz a Julia Allison ac ati. A hwn oedd fy amcan innau pan gychwynnais fy mlog Saesneg (http://www.chriscope.co.uk/) yn ôl ym mis Mai 2004. Roeddwn yn ysgrifennu fy nofel ac yn siŵr bod llwyddiant mawr a chyfoeth anferthol jyst rownd y gornel. Ond 'Y Nofel Nas Cyhoeddwyd' yw llysenw'r peth erbyn hyn. 'Y Nofel Nas Darllenwyd' yw'r llysenw arall – oherwydd taw dim ond dau berson oedd yn fodlon ei darllen. A does yna ddim llawer mwy o bobl yn darllen fy mlog. Petai pob un o ddarllenwyr fy mlog yn cwrdd am *get-together* yn Nant Gwrtheyrn byddai mwy na digon o le o hyd ar gyfer y grwpiau hynny o fyfyrwyr ysgrifennu creadigol a ddaw o brifysgolion Efrog Newydd. Rhoddwyd y gorau i freuddwydion am enwogrwydd ymhen mis neu ddau o ddechrau blogio, a daeth fy mlog i fod yn lle imi sôn am beth bynnag diwerth a ddaw i'm pen megis plotiau *Doctor Who*, dyfalu sut y gallai Superman eillio pan oedd yn anarcholladwy i bob dim, pa fenyw enwog yr hoffwn ei chnuchio, ac ati. Ond rhywsut mae'n apelio at rai pobl ac mae gennyf gyfeillion o gwmpas y byd o ganlyniad.

Dechreuais fy mlog Cymraeg (http://cymraeg.chriscope.co.uk/) ar 17 Hydref 2004, yn rhannol yn y gobaith o ddatblygu cyfeillion sy'n siarad y Gymraeg ac yn rhannol yn y gobaith o wella safon fy Nghymraeg. Ac yn rhannol oherwydd ei fod yn gyfle ardderchog i sarhau'r ast anfad o gyn-gariad sy'n dwyn eneidiau mewn iaith nad yw hi'n ei deall. Pan gychwynnais y blog Cymraeg, roeddwn eisoes am fynychu prifysgol yng Nghymru, ac adlewyrchwyd y ffaith hon gan y cofnod cyntaf:

> Efallai fe ddylwn i cyflwyno fi fy hun. Chris Cope ydw i. Ac – mae'n flin 'da fi – Americanwr ydw i. Rydw i'n byw gyda fy ngwraig yn St Paul, Minnesota, yn a Canol Gorllewin o'r wlad.
>
> Rydw i'n gweithio fel golygydd copi (mewn Saesneg) ac rydw i'n ysgrifennu erthyglau. Hefyd, dw i'n gweithio ar nofel. Myfyrwraig ydy fy ngwraig, Rachel. Mae hi'n gweithio ar ei gradd meistr mewn iechyd cyhoeddus maetheg (public health nutrition).
>
> 'Ar ôl mae hi wedi ennill ei gradd meistr, efallai y bydden ni'n mynd i Gymru. Rydw i eisiau ennill gradd Cymraeg ar Prifysgol Caerdydd. Os ydych chi'n helpu fi gyda'r breuddwyd 'ma, gadael neges o dan mewn blwch sylwadau.'

Os cofiaf yn iawn, cymerodd tua 45 munud i ysgrifennu hynny. Ond roedd yn werth yr ymdrech oherwydd byddai gennyf yn weddol fuan grŵp o bobl sy'n fodlon fy helpu i wella fy Nghymraeg. Sylwer ar y defnydd o'r presennol yn y frawddeg ddiwethaf; ar ôl agor Blwch Pandora ni ellir ei ail-gau. Caf gywiriadau ar ôl bron pob un cofnod o hyd, a does dim ots a ydw i eisiau nhw neu beidio. Ond tiwtor Prifysgol Harvard (sef un o'r prifysgolion gorau yn y byd) yw un o'r cywirwyr hyn. Sut allaf gwyno am hynny? Rydw i fel y dyn 'na yn *Good Will Hunting*, wrthi'n cael addysg ragorol am ddim. 'How do you like them apples?'

Ynghyd â help gyda'm Cymraeg ysgrifenedig cawn gyfarwyddyd gyda'm Cymraeg llafar hefyd. Lanlwythwn ffeiliau sŵn a fideo ar y blog i bobl gael clywed a fy ngweld yn siarad yr iaith, ac i roi ymarfer ymddiddan i fi fy hunan. Felly adeiladwyd gennyf, yn y byd rhith hwn, strwythur o gefnogaeth ar gyfer dysgu'r Gymraeg er gwaethaf y pellter enfawr rhyngof i a chartref yr iaith. Adeiladwyd math o gymuned, un a gymysgai yn aml i mewn i'r byd corfforol.

Efallai taw'r enghraifft orau o fudd blogiau yw'r daith honno ym mis Hydref 2005 i Gaerdydd – pan ddes i gyfweliad yn y brifysgol. Cyn gadael yr Unol Daleithiau danfonwyd allwedd imi drwy'r post i fflat yn Llundain, sef fflat fy nghyfeillion Chris a Jenny. Pan glywon nhw (wel, pan ddarllenon nhw, ar fy mlog) am fy nhaith i Brydain estynnon nhw wahoddiad i aros gyda nhw ar ôl cyrraedd y 'Big Smoke'. Roedd fy hediad i Lundain i fod i gyrraedd yn ystod y bore, pan fyddai'r ddau yn gweithio. Roeddwn i'n fodlon crwydro'r ddinas am gwpl o oriau ond roedd y syniad hwn yn hollol annerbyniol iddyn nhw. Fel Albanwyr, gyda'u synnwyr Albanaidd eithafol o eisiau cynnig croeso cynnes, ni fyddent am ganiatáu i fi aros amdanyn nhw. Byddai'n annheg a chreulon, meddai Jenny, i'm gorfodi i aros mor hir i gael cawod ac ymlacio ar ôl yr hediad hir. *It's simply not done*. Danfon allwedd, felly, oedd yr ateb naturiol iddyn nhw. Heb os, roedd yn beth ymddiriedus a charedig dros ben i'w wneud. Ond dyma'r *kicker*: nid oedd Chris na Jenny wedi fy ngweld i o'r blaen yn y cnawd. Daethom i adnabod ein gilydd trwy fy mlog Saesneg.

Nid yw Chris a Jenny yn unigryw. Mae gennyf sawl cyfaill go iawn a ddaeth i'm nabod yn gyntaf trwy gyfrwng fy mlogiau – siaradwyr Cymraeg yn eu plith. Wrth gwrs, trwy fy mlog Cymraeg y des i nabod Geraint, Mair a Rhys, sef y triawd a gwrddodd â fi am beintiau a sgwrs yn y Mochyn Du ar y noson cyn y cyfweliad yn Ysgol y Gymraeg. Y sgwrs dair awr honno oedd y tro cyntaf imi siarad yr iaith mewn sefyllfa 'normal', sef sgwrsio mewn tafarn am ddim rheswm amgenach na chymdeithasu. Cofiaf deimlad o ryfeddu at y ffaith ein bod ni, yn wir, yn siarad yr iaith. Er i mi siarad â grŵp o ddysgwyr dair blynedd ynghynt, iaith fy mhen oedd y Gymraeg ar y cyfan. Hynny yw, bodolai yn fy nghyfrifiadur, fy nghar, a'm pen ond nid yn y byd beunyddiol cyffwrddadwy o'm cwmpas. A dyna lle'r oeddwn i, yn y Mochyn Du, yn cydymddiddan â siaradwyr eraill, siaradwyr go iawn. Rhoddwyd imi gan y sgwrs honno ymdeimlad o'r iaith fel peth gwirioneddol, peth go iawn. Rhoddwyd imi hyder newydd hefyd. Ac er gwaethaf y pen mawr a fyddai gennyf y bore nesaf, roedd y sgwrs honno o fudd anferthol. Hebddi, efallai na fyddwn i wedi llwyddo i ennill lle ar y cwrs. Ac roedd hyn i gyd wedi dod o deipio lol ar wefan.

Noson ar ôl y cyfweliad, aeth Geraint a fi i weld tîm pêl-droed cenedlaethol Cymru yn chwarae yn erbyn Azerbaijan yn y gêm ddiflasaf yn hanes gemau diflas. Ac i Glwb Ifor Bach yr aeth y ddau ohonom ni cyn y gêm am beint neu ddau. Prynodd Geraint beint o gwrw i fi a flasai fel hen hoelen rydlyd; ond y cwrw gorau yw'r cwrw nad oes rhaid ichi dalu amdano, felly chwynais i ddim. Pan oeddem ni'n mwynhau ein peintiau daeth rhywun ataf i gyflwyno ei hunan a dweud ei fod yn darllen fy mlog. Roeddwn i wedi cellwair â Geraint y noson cynt fy mod yn *kind of a big deal*. Mae'n ddywediad a ddaw o'r ffilm *Anchorman: The Legend of Ron Burgundy*:

> I don't know how to put this, but, I'm kind of a big deal. People know me. I'm very important. I have many leather-bound books. And my apartment smells of rich mahogany.

Roedd Geraint, er hynny, yn meddwl mod i'n ymffrostio gan nad oedd wedi gweld y ffilm. Pan ges i fy llongyfarch gan y dyn ar fy llwyddiant yn y cyfweliad a chael cynnig lle ar gwrs prifysgol (pethau a gofnodais ar fy mlog bron yn syth ar ôl y peth), dywedodd Geraint: 'Ha, ti *yn* "big deal".'

Dydw i ddim. Mae maint Cymru'n golygu ei bod yn amhosibl bod yn *big deal*, waeth beth a wnewch chi. Gellwch fod yn Brif Weinidog Cymru a chewch eich gorfodi o hyd i aros mewn ciw Starbucks ym Mryste. Ond ffordd o ennill tipyn bach o sylw oedd blogio, yn enwedig oherwydd y newydd-deb o fod yn flogiwr Cymraeg; doedd dim tyrfa ohonom yn y dyddiau hynny. Yn gyffredinol, cytunir gan y *geeks* Cymraeg taw Nic Dafis (http://morfablog.com/) yw'r blogiwr Cymraeg cyntaf. Cychwynnodd ei flog ar 21 Ebrill 2001 (cymharwch hwn â blogiau Saesneg a gychwynnodd tua 1994). Fel yn fy sefyllfa i, cychwynnodd Nic ei flog gyda'r amcan o wella safon ei Gymraeg. Am sawl blwyddyn roedd Nic yn flogiwr unig braidd; pan benderfynais i fynd ati roedd yn bosibl o hyd i flogwyr Cymraeg ffitio i mewn i Ford Galaxy. Ond erbyn hyn mae yna fwy o flogiau Cymraeg eu hiaith fel na allaf eu cyfrif bellach. Wel, mwy nag y mae gennyf amynedd i'w cyfrif, o leiaf. Yn ogystal â blogiau personol megis fy un i, mae yna flogiau cerddoriaeth, gwleidyddiaeth, technoleg, crefydd, ac ati – y byd trwy gyfrwng y Gymraeg.

*

'Tidbits electronig' yw'r rhyngrwyd yn ôl y beirniad llenyddol a'r hanesydd diwylliannol Hywel Teifi Edwards. Bloeddiodd ef y disgrifiad dirmygus hwn ar Radio Cymru yng nghanol llwch chwalfa *Y Byd*. Efallai eich bod yn cofio *Y Byd*, sef y sgam papur newydd beunyddiol Cymraeg a addawyd am fwy na hanner degawd ond na ddaeth erioed i fod. Roedd ein Hywel ni yn gefnogwr cryf o'r syniad a doedd e ddim yn hapus o gwbl ag awgrymiadau y byddai datblygu gwefan newyddion yn well defnydd o arian y llywodraeth. Bu bron iddo chwythu ffiws wrth fynnu: 'Nid mwy o tidbits electronig mae Cymru eu hangen. Papur go iawn!'

Dwi ddim eisiau ymddangos yn amharchus tuag at Hywel Teifi Edwards; nid oes gennyf y sylfaen academaidd i'w feirniadu. Ac, a dweud y gwir, wn i ddim byd arall amdano heblaw am ei ymosodiad ar y rhyngrwyd. Efallai y byddwn i wrth fy modd yn sgwrsio â fe. Ond mae ei sylw'n fy atgoffa o'r Seneddwr Ted Stevens, o Alaska, a honnodd taw 'series of tubes' yw'r rhyngrwyd. Gwatwarir Stevens yn yr Unol Daleithiau hyd y dydd heddiw am y trosiad hwn oherwydd ynddo adlewyrchir diffyg dealltwriaeth sylfaenol o'r hyn yw'r rhyngrwyd, a beth yw ei werth. Dywedir bod yna bobl o hyd sy'n credu bod y Ddaear yn wastad ond, serch hynny, anodd yw credu bod yna bobl yn yr 21ain ganrif na dderbyniant werth y rhyngrwyd fel cyfrwng. Ond y mae. Ac, yn anffodus, mae yna lawer ohonynt yng Nghymru. Wrth fethu gafael yn y byd cyfoes fel hyn, gwneir niwed i'r iaith.

Ymestynnir ffiniau'r iaith gan rywbeth megis y rhyngrwyd. A dweud y gwir, dilëir y ffiniau. Yn y nofel eiconig *Wythnos yng Nghymru Fydd*, ffantasïodd Islwyn Ffowc Elis am Gymru gyda phapurau newydd a werthai 200,000 copi bob dydd. Dychmygwch Gymru lle gwerthir 300,000 copi o bapur newydd Cymraeg bob dydd. 500,000 copi. Dwy filiwn. Pa werth fyddent i siaradwyr mewn mannau eraill o'r byd? Beth fyddai ar gyfer annog a chalonogi dysgwyr y tu allan i Gymru? Crëwyd math o gymuned gan y rhyngrwyd nad oedd yn bosibl yn fy myd real i.

Ac nid fi yw'r unig berson sy'n defnyddio'r rhyngrwyd yn y fath ffordd. Mae yna filoedd o siaradwyr a dysgwyr tebyg erbyn hyn. Darperir gan y rhyngrwyd rywbeth nad yw'n bosibl weithiau yn y byd go iawn.

Wrth gwrs mae yna sawl grŵp Cymreig hwnt ac yma ar draws cyfandir America. Ac mae rhai ohonynt, megis 'Welsh League of Arizona' a 'Chicago Taffia' yn weithgar a bywiog iawn. Ond yn fy mhrofiad i mae'r mwyafrif o'r grwpiau hyn yn wan ac yn anhrefnus. Llenwir eu rhengoedd gan bobl hŷn gyda diffyg dealltwriaeth o'r wlad a'r bobl y maen nhw'n honni eu dathlu. Daliant ddelweddau amheus o ddelfrydol am Gymru fu – glowyr a chapelwyr Sain Ffaganaidd, ac yn y blaen. Nid oes yna lawer yn y grwpiau hyn i ddenu person sydd heb glun artiffisial. Hynny yw, nid oes yna lawer sy'n adlewyrchu Cymru fel y mae, Cymru sy'n bodoli, Cymru fydd. Nid oes yna groeso i bobl ifainc (boed yn ifanc o gorff neu o ysbryd). A phrin iawn y clywir y Gymraeg yn y grwpiau hyn. Cynigir gan Gymdeithas Madog, sef grŵp Cymreig Gogledd America, gwrs Cymraeg blynyddol. Ond wythnos yn unig yw hyd y cyrsiau hyn, a gall cyfanswm y gost (cwrs, teithio, llety, ac ati) fod yn boenus o ddrud.

Gan y rhyngrwyd, felly, y llenwir y bylchau enfawr. Gall person mewn unrhyw le yn y byd ddysgu, cymdeithasu, cyfathrebu a chysylltu trwy gyfrwng y Gymraeg wrth ddefnyddio'r we. Yn nhermau'r iaith, budd mawr yw'r rhyngrwyd i'r rheiny y tu allan i Gymru. A gall fod mor fuddiol y *tu mewn* i'r wlad hefyd. Cyffesaf taw anodd yw cydymdeimlo â Chymro a ddaw o rywle di-Gymraeg megis Cas-gwent sy'n dweud wrthyf nad yw'r iaith i'w chael yn ei ardal. Mae Minnesota ddeuddeg gwaith maint Cymru – faint o Gymraeg ydych chi'n meddwl oedd yn fy ardal i? Ond *everything is relative*, meddan nhw. A deallaf y gall fod yn hawdd colli'r iaith pan nad yw hi ym mhobman o'ch cwmpas. Yn sgil hynny, gall presenoldeb yr iaith ar y we fod yn atodol i'r ymdrechion i adfywio'r iaith neu ei meithrin mewn mannau newydd. Yn ogystal â hyn, gall y presenoldeb hwnnw gyfleu *gravitas* i'r iaith. Wrth gyfranogi yn y byd modern dangosir bod y Gymraeg yn iaith fodern.

Yn anffodus, dyw presenoldeb y Gymraeg ddim mor gryf ag y gallai fod. Ac mae honno'n ffaith a achosa areithiau rheglyd hir gennyf yn y dafarn. Ond mae pawb yn meddwl mai ganddyn nhw mae'r atebion i bob problem y byd, onid ydyn nhw? A gall lledaenu efengyl y rhyngrwyd ddiflasu pobl braidd yn gyflym. Yn enwedig pan ddaw'r bregeth gan Americanwr (gwn nad oes neb eisiau clywed beirniadaeth lem gan estronwr).

Os ydym ni'n lwcus, yn fuan iawn bydd fy nghwynion yn swnio fel petaen nhw wedi pasio eu *sell-by date*. Ond hyd yma, credaf taw'r rhyngrwyd yw'r offeryn gorau sydd ar gael i hyrwyddo a chynnal yr iaith ers degawdau. A hyd yma, mae'r Cymry'n methu manteisio arno.

11

Manylu hyd ddiflastod ar leoedd ac amserau

Roedd hi'n dadlaith ar y diwrnod y symudodd y briodferch ifanc a fi. Cododd y tymheredd i -2°C. Sefydlwyd Minnesota gan bobl o Sweden a chaf fy nifyrru bob amser wrth feddwl pam y buasen nhw'n gadael eu gwlad, croesi Môr Iwerydd, a rholio ar draws hanner cyfandir America dim ond er mwyn cyrraedd man sydd mor wirion o oer â'r lle yr oedden nhw wedi ei adael. Llwythwyd y trŷc, fy nghar, a char fy nhad ac wedyn bant â ni 17.5 milltir o St Paul i Bloomington Rock City. Llwyddom i wneud popeth mewn un daith. Mae yna rywbeth sy'n dwysbigo eich calon mewn sefyllfa fel honno: 30 oed, a'ch holl fyd wedi ei rannu rhwng Ford Ranger, Oldsmobile Delta 88, a Honda Civic, ac ar eich ffordd i fyw gyda'ch rhieni.

Term camarweiniol yw 'Twin Cities', sef yr ardal yr oeddwn yn byw ynddi. Cyfeiria'r enw at Minneapolis a St Paul, ond pan sonia preswyliwr am 'the Cities', cynhwysir gan yr enw ryw 188 dinas a threfgordd mewn ardal fetropolitanaidd 6,364 milltir^2 – bron yr un maint â Chymru gyfan. Y drydedd yn eu plith o ran poblogaeth (os nad poblogrwydd) yw Bloomington Rock City, sef y ddinas lle mynychodd Paul, Eric a minnau yr *high school*. Dyna'r ddinas lle mae fy rhieni'n byw o hyd. Er ei bod yn rhannu ffin gyda St Paul, teimla Bloomington Rock City fel lle gwahanol – y lle roeddwn yn arfer dyheu i'w adael. Fel Bloomington yn unig yr adwaenir y ddinas yn swyddogol. Ychwanegaf y 'Rock City' er mwyn ceisio rhoi tipyn o bersonoliaeth iddi. Os gall Detroit fod yn 'rock city' i KISS, mae'n rhaid bod Bloomington yr un math o beth i rywun. Nid i fi. Nid i neb rydw i'n ei nabod. A dweud y gwir, 'skiffle city' ydyw ar y gorau. Neu 'adult contemporary city'. Bloomington Smooth Jazz City, efallai. Mae gan y ddinas tua 85,000 o breswylwyr a dim ond tair tafarn. Does dim sy'n 'rock' am hynny.

Symudodd y briodferch ifanc a fi i mewn gyda fy rhieni ym mis Ionawr 2006 er mwyn cynilo arian i symud i Gymru. Treuliodd y briodferch ifanc a fi chwe mis o dan do fy rhieni. Yn amlwg roeddwn yn uffernol o ymroddedig i'r iaith i wneud peth felly. Anodd ar hunanfalchder dyn yw byw gyda'i rieni; gall y profiad eich gyrru chi'n wallgof. Yn y ffilmiau, bob tro mae yna wallgofddyn llofruddiog sy'n cadw menywod dan glo ac yn eu gorfodi i wisgo cit tîm pêl-droed Suriname neu beth bynnag, byw gyda'i fam mae yntau. Tybed a oedd ein boi ni'n wallgof *cyn* symud i mewn gyda'i riant? Ta beth, fyddaf i ddim yn ail-fyw y profiad. Byth eto. Does yna ddim cymhelliant i lwyddo sy'n gryfach nag ofn cael fy ngorfodi i fyw gyda'm mam a'm tad eto.

At ei gilydd, gallwn ymdopi â'r peth. Yn y misoedd hynny, llusgai amser heibio. Deuai diwrnod i ben, ac yna'r nesaf a'r nesaf a'r nesaf ac yn y blaen ac yn y blaen; ond rhywsut ni theimlwn fod amser yn symud. Roedd yr hen ddelweddau delfrydol Dyffryn Conwy-aidd o Gymru yno o hyd, wrthi'n fy nenu a'm gwangalonni. Ymhen amser, roeddwn yn hiraethu am Gymru ac yn dyheu am symud yno gymaint er mwyn cael meddwl am rywbeth arall yn lle eisiau bod yno. Bellach, gan y gwyddwn fy mod yn symud i Gymru, anodd oedd cadw fy amynedd.

Diflannwn i mewn i fy myd Cymraeg. Gweithiai fy nhad i'r un cwmni â fi yn y dyddiau hynny a dywed taw'r darlun ohonof wrthi'n darllen nofel Gymraeg yn ystafell ginio'r adeilad yw ei atgof cliriaf amdanaf yn ystod y cyfnod. Brechdan dwrci, caws a sbigoglys ar fara gwenith (heb fenyn), creision, dwy fisged *raspberry Milano*, oren, nofel Gymraeg, geiriadur. Beunyddiol. Dydd ar ôl dydd. Bob dydd.

Os ceisiwch ddarllen yn ystafell ginio eich gweithle, bron bob tri munud daw rhywun i mewn a gofyn: 'Ooh, what ya readin?'

Nawr ac yn y man teimwn fel ateb yn ôl ychydig yn gas: 'Well, at present, I'm reading nothing because you've interrupted me.'

Ond ni wnes i hynny erioed. Dangoswn fy llyfr iddyn nhw, a gan amlaf deuai'r sgwrs i ben ar hynny. Cawn i sylwadau ysbeidiol o 'wow' neu 'cool' ac ati. Weithiau dywedai'r person wrthyf fod ganddyn nhw linach Gymreig. Mae'n ddoniol clywed Americanwr yn sôn am gysylltiadau teuluol Cymreig. Dyw Cymru ddim yn *sexy* ym meddwl Americanwr, felly ni chaiff y cysylltiadau hyn lawer o sylw. Mae ein cysylltiadau Gwyddelig yn gyfarwydd i ni, fel petaen nhw'n rhifau cyfresol (Benjamin Curry, Swydd Tyrone, yn fy achos i). Ond cysylltiadau Cymreig? Tipyn mwy aneglur.

'Oh, yeah. We've got some Welch blood,' bydd y person yn mentro. 'I think. Yeah, from, uhm south Wells. Like, I think their name was Jones. Something like that. I should try to track it down.'

Rhywun o Dde Cymru gyda'r cyfenw Jones. Pob lwc ar y chwiliad hwnnw.

Ond daeth fy hoff sylw Americanaidd am yr iaith gan ferch yn y sedd nesaf ataf ar awyren, a ofynnodd am weld y nofel yr oeddwn yn ei darllen cyn datgan: 'Oh my gosh. That is so weird! It doesn't even look like a language.'

Mae'n werth nodi nad oedd neb yn gas tua'r iaith. Dwl, weithiau, ond nid yn gas. A phetai gennyf bunt am bob tro y cymharid y Gymraeg â Klingon, byddwn yn ddyn cyfoethog dros ben. Ni fuasai rhaid imi wneud cais am fenthyciadau ar gyfer mynychu Prifysgol Caerdydd. Yn anffodus, *roedd* yna angen benthyciadau. Gast o angen.

*

Er mwyn byw yng Nghymru rydw i, fwy neu lai, wedi cael fy ngorfodi i werthu fy enaid i Sallie Mae, sef cwmni o'r Unol Daleithiau sy'n benthyca arian i fyfyrwyr hygoelus. Mae Sallie Mae yn enw mor glên ar gwmni mor ddrwg. Mae'n swnio fel merch dlos ddiniwed sy'n byw drws nesaf i chi. Ac mae hi *yn* byw drws nesaf – os ydych chi'n byw yn Uffern. Tua £9,000 y flwyddyn fyddai ffioedd dysgu Prifysgol Caerdydd. Ychwanegwch dipyn rhagor at dreuliau amrywiol, a byddai arnaf angen benthyg tua £15,000 y flwyddyn (a pheidiwch anghofio ychwanegu llog). Beth gewch chi am £45,000? Fe gewch radd yn y Gymraeg. A beth feddyliwch yw gwerth y radd honno yn yr Unol Daleithiau? Deuai rhyw realiti creulon o'r broses gwneud cais am fenthyciadau: sylweddolais fy mod i'n torri'r wokiau ac yn suddo'r cychod, i Gymreigio ymadrodd Tsieineaidd. Roeddwn yn gosod fy hunan mewn sefyllfa na allwn droi'n ôl oddi wrthi. Roedd Eric a Paul a'm hen gyfeillion eraill yn mynd i ddyled wrth brynu tai. Awn *i* i ddyled er mwyn darn o bapur. Darn o bapur sydd – mewn termau Americanaidd

– yn byw drws nesaf i Ddiwerth, ym Mhentref Dielw, yng Ngwlad y Pethau Dibwys. Wrth symud i Gymru roeddwn yn rhoi'r gorau i ffordd o fyw. Gyda gradd yn y Gymraeg, ni allwn ddychwelyd i St Paul a chanfod swydd dda yno. O dan gymaint o ddyled, ni allwn ddychwelyd a phrynu tŷ. Deuai hyn yn ôl i'm harteithio sawl gwaith yn y blynyddoedd i ddod.

'I traded a house in St Paul for this?' fyddai fy mantra sbeitlyd.

Ar ben trafferth y benthyciadau roedd yna dasgau di-rif i'w cwblhau megis adnewyddu ein pasbortau, gosod gwasanaethau ffôn, rhyngrwyd, dŵr, nwy a thrydan, gwerthu ceir, pacio eiddo, a sicrhau tŷ i'w rentu yng Nghaerdydd. Bu'r olaf yn brofiad i'm hatgoffa (eto) taw profiad digon anghyffredin yw diwreiddio a symud dros y môr. Yn yr Unol Daleithiau, os ydych chi'n symud i rywle – ar gyfer swydd newydd, er enghraifft – gellwch ddefnyddio amryw wefannau i ganfod fflat. Cewch bob math o wybodaeth a lluniau o'r fflat ac o'r ardal, ac ymhen dim gellwch drefnu i gasglu'r allweddi ar ôl cyrraedd eich dinas newydd. Does dim angen ichi fod yn y ddinas yn gorfforol i drefnu popeth; gwneir hyn trwy e-bost a ffacs ac ati. A dweud y gwir, dwi ddim yn hollol siŵr sut fyddwn i'n mynd ati i symud i rywle ond yn y modd hwn. Er, yn amlwg, mae yna fodd gwahanol, oherwydd anghyfleustra di-baid oedd ceisio canfod lle i fyw yng Nghaerdydd heb *fod* yng Nghaerdydd.

Dod o hyd i asiantau tai a feddai ar wefannau fu'r her gyntaf. Culhawyd fy chwiliad i bedwar asiant gan y rhwystr hwn. Culhawyd ef ymhellach gan ddiffyg medr dau ohonynt i ddiweddaru eu gwefannau. Does dim pwynt rhestru tai a rentwyd flynyddoedd yn ôl, nac oes? Ond ni wyddai'r asiantau tai hynny. O'r diwedd, pan ganfûm le a apeliai ataf, cysylltais â'r asiant a gofyn sut i fynd ati i rentu'r lle. Roedd fel petawn i'n ceisio trefnu math o *drug deal* â nhw. Doedden nhw ddim yn gyfforddus o gwbl gyda'r syniad o rentu tŷ i mi heb fy ngweld. Dywedwn wrthyn nhw nad oedd, yn anffodus, yn gyfleus imi bopio draw i'r brifddinas oherwydd y 4,000 milltir o dir a môr oedd rhyngom ni. Ond i ddim pwrpas.

Dyma ddarn o sgwrs ffôn a ges â menyw asiant tŷ:

> MENYW: We can set up a showing with you on . . .
> FI: Right, that won't really work for me, because I'm in the United States at the moment.
> MENYW: Oh, well when you arrive in Cardiff just call in and . . .
> FI: No, see, when I arrive in Cardiff I want to have a place to sleep that night. I want to set up a place to live before I get there.
> MENYW: But normally we don't like to let a property without the tenant having a chance to see it. Are you sure you won't have a chance to visit Cardiff?

A oeddwn i'n siŵr? Er mwyn dyn. A oeddwn i'n siŵr nad oeddwn am dreulio cannoedd o ddoleri er mwyn *edrych* ar dŷ? Yn amlwg roedd fy sefyllfa y tu hwnt i'w dealltwriaeth. Rownd a rownd â ni am ugain munud. Esboniais taw elfen angenrheidiol fy nghais *visa* oedd cael cyfeiriad tŷ ymlaen llaw. Gofynnodd hi a oeddwn yn hollol siŵr na allwn ddod i Gaerdydd. Esboniais fod angen arnaf gael cyfeiriad tŷ hefyd er mwyn cael rhywle i ddanfon fy eiddo iddo. Gofynnodd a oeddwn yn gant y cant yn siŵr na allwn ddod i Gaerdydd. Myfyriais ai menyw hiliol oedd hon ac efallai taw dyna'r rheswm y teimlai fod angen fy ngweld yn gorfforol. Ystyriais a ddylwn wehyddu ffeithiau personol amdanaf fy hunan i mewn i'r sgwrs: 'What's the weather like there in Cardiff? It's sunny here in Minnesota. I got a sunburn; I burn easily because my skin is so white.'

Gofynnais a oedd yna fath o ddeddf a ddywedai na allai hi

rentu tŷ i rywun heb ei weld. Nid oedd y fath beth. Gofynnais beth oedd y broblem. Ni wyddai. Yn y diwedd cytunwyd y byddai hi'n rhentu imi dŷ pe bai cyfaill i mi'n dod i edrych arno. Sut mae hynny'n gwneud synnwyr, wn i ddim. Roedd yn amlwg wrth fy acen a'r ffaith fy mod i'n ffonio o dros y môr nad oeddwn i'n berson lleol – felly sut oeddwn i fod i gael cyfeillion yn y ddinas eisoes?

Ond diolch i'r drefn bu Rhys yn fodlon gwneud y troedwaith. Cadarnhaodd ef fod y tŷ'n edrych fel y lluniau ar wefan yr asiant. Pryderai y byddai'r tŷ'n rhy fach yn ôl safonau Americanaidd, ond, fel y nododd yn gywir, byddai unrhyw beth yn well na byw gyda'm rhieni.

*

'Wel,' meddai'r cyfwelydd, heb wybod nad oedd y ffôn wedi cael ei rhoi i lawr eto. 'Diddorol.'

Gwyddwn.

A theimlais fel peth gwrthodedig.

Ym mis Mawrth rown i wedi gwneud cais am wobr Dysgwr y Flwyddyn 2006. Bwriadwn fod yng Nghymru erbyn dechrau Eisteddfod Genedlaethol Abertawe a'r Cylch, ac yn fy nychymyg byddai cystadlu am y wobr yn ffordd ardderchog o gychwyn y bennod newydd hon. Byddai'n fath o groeso i'm Bywyd Cymraeg, a, gyda lwc, byddai profiadau tebyg yn ei ddilyn. Peth hunanhyderus i'w wneud oedd enwebu fy hunan fel ymgeisydd. Peth myfïol i'w wneud efallai. Ond tybiwn os gallwn ddysgu'r iaith ar-lein a gwenieithio lle i fi fy hunan ar gwrs Cymraeg, yn sicr gallwn hawlio'r teitl Dysgwr y Flwyddyn. Wel, ddim yn *sicr.* Gallwn gyrraedd rownd derfynol, meddyliwn, pan gaiff cystadleuwyr bryd mawr o fwyd gyda'i gilydd. Gwnaf bron unrhyw beth i gael pryd am ddim. Ennill neu beidio, dychmygwn y byddai'n beth da i'w wneud er mwyn dechrau'r broses o fwrw gwreiddiau yng Nghymru. Dychmygwn y byddwn yn mynd o nerth i nerth ar ôl cyrraedd Prydain a hwn fyddai'r cam cyntaf.

Ond, wrth gwrs, doedd gen i ddim uffach o gliw beth roeddwn yn ei wneud. Yn gyffredinol, ar gyfer pobl sydd wedi ei mynychu o'r blaen y mae'r Eisteddfod (wel, nhw, a'r bobl sy'n dwlu ar dalu am yr hawl i gerdded mewn lle caeedig). Ac fel yna y mae hi yng nghystadleuaeth Dysgwr y Flwyddyn. Hynny yw, nid y Brifwyl yw'r digwyddiad mwyaf *user-friendly* erioed; mae iddi awyrgylch *Catch-22*aidd na ddylech chi fod yno os nad ydych wedi bod yno o'r blaen. Digwyddiad ar gyfer y rheiny sydd eisoes yn aelodau o'r gymuned Gymraeg ei hiaith ydyw – y bobl sydd y tu mewn yn barod. Yn sgil hynny, camarweiniol yw teitl cystadleuaeth Dysgwr y Flwyddyn. Meddyliais i taw ar gyfer *dysgwyr* yr oedd hi, sef pobl sydd wrthi *yn* dysgu. Ond ar gyfer pobl sydd *wedi* dysgu y mae hi mewn gwirionedd; pobl a ddysgodd. Dysgwyr a fu. Wrth edrych ar fywgraffiadau ymgeiswyr gwelwch frawddegau megis: 'Cyfranna Mr Hwn-a-Hwn i'r byd Cymraeg trwy olygu papur bro a gweithio tros Fenter Iaith ers 18 mlynedd.'

Sut mae hynny'n disgrifio dysgwr? OK, chwarae teg, rydym ni i gyd yn ddysgwyr, onid ydym ni? Dysgu gydol oes, ac ati. Ond rydych chi'n deall fy mhwynt. Roeddwn i yn ddysgwr yn yr ystyr o fod yn newydd i'r iaith, newydd i bethau Eisteddfodol; a chan hynny, ni ddylwn i fod wedi ymgeisio am deitl Dysgwr y Flwyddyn. Afraid dweud, ni châi hyn ei esbonio i ymgeiswyr; nid oedd canllawiau ar y safon iaith a ddisgwylid. Pam y dylai digwyddiad mewnol gael ei esbonio?

Ni esboniwyd chwaith y disgwylid i ymgeiswyr deithio i

Gaerdydd i gael cyfweliad â thîm o feirniaid ar gyfer dewis pa rai ohonynt fyddai'n parhau i'r rownd gyn-derfynol. Doedd dim sôn am hyn yn y rhestr testunau. Ond pam y dylai fod? Mae pawb jyst yn gwybod, on'd 'dyn nhw? Felly, ffoniwyd fi gan gynrychiolydd y gystadleuaeth a gofynnwyd a allwn i fod ar gael yn y brifddinas yn gynnar ym mis Mai. Esboniais na allwn, yn anffodus, oherwydd fy mod dramor, heb fwriad mynd i Gymru tan fis Gorffennaf. Gofynnwyd a oeddwn yn hollol siŵr na allwn ddod i Gaerdydd. Esboniais y byddai'r hediad yn uffernol o gostus, yn ogystal â bod yn anghyfleus i'r pwynt o fod yn amhosibl. Gofynnwyd a oeddwn yn gant y cant yn siŵr na allwn ddod i Gaerdydd.

Unwaith eto, roeddwn yn brwydro yn erbyn y ffaith bod yr hyn yr oeddwn i'n ceisio ei wneud yn groes i'r drefn. Ac achosid problemau ganddo. Pan geisiwn rentu tŷ neu wneud cais am gystadleuaeth heb fod yn bresennol, roeddwn yn gwthio pobl allan o'u *comfort zones*. Ac yn reddfol roedd yn anodd iddyn nhw weld pethau o'm safbwynt i. Byddai symud i Brydain yn gofyn i mi ddatblygu math newydd o amynedd, a deuwn i sylweddoli hyn yn y misoedd cyn symud.

Dywedais y byddwn i'n tynnu fy ymgais yn ôl, felly. Ond chwarae teg i drefnwyr y gystadleuaeth, dywedwyd nad oedd angen imi wneud hynny. Awgrymwyd y gallwn osod pethau ar gyfer cynhadledd fideo'r rhyngrwyd. Gofynnais a oedd ganddyn nhw gamera a meddalwedd i wneud hynny. Dywedwyd taw tros y ffôn y byddai'r cyfweliad.

Chysgais i ddim y noson cyn y peth. Er fy mod yn ddifraw am y gystadleuaeth erbyn hyn, ces bŵl o nerfau amdani ar y pryd. Roeddwn i wedi caniatáu i'r elfen storïol o bopeth effeithio gormod arnaf i (ond byddai wedi gwneud stori dda, oni fyddai?). Roeddwn bron yn sâl pan ffoniodd y beirniaid am 6:20 y bore. Dyna ymadrodd bygythiol: 'Pan Ffoniodd y Beirniaid'. A theimlai'n fygythiol hefyd. Roedd fy ymennydd yn neidio gan gymysgedd o nerfusrwydd a diffyg cwsg; nid oedd awr annaearol y cyfweliad yn help. Bu anhawster drachefn o ran deall fy safbwynt wrth amserlennu'r cyfweliad; chwe awr yw'r gwahaniaeth amser rhwng Minnesota a Chymru. Doedden nhw ddim eisiau siarad â fi ar ôl eu cinio, felly bu rhaid imi godi yn oriau mân y bore. Er, gallai fod wedi bod yn waeth – yn wreiddiol roedden nhw eisiau ffonio am bedwar y bore.

Roedd yna dri ohonynt ar ffôn seinydd – sy'n her nad oeddwn i wedi meddwl amdani. Digon anodd yw siarad iaith anghyfarwydd dros y ffôn ag un person. Bellach byddai'n rhaid imi ddelio â thri pherson ac acwsteg annelfrydol. Er, doedd dim gwahaniaeth. Hedfanodd y cyfweliad heibio. Ni chofiaf uffach o ddim am yr hyn a ddywedwyd. Ond gwyddwn rywsut ar derfyn y sgwrs fy mod i wedi gwneud ffŵl o fi fy hunan.

Diddorol. Wir.

Ffoniodd y cynrychiolydd yn ôl yn nes ymlaen i gadarnhau'r hyn a deimlwn. Ni fyddwn yn y rownd gyn-derfynol. Teimlwn yn chwithig. Teimlwn ddicter am y ffaith nad esboniwyd y gystadleuaeth yn well, chwithdod a thristwch am safon wan fy Nghymraeg, y siom o fethu, ac ati. Yn bennaf, teimlwn yn hurt. Hyd heddiw mae gan y briodferch ifanc nifer o *conspiracy theories* am y peth, ond disgwylir y math hynny o beth gan wraig ffyddlon. Y gwir plaen amhleserus yw nad oedd fy Nghymraeg yn ddigon da. Dim cynllwyn. Doeddwn i ddim yn ddigon da. Fel y digwyddodd pethau, bu'r profiad *yn* fath o groeso i'm Bywyd Cymraeg. A byddai profiadau tebyg yn ei ddilyn, gwaetha'r modd.

*

> Come and show me another city with lifted head singing
> so proud to be alive and coarse and strong and cunning.
>
> – Pennill o'r gerdd 'Chicago' gan Carl Sandburg.

'My kind of town, Chicago is,' canai Frank Sinatra (yn addas, defnyddiodd gystrawen Gymraeg). A gwir yw'r datganiad yn fy achos innau. Ar restr Y Pum Lle Gorau Yn Y Byd Yn Ôl Chris Cope ceir y ddinas fawr ar lan Llyn Michigan. Rydw i'n dwlu arni ers gweld *Blues Brothers* am y tro cyntaf. Wrth yrru yno, bob tro y gwelaf arwydd ffordd sy'n nodi'r pellter iddi, addasaf y milltiredd hynny i'r dyfyniad enwog gan y ffilm: 'It's 106 miles to Chicago, we've got a full tank of gas, half a pack of cigarettes, it's dark, and we're wearing sunglasses. Hit it.'

Felly, datganaf, 'It's 61 miles to Chicago . . . It's 38 miles to . . .' ac ati ac ati.

Mae'n daith 400 milltir i Chicago o St Paul. Wrth gyrraedd, bydd pwy bynnag sydd yn y car gyda fi yn barod i'm lladd.

Aeth y briodferch ifanc a fi i'r 'City of Big Shoulders' ym mis Mehefin 2006 oherwydd dyna'r ddinas agosaf i'r 'Twin Cities' sydd â Swyddfa Is-gennad Prydain. A bu rhaid mynd yno i wneud cais am ein teithebau. Weithiau teimlai'r broses o baratoi ar gyfer symud i Brydain fel petaen ni mewn stori helfa-drysor lle byddai rhaid casglu darnau o bos a'u cydosod i greu peiriant hynafol y byddai'n amddiffyn dynolryw rhag mwncïod lesbiaidd, neu beth bynnag.

Y prif fygythiad i'r Ddaear yw'r mwncïod lesbiaidd hynny (o'r gofod) ond does neb yn gwneud dim amdanyn nhw.

Ta beth, y teithebau fyddai'r darnau olaf. Ar ôl sicrhau Cefnogaeth Euraidd Sallie Mae, a Chytundeb Sanctaidd Yr Asiant Tŷ, bellach byddai rhaid inni brofi ein hunain trwy fynd dan Lach Ddwyfol Biwrocratiaeth Brydeinig. Yn swyddogol, nid oedd angen gyrru i lawr i wneud y peth; gallem ni fod wedi gwneud cais trwy'r post. Ond rydw i'n amheus o wasanaeth post UDA er pan oeddwn i'n wyth oed. Yn y dyddiau siriol hynny archebais ffiguryn GI Joe o Sgt. Slaughter trwy'r post ond ni chyrhaeddodd ef byth. Wrth reswm, os na allai gwasanaeth post lwyddo i ddanfon ffiguryn GI Joe, nid oedd uffach o siawns y byddwn i'n dibynnu arno i ddelio â'r pentwr stwff yr oedd ei angen arnaf i wneud cais teitheb. Pasbortau, tystysgrifau geni, tystysgrif briodi, diplomâu'r briodferch ifanc, gwybodaeth ariannol, llythyr derbyn Prifysgol Caerdydd, cytundeb prydles, ac ati. A fyddech chi wedi ymddiried gwasanaeth post â'r pethau hyn? Ac wedyn bod yn fodlon aros chwe i wyth wythnos i'ch pethau ddychwelyd? Doedd dim dwywaith amdani, bant â ni i'r 'Windy City'. Roeddwn i am yrru i swyddfa'r Is-gennad a rhoi popeth iddo gyda'm dwylo fy hunan.

Ond fel y digwyddodd hi, roedd yn syml. Syndod o syml. O'r holl Brofiad Cymraeg, hwn byddai'r peth hawsaf i'w wneud. Aethom i swyddfa'r Is-gennad, rhoddwyd inni ddarn o bapur gyda rhif arno, eisteddom mewn cadeiriau cyffyrddus, galwyd ein rhif ymhen pum munud, bu yna fân siarad â'r fenyw wrth y ddesg, talom am y teithebau, ac yna dywedodd y fenyw: 'Right, you can pick up your visas any time after 2 p.m.'

'What? Tomorrow?' gofynnais.

'Well, you can do, love. But they'll be ready today,' meddai hi.

A dyna ni. Cyfreithlon i fyw ym Mhrydain am dair blynedd. Dim aros, dim poeni, dim pledio, dim . . . dim. Damcaniaeth y briodferch ifanc yw taw cymorth dwyfol oedd y rheswm y tu ôl i'r rhwyddineb. Efallai. Ond efallai bod rhywbeth arall, hefyd – rhywbeth y byddwn i'n ei gyfarfod eto.

Ond soniaf am hynny'n nes ymlaen.

Heb bryderon biwrocrataidd rhyngwladol yn pwyso arnom, cafodd Rachel a fi gyfle i fwynhau Chicago am ychydig o ddiwrnodau. Wrth edrych yn ôl, efallai nad hynny oedd y peth mwyaf deallus i'w wneud ar y pryd. Wrth sicrhau ein teithebau, cwblhawyd y pos. A bellach aethom ni ati i feddwl am ein bywydau i ddod – ein bywydau Ewropeaidd. Hynny yw, aethom ni ati i ramanteiddio ein dyfodol, a dyw Chicago ddim yn lle da i wneud hynny. Mae'n ddinas anodd ei churo. Os ydych chi'n rhamanteiddio bywyd mewn gwlad arall wrth gerdded o gwmpas *Chi Town*, byddwch chi'n tynnu'r pethau da o'ch cwmpas ac yn disgwyl eu gweld yn eich bywyd newydd. A mwy na thebyg y cewch eich siomi. Peidiwch â chamddeall, mae gennyf le annwyl yn fy nghalon i Gaerdydd, ond nid Chicago yw hi. Mae ardal fetropolitanaidd Chicago ryw 1.36 gwaith maint Cymru gyfan, gyda 10 miliwn o breswylwyr. Heb os, ni all Caerdydd ddal cannwyll i Chicago mewn sawl ffordd.

Trenau yw un enghraifft. Trenau cerbydau-deulawr amryfal yw trenau Metra, sef trenau Chicago. Pethau hir, arian a disglair ydyn nhw, gydag aerdymheru, dim golwg o sbwriel ynddynt, a digon o le i bawb eistedd. Parchus, hynaws a sobr yw eu teithwyr. Ac nid taith pum awr ydyw o naill ochr yr ardal i'r llall. Gwyddwn i fel arall, ond, heb yn wybod i mi, penderfynodd y briodferch ifanc taw fel hyn y byddai teithio yng Nghymru. Druan â Rachel.

*

Bythefnos cyn symud i Gymru roedd Paul, Eric a fi'n eistedd ar lan llyn yn Boundary Waters, yr ardal naturiol enfawr ddigyfnewid sydd ar y naill ochr a'r llall i'r ffin rhwng yr Unol Daleithiau a Chanada, rhwng Minnesota ac Ontario. Roeddem ni ar ochr Minnesota. Efallai. Does wybod yn Boundary Waters. Ardal wyllt ydyw. Does dim ffyrdd, ni chaniateir cychod modur. Yr unig fodd o'i fforio yw mewn canŵ neu ar eich hen draed. Aethom ni i mewn canŵod am bedwar diwrnod o bysgota a gwersylla a diota a siarad lol. Afraid dweud, roedd yn odidog.

Adleisiai cân y *loon* ar draws y dŵr. Yr aderyn sy'n cynrychioli Minnesota yw'r *loon*. Cafodd yr enw am fod ganddo gân sy'n swnio fel chwerthin gwallgofddyn, sef 'lunatic'. Mae'n edrych yn debyg i hwyaden, ond ei fod yn fwy, gyda phen du a phig mwy pigfain. Aderyn meudwyaidd ydyw. Er, efallai y byddai'n fwy cywir i ddweud taw aderyn deallus ydyw; dyw e ddim yn hoffi pobl. Ac fel mae'n digwydd, maen nhw'n bethau siaradus iawn â'i gilydd. Os ydych chi'n eu clywed neu'n eu gweld (neu'n canŵio'n agos atynt) mae'n arwydd eich bod yn bell, bell o bob dim.

'What's wrong with this?' gofynnais, yn chwifio fy llaw tua'r prydferthwch o'n blaen. 'Nothing. Nothing's wrong with it. Why do we twist ourselves in knots chasing after things and working so hard when there's this?'

'Good question, why don't we just stay up here?' meddai Paul.

'Because this shit gets cold in the winter,' meddai Eric.

Teimlai fel moment dyngedfennol fy mywyd. Dyna fi yn nhalaith fy arddegau, gyda hen gyfeillion, cyfeillion go iawn, ar fin cychwyn cyfnod newydd yn fy mywyd ac eisiau aros yn yr unfan. Ar foment fel honno, dyweda eich cyfeillion bob math o lol am ddod i'ch gweld, ond gwyddoch y gwir. Bydd yn adeg hir iawn cyn y gwelwch nhw eto; rydych chi'n rhoi'r gorau i leoedd a phobl a bwydydd a llawer mwy. Ces i bwl o hiraeth am y lle yr oeddwn i mor awyddus i'w adael. Y noson honno gorweddwn yn fy mhabell yn gwrando ar alwadau y *loon*: pell, galarus. Roedd newid yn dod.

12

Dwi eisiau bod yn Gymro

13 Gorffennaf 2006 – Nos Iau – 22:15
A new era in my life has begun. Who knows what that era will bring, but I feel good about it.
– Ysgrifennwyd yn fy nyddiadur ar y noswaith gyntaf yng Nghaerdydd.

A ydych chi'n cofio haf 2006? Faban Iesu bach, roedd y tywydd yn ofnadwy, on'd oedd? Yr haf poethaf ers dechrau cofnodi oedd y mis Gorffennaf hwnnw, dywedwyd ar y newyddion. A dyna'r briodferch ifanc a fi'n dioddef lludded jet ynddo. Teimlai'r pythefnos cyntaf hwnnw yng Nghymru fel math o rithweledigaeth wedi'i achosi gan wres. Mor gymysglyd yw'r adeg honno yn fy meddwl fel ei bod yn anodd ei hesbonio. Petaech chi'n chwifio eich dwylo yn yr awyr a mwmian 'wwwww' tra'n feddw gaib, am bythefnos, byddech chi'n cael hanner syniad o'r peth.

Roedd teimlad swrrealaidd dros bopeth – cyfarwydd ac anghyfarwydd. Ar y cyfan, dyw pethau ddim mor wahanol yng Nghymru ag y maent yn yr Unol Daleithiau; mae gan y ddau le bob math o bethau ac arferion tebyg iawn; Talaith 51 yw Prydain, wedi'r cyfan. Ac fel y dywedwyd o'r blaen, daw'r gwahaniaethau rhwng y ddwy wlad yn y pethau mân. Dychmygwch ddeffro rhyw fore, mynd i lawr y grisiau i'ch cegin a darganfod taw yn nrôr y ffyrc y mae'r llwyau, bod y tegell wedi newid lle â'r microdon, a bod rhaid troi'r cap ar y llaeth mewn cyfeiriad gwahanol ac yn y blaen; mae popeth cyfarwydd yno, ond mewn ffordd anghyfarwydd.

Gwaethygwyd y sefyllfa gan ddiffyg cwsg. Lludded jet, gwres, dryswch – cynllwynai'r tri yn erbyn y briodferch ifanc a fi tra ceisiem addasu i'n cartref newydd a'i wely bychan. Llety wedi ei ddodrefnu oedd ein tŷ newydd ac roedd y gwely'n uffernol o fach yn ôl safonau Americanaidd – yn enwedig i ddau berson tal (mae Rachel yn 5-troedfedd-10, ac rydw i'n 6-throedfedd-1). Gorweddem yn ein gwely pitw, gyda'n traed yn cyffwrdd â ffrâm y peth, a methu cysgu bob nos wrth wrando ar y synau newydd o'n cwmpas. Cawn fy neffro gan bob car a yrrai heibio, pob llais a adleisiai yn y nos, a chefais fy hun unwaith eto'n mynd trwy'r broses o geisio cael gafael ar ble yr oeddwn a beth oedd yn digwydd. Am wythnos gron fe'n dychrynwyd yn arw gan y postman.

Nid oedd gennym deledu, radio, ryngrwyd, ffôn na char yn y dyddiau cynnar hynny, ffactorau a ychwanegai at ein teimlad o fod yn bell bell bell o bopeth. Crwydrem yr hen ddinas fel petaem ni wedi cwympo i'r ddaear. Darganfuom fod gan y sinema aerdymheru a threuliem ein nosweithiau yno neu o dan y coed mawr ym muarth y Mochyn Du. Weithiau ymddangosai Rhys a'i gariad, Sarah, yn y dafarn hefyd – yn ogystal ag amryw bobl eraill. Nosweithiau euraidd yn y cof yw'r nosweithiau hynny.

Yn araf iawn daeth Rachel a fi allan o'n tawch breuddwydiol. A bellach roedd angen sefydlu ein hunain – cael cyfrifon banc, er enghraifft – ac i Rachel ganfod swydd. Prynwyd yr *Echo* bob dydd Mawrth, prynwyd y *Western Mail* bob dydd Iau a phorwyd trwy'r ddau am swyddi. Er gwaethaf nerfusrwydd Rachel, roeddwn yn llawn hyder y byddai hi'n dod o hyd i swydd yn ddigon cyflym. Dietegydd yw hi, gyda gradd uwch, ac roeddwn i wedi darllen ers blynyddoedd y storïau newyddion niferus am ddiffyg dietegwyr yng Nghymru. Dim problem, meddyliwn. Tybiwn y byddai'n cymryd dau fis iddi ganfod lle, ar y mwyaf.

Tra setlai'r gwaddod roeddwn yn hapus. Roeddwn, o'r diwedd, yng Nghymru. Ar ôl degawd o fod eisiau dychwelyd i Brydain, a chymaint o waith caled, roeddwn i wedi sylweddoli breuddwyd. Roeddwn i *yng* Nghymru! *Rock on!* Ond gyda realiti fy mreuddwyd deuai math o ofn newydd, nerfusrwydd anghyfarwydd. Nid rhamanteiddio Cymru a diflasu cyfeillion gyda sôn amdani yr oeddwn mwyach ond byw ynddi. Doeddwn i ddim yn cysylltu â phethau trwy wifrau a dychymyg; roedd fy nhraed fy hunan yn gadarn ar dir Cymreig go iawn. Bellach doeddwn i ddim yn glynu yn fy mhen wrth fersiwn y Rose & Crown o Brydain (efallai eich bod yn gwybod taw y Rose & Crown yw enw'r dafarn ym mhafiliwn y Deyrnas Unedig yn Epcot yn y Walt Disney World Resort); roedd hwn yn real. Go iawn. Wrthi'n digwydd. Roedd fy mreuddwyd wedi dod i fod yn fywyd i mi. A bellach byddai rhaid imi fyw'r bywyd hwnnw. Un peth yw ymffrostio wrth eich cyfeillion eich bod am neidio allan o awyren, ond mae'n sefyllfa hollol wahanol pan fyddwch chi'n plymio tuag at y ddaear. Ar ôl sôn cymaint am fod eisiau byw yng Nghymru, bellach cawn fy nghyfle. Byddai'n rhaid imi lwyddo.

*

Siom. Dyna'r gair cyntaf a ddaw i'm pen wrth feddwl am fy Eisteddfod gyntaf. Wel, y gair cyntaf nad yw'n rheg, o leiaf. Rhai geiriau eraill: creigiau, llwch, diflastod, anhrefn, chwithdod. Ond siom yw'r gair amlycaf. Roedd y siom fel dwrn yn fy mol.

O bryd i'w gilydd yn yr Unol Daleithiau roedd hi'n anodd bod yn Cambrophile, sef rhywun â serch tuag at Gymru. Does neb wedi clywed am y wlad fach a glymwyd wrth ochr chwith Lloegr ac mae'n anodd dod o hyd i rywbeth i'w chwifio yn wynebau pobl sy'n dangos gwerth y lle. Gellwch ddadlau nad oes rhaid i ddiwylliant *brofi* ei werth – dyw bodoli ddim yn broses fel Eurovision, lle mae diwylliannau'n cystadlu yn erbyn ei gilydd am serch gweddill y byd – ond mae'n amlwg nad ydych chi'n Americanwr. Jocian ydw i, rhywsut, ond mae yna athroniaeth waelodol yn yr Unol Daleithiau a ddaw â dull o feddwl 'Melting Pot' sy'n awgrymu y dylai diwylliant sefyll allan neu ddiflannu. Ar y cyfan, mae'r syniad o Gymreictod wedi pylu yn yr ardal a gynhwysir yn y *Monroe Doctrine*; fe'i hamsugnwyd i mewn i gyfanlun America. Felly cawn gan fy nghyd-Americanwyr yr un math o ymateb ag a gaf gan y Saeson i'm bwriad i ddysgu Cymraeg: 'Why?'

Nid cwestiwn cas yw hwn yn fy marn i, ond cwestiwn go iawn, cwestiwn gonest. Os yw diwylliant wedi methu parhau mewn ffordd amlwg, pam treulio amser ac egni wrth ei ganmol a'i ymgorffori yn fy mywyd? A beth sydd i'w ganmol? Super Furry Animals? Bryn Terfel? Beth sy'n *Gymreig* amdanyn nhw? Beth allaf i ddangos i'm hen gyfeillion a dweud: 'See? Wouldn't you up sticks and move across the ocean for this?'

A bod yn greulon o onest, ni ddes i o hyd i unrhyw beth fel hyn erioed. Ac roedd yn rhywbeth a fyddai'n peri rwystredigaeth imi.

Wrth gyrraedd Eisteddfod Genedlaethol Abertawe a'r Cylch prin y gallwn eistedd yn fy sedd ar y bws gan fod y cynnwrf mor gryf. O'r diwedd byddai yna rywbeth i dawelu amheuon y briodferch ifanc (ac, a dweud y gwir, fy amheuon innau). Roeddwn i wedi dychmygu y byddai Eisteddfod yn darparu rhyw fath o gyfiawnhad i'n penderfyniad i symud i Gymru. Byddai'n ddathliad ac yn foliant i ddiwylliant Cymraeg ei iaith, a byddai'n canu imi: 'Chi'n gweld? Roedd dod yma *yn* beth da i'w wneud.'

Yn y bôn, roeddwn i'n chwilio am – roedd arna i angen am – rywbeth a ddywedai wrthyf nad oeddwn i wedi gwneud camgymeriad.

A ches fy siomi.

Os ydw i'n onest â'm hunan, roeddwn yn disgwyl rhyw fersiwn Cymreig o'r Minnesota State Fair. Neu, St Paul Irish Fair, o leiaf. Mae'r Irish Fair yn ŵyl flynyddol sy'n cynnwys *rince* (dawns Wyddelig), grwpiau cerddoriaeth werin, bwyd Gwyddelig, storïwyr, crefftau ac ati. A dyw hi ddim yn costio dim. Daw tua 100,000 o bobl i'w mwynhau dros ei phenwythnos.

'Ond Chris, mae gan Eisteddfod y pethau hyn,' meddech chi.

Oes, efallai, ond mewn lleoliad oeraidd (y mae'n rhaid talu amdano). Eistedda pawb yn dawel a pharchus wrth wylio hogyn unig ar lwyfan enfawr. Does dim cysylltiad rhwng yr hyn a berfformir a'r bobl sy'n ei wylio. Does dim cysylltiad rhwng y peth gwerin a'r werin. Wrth weld elfennau gwerin mewn Eisteddfod, ni allwn beidio â gofyn: 'I ba werin y mae hyn yn perthyn?'

Yn hytrach na chadw diwylliant fel gardd – i'w meithrin a'i chalonogi – fe'i cedwir fel dodo mewn jar fformaldehyd. Cawn y teimlad na fyddai'r pethau hyn yn bodoli oni bai am y ffaith y gellir ennill arian trwy gystadlu. A does dim ohono i'w weld y tu allan i'r babell binc o gas arddangos. Ar faes yr Eisteddfod ei hun, roedd y tirwedd creigiog a llychlyd yn cael ei foddi gan bebyll plastig gwyn yn cynnig gwybodaeth am wyliau carafán neu bleidiau gwleidyddol. Roedd fel petawn i'n mynychu *information fair* ar y lleuad. Crwydrid y maes gan ddyrnaid o bobl sombïaidd, fel petaent yn ceisio clirio'u pennau mawr. Ai *hwn* oedd y peth a ganmolir mewn cerddoriaeth a llenyddiaeth? Ai *hwn* oedd y peth y dywedai pawb wrthyf y dylwn ei fynychu? Ai *hwn* oedd uchafbwynt y diwylliant Cymreig? Ai *hwn* oedd y diwylliant y symudais 4,000 milltir i ymuno ag e? Roeddwn i eisiau rhoi matsien i'r holl beth. Teimlais chwithdod llethol gan fy mod wedi llusgo'r briodferch ifanc i ganol hyn. Nid oedd dim yma i'm cyfiawnhau, dim i ysbrydoli fy ngwraig i fynd ati i ddechrau dysgu'r Gymraeg, dim i brofi gwerth Cymru/Cymraeg/Cymry/Cymreig. Ar fy mlog Saesneg, disgrifiais y peth fel: 'A third-rate county fair trying to win legitimacy by mimicking the "Ode to a Grecian Urn" scene in Music Man.'

Parhaodd y chwerwedd am flynyddoedd.

*

Ond bu yna rai profiadau o werth yn yr Eisteddfod honno. Er enghraifft: ces i gyfle i gwrdd â chyflwynwr y BBC, Garry Owen. Diwrnod da yw unrhyw ddiwrnod pan gewch gyfle i fod ym mhresenoldeb Garry Owen; mae'n belydryn haul ar ddiwrnod cymylog. Rydw i'n siŵr y byddai yn gwadu'r honiad hwn erbyn hyn (ac fe ddylai), ond dywedodd wrthyf i ei fod yn darllen fy mlog. Mwy na thebyg ceisio bod yn gyfeillgar oedd Garry Owen ac nad oedd mewn gwirionedd erioed wedi gweld fy mlog, ond ymffrostiaf am y peth hyd heddiw.

Ces i'r darn o wybodaeth euraidd hwn yn ystod Diwrnod y Dysgwyr, sef achlysur Maes D (pabell y dysgwyr ar faes Eisteddfod) a gynhaliwyd gan y BBC. Roedd yn gyfle i rai sy'n newydd i'r iaith neu am wella eu Cymraeg ymuno 'mewn gweithgareddau Cymraeg yng nghwmni rhai o wynebau cyfarwydd BBC Cymru', yn ôl y datganiad swyddogol. Yn ogystal â Garry Owen, roedd yr actorion Emyr Bell, Lauren Phillips, a Gillian Elisa yno hefyd.

A minnau.

Rhywsut ces i fy nghlymu â'r enwau mawr hyn oherwydd digwyddiad BBC oedd hwn ac am fy mod i wedi dysgu'r iaith trwy *Catchphrase*. Gofynnwyd i fi sôn am fy mhrofiadau dysgu er mwyn hybu'r wefan ac adnoddau gwefan y BBC *Learn Welsh*. Os oedd yr Eisteddfod yn siom i fi, tosturiwch wrth y bobl a ddaeth i gwrdd â Sabrina, Kelly a DI Lewis oddi ar *Pobol y Cwm* dim ond i gael eu gorfodi i eistedd yno a gwrando ar barablu Americanwr. Yn nodweddiadol, ces i'r *hook* gan Garry Owen wrth siarad. Hynny yw, daeth y darlledwr chwedlonol i achub y gynulleidfa rhag fy malu awyr, a dywedodd wrthyf am roi'r gorau iddi. Gwnaethpwyd y peth gyda doethineb a sirioldeb, wrth gwrs – ni ddaeth Garry a chipio'r meic o'm dwylo. Ac rydw i'n siŵr bod y gynulleidfa'n werthfawrogol iawn. *Warm-up act* oeddwn i beth bynnag. Daeth Gillian Elisa i'r llwyfan nesaf, i ddal y dorf yng nghledr ei llaw – 'Ms Show' yw hi.

Daw'r term 'Mr/Ms Show' o'm dyddiau o fyw a gweithio yn Reno, Nevada. Yn ystod nosweithiau'r haf, perfformiai grwpiau cerddorol am ddim yn Wingfield Park, sef parc dinas yng nghanol y dref. Âi'r briodferch ifanc a fi yn aml i eistedd ar y glaswellt, llymeitian *margaritas*, a gwrando ar bwy bynnag oedd yn perfformio. Ac felly'r oedd hi y tro hwn pan nododd grŵp salsa eu bod nhw wedi gweld Tony Orlando ymhlith y gynulleidfa. Nid yw dod o hyd i bobl enwog yn Reno yn beth anghyffredin; daw'r hen enwau mawr i berfformio yn y casinos, ac mae Tony (o'r grŵp Tony Orlando and Dawn, a ganai 'Knock Three Times', a 'Candida', ac ati) yn gymaint o *regular* fel ei fod bron yn breswyliwr y 'Biggest Little City'. Ond person enwog yw person enwog ac roedd y grŵp salsa yn hapus dros ben i'w weld.

'We actually do a few of your tunes, Mr Orlando,' meddai canwr y grŵp.

'Well, hell,' meddai Tony. 'How about if I join you fellas?'

Neidiodd ein Tony ar y llwyfan, sibrydodd ychydig â'r grŵp ac, yn sydyn, roeddem ni yn Wingfield Park yn dystion i gyngerdd digymell Tony Orlando. Nid oeddwn yn ffan yn y dyddiau hynny, a bod yn onest. Dyn o'r 1970au yw Tony a meddyliwn amdanaf fy hunan fel bachgen hip. Ond adroddaf hyn ichi yn blwmp ac yn blaen:

Roedd.

Tony.

Yn.

Wych.

Roedd yn rhagorol. Perfformiodd dair o'i ganeuon ei hun a dwy gân arall. Wrth wylio hyn, sylweddolais taw *Perfformiwr* yw Tony Orlando, gyda 'P' fawr, mewn ffont fras. *Mister Show* yw e. Does dim ots ai band llawn ynteu bâr o lwyau sydd ganddo fe; does dim ots ai stadiwm ynteu lifft yw ei lwyfan. Mae e wastad yn barod i fynd, barod i ddifyrru.

A dyna i chi Gillian Elisa. 'Ms Show'. Mae ganddi'r ddawn arbennig o fedru siarad â grŵp o bobl gan wneud i bob un person deimlo ei bod hi'n siarad â fe yn unig. Ac mae hithau'n dda am dynnu lluniau gydag edmygwyr hefyd. Mae yna fath o grefft i'r *celebrity photo* – rydych chi eisiau i'r person enwog gogio eich bod chi'ch dau'n nabod eich gilydd ers tro byd. Mae gennyf ffoto o'r briodferch ifanc a fi gyda Sarah, Duges Efrog, ac mae gan Fergie olwg ar ei hwyneb sy'n awgrymu fy mod i'n llithro fy llaw i lawr ei throwsus; mae'n amlwg bod Rachel a fi'n ei blino. Ond mae Gillian Elisa a fi'n edrych fel hen, hen gyfeillion yn y ffoto sydd gennyf o'r ddau ohonom. Mae hi'n deall crefft y *celebrity photo*, ac yn rhagori ynddi.

Swynodd Gillian bawb am sbel. Tra oedd hyn yn digwydd, crwydrodd Côr Meibion Pwy-a-ŵyr i mewn. Gorchmynnodd Gillian nhw i ymuno â hi ar y llwyfan a thynnodd y weithred hon ddigon o sylw fel bod y babell yn sydyn yn llawn pobl. Ymhen eiliadau daeth un o'r sefyllfaoedd mwyaf dirdynnol erioed yn fy Mhrofiad Cymraeg.

Big finish y digwyddiad oedd cyfle i bawb ganu 'Hen Wlad Fy Nhadau'. Arweiniwyd y canu gan Gillian, a chyn dechrau mynnodd fy nghael i (a Garry Owen a Lauren Phillips ac Emyr Bell) i ymuno â'r côr a hithau ar y llwyfan o flaen y dorf. A dyna ni i gyd yn canu'r anthem genedlaethol.

Nawr, meddyliwch: beth yw'r ods y byddai dysgwr Saesneg yn gwybod geiriau anthem genedlaethol Prydain? A wyddoch chi eiriau anthem genedlaethol yr Unol Daleithiau? Felly mae *yn* bosibl na fyddai dysgwr Cymraeg yn gwybod geiriau anthem genedlaethol Cymru yn fanwl. Gwae fe os yw'n cwrdd â Gillian Elisa. Rhoddodd hi fraich ar fy ysgwydd a dal y meicroffon yn union o flaen fy wyneb. Dyna straen.

'O, uffach,' meddyliais. 'Paid ag anghofio'r geiriau.'

'O, uffach,' meddyliais eto. 'Beth yw'r geiriau?'

Llwyddais i ganu yn weddol ddi-sigl ond roeddwn yn dioddef pwl o banig y tu mewn. Ar ôl sawl blwyddyn (neu 15 eiliad – mae'n anodd mesur amser dan straen) symudodd hi ymlaen i wthio'r meic o flaen wyneb rhywun arall. Roeddwn i bron â llewygu gan ryddhad.

*

Darparwyd gwin gan rywun. Duw a ŵyr pwy. Doedd dim ots gen i; y gwin gorau yw'r gwin nad oes rhaid ichi dalu amdano. Wrth gwrs, y broblem â gwin sy'n rhad ac am ddim yw nad oes digon ohono fe. Peth anffodus o ystyried yr olwg arnom ni. Rhaid cyffesu nad blogwyr yw'r bobl mwyaf *sexy* yn y byd. Tri blogiwr *sexy* dwi'n eu nabod, ac maen nhw'n *sexy* dros ben. Ond mae'r gweddill ohonom ni, wel, yn normal. Mae rhai ohonom ni ychydig yn llai na normal – y fi er enghraifft. Os ydych chi am fy shagio i, byddai llawer o win yn help ichi.

Ar ddydd Sadwrn olaf yr Eisteddfod roedd gwin ar gyfer cyfarfod blogwyr Cymraeg eu hiaith. Peth rhyfedd yw cwrdd â blogwyr eraill weithiau, oherwydd gall fod yn anodd inni feddwl am rywbeth i ddweud wrth ein gilydd.

'Prynais beiriant bara ddoe . . .'

'Ie, 'nes i ddarllen dy gofnod amdano.'

'O, ie . . . ymm . . . Oes rhagor o win?'

Ond bu'n gyfle i gwrdd yn y cnawd â phobl roeddwn i wedi cyfathrebu â nhw ers blynyddoedd. Er fy mod yn canmol y rhyngrwyd hyd at beri côma o ddiflastod, cytunaf nad yw'n well na chymdeithasu yn y byd gwirioneddol. Gall y rhyngrwyd fod yn offeryn ar gyfer cychwyn a chynnal perthnasau rhyngbersonol, ond peth anodd ei guro yw eistedd i lawr a mwynhau potelaid o win go iawn gyda pherson go iawn.

Ar ôl disbyddu'r poteli, penderfynodd grŵp llai ohonom grwydro draw i'r babell gwrw (nodwedd achubol yr Eisteddfod) i barhau'r ymgomio. Roeddwn mewn hwyliau da yn yr heulwen braf, ac ni allaf wadu fy mod bob amser yn hapus wrth gerdded tuag at gwrw. Wrth fentro ar draws y maes, chwarddodd Geraint am fy mhen a dweud fy mod yn 'brasgamu'r maes fel brenin Cymru'. Teimlwn fel hynny ar y prynhawn hwnnw. Eisteddais wrth fwrdd picnic lle roedd dwsin o bobl eraill, ac ym mhobman o'm cwmpas roedd yna ragor o bobl – i gyd yn siarad a chwerthin ac yn mwynhau'r haf a'r *craic* trwy gyfrwng y Gymraeg.

'Fel hyn y dylai Eisteddfod fod,' cyhoeddais yn bendant ac yn hanner-meddw wrth neb yn arbennig. 'Fel hyn y dylai hi fod.'

*

Pedwar deg munud yn Ffrainc. Dyna'r cyfan roedd ei angen.

Diolch i fiwrocratiaeth sy'n nodweddiadol o dollau, nid oedd ein teithebau (y rhai yr aethom i Chicago ar eu cyfer) yn ddilys tan fis Awst. Daethom ni i Brydain ym mis Gorffennaf ar deithebau twrist, sef y pethau a ddaw yn awtomatig wrth chwifio pasbort yr Unol Daleithiau mewn maes awyr Prydeinig. Rhaid i bobl o rai gwledydd eraill wneud cais arbennig er mwyn ymweld â Phrydain, beth bynnag y rheswm, ond rhoddwyd i Brydain ryw $3.29 biliwn gan yr Unol Daleithiau fel rhan o'r 'Marshall Plan' ar ôl yr Ail Ryfel Byd, felly mae gennym ni Americanwyr hawl i ymddangos yn y wlad heb hysbysiad ymlaen llaw ac aros am chwe mis. Tri biliwn o ddoleri – mae Americanwyr yn casáu gwaith papur. Ond os oes eisiau aros am dair blynedd, a bod eich gwraig am weithio, mae angen y deitheb honno a gawsom yn ôl yn Chicago. A diolch i'r un math o senario biwrocrataidd y byddech chi'n ei ddisgwyl gan lywodraeth, bu rhaid i Rachel a fi adael Prydain yn yr ystyr corfforol a dod yn ôl er mwyn dilysu'r teithebau hyn (y teithebau gan Chicago).

Felly bant â ni i Iwerddon ar y fferi. Ond fel mae'n digwydd, mae Cyllid a Thollau EM yn delio ag Iwerddon fel petai 1916 heb ddigwydd – does yna ddim asiant tollau yn Abergwaun.

Dyna beth da i'w wybod pe bawn i eisiau cludo Gwyddel i mewn i Gymru trwy fodd dirgel, ond dyw e ddim yn help i geisio byw ym Mhrydain yn gyfreithlon. Felly bant â ni i Ffrainc. Ar ôl antur Iwerddon, nid oedd gennym arian i aros dros nos yn Ffrainc, felly cyn gynted ag y cawsom ni stamp gan y *gendarmes*, gwnaethom ni dro pedol a chiwio i fynd yn ôl i *Blighty*.

Bu adeg pan fyddwn i'n nerfus wrth fynd trwy dollau. Gofynnir llawer o gwestiynau, a phryderwn y byddwn i'n cael fy anfon yn ôl petawn i'n methu eu hateb yn ddigon da. Dychmygwn sefyllfa fel hon:

DYN TOLLAU: Ble dych chi'n aros yn ystod eich ymweliad? (Er, mae'n amlwg na fyddai'r dyn tollau'n siarad Cymraeg.)
MI: Gyda ffrind.
DT: Ffrind? Ers pryd chi'n nabod y "ffrind" 'ma?
MI: Ers dwy flynedd.
DT: Hmm, beth yw hoff ffilm eich "ffrind"?
MI: Ymm. Wn i ddim.
DT: Reit. Nôl ar yr awyren â chi, 'te.

Ond *secret weapon* yw'r Gymraeg. Caiff swyddogion tollau eu hyfforddi i ofyn pob math o gwestiwn a fwriedir i'ch drysu. Ond pan soniaf am wneud gradd yn y Gymraeg, y nhw yw'r rhai i gael eu drysu. Dydyn nhw erioed wedi clywed ateb fel hwnnw. Ni wyddant beth i'w ddweud. Yn amlwg mae'n ateb rhy fanwl, rhy ryfedd i fod yn anwiredd terfysgaidd. Daw'r cwestiynu i ben ar unwaith ac edrycha'r swyddog arnaf yn syn. Cyffelyb i hwn fu'r achos yn swyddfa Is-gennad Chicago. Roedd y fenyw a brosesodd ein cais yn edrych yn astud ar yr amryw bapurau yr oedd yn rhaid i mi ddod â nhw, hyd nes iddi gyrraedd copi o stori oddi ar wefan y BBC a ysgrifennwyd amdanaf.

'You're doing a degree in . . . Welsh?' gofynnodd hi.

'Yeah,' meddwn i.

'Really?'

'Yeah.'

'Oh.'

A dyna ddiwedd ei hedrych ar y papurau. Roedd ei meddyliau mor ddryslyd ar ôl derbyn yr ateb hwn fel na allai hi ddweud dim mwy heblaw am ddatgan bod ganddi aelod o'r teulu yn byw yng Nghymru.

Ac felly'r oedd hi eto yn Calais wrth fynd trwy'r tollau (am ryw reswm, ewch drwy dollau Prydain wrth fod yn Ffrainc).

'Welsh?' gofynnodd y swyddoges yn gegrwth.

'Yeah,' meddwn i.

'Really?'

'Yeah.'

'Oh. . . . I have a nephew who lives in Wales. In, uhm, Aber-something,' meddai hi.

'I'll be sure to say hello,' meddwn innau.

Stampiwyd ein pasbortau a bant â Rachel a fi yn ôl ar yr un llong yr oeddem ni newydd lanio oddi arni, bellach yn fewnfudwyr cyfreithlon. Roedd y tywydd yn berffaith pan oeddem yn dychwelyd i Dover; disgleiriai'r clogwyni gwyn enwog yn yr haul. Teimlais lif o hapusrwydd a rhyddhad; codwyd y pwysau oddi ar f'ysgwyddau. Hon oedd yr her olaf; o hyn ymlaen byddai popeth yn iawn . . .

13

Caiff pawb eu pymtheg munud

'Ardderchog'. Dyna'r gair Cymraeg cyntaf a ddywedwyd wrthyf gan berson go iawn ar ôl imi fynd ati i ddysgu'r iaith. Bu aros hir am y gair hwnnw. Cyn hynny, deuai geiriau trwy ffeiliau sŵn neu radio ar-lein, ac nid ar fy nghyfer yn benodol oedden nhw, yn amlwg. Er fy mod yn dysgu iaith fyw, nid oeddwn yn ei siarad â phobl fyw. Âi rhyw hanner blwyddyn heibio cyn y byddai rhywun yn siarad gair o'r Gymraeg *â* fi.

Y rhywun hwnnw oedd Chris Needs, cyflwynydd BBC Radio Wales.

Erbyn hyn, ni chofiaf sut y des i fod yn siarad â'r brodor o Gwmafan ar y ffôn, ond roeddwn yn arfer gwrando ar ei raglen nawr ac yn y man oherwydd deuai ar ôl darllediad *Catchphrase*. Mwy na thebyg fy mod wedi anfon e-bost fel ymateb i rywbeth a ddywedwyd ar yr awyr a bod cynhyrchydd wedi gweld fy rhif ffôn ar *signature* fy e-bost (sef y wybodaeth ar waelod neges, megis rhif ffôn ac yn y blaen). Mae gennyf duedd o hyd i anfon negesau e-bost at gyflwynyddion wrth wrando ar radio ar-lein. Rydw i'n fersiwn 21ain ganrif o'r hen, hen ŵr hwnnw a ffoniai i mewn i *Taro'r Post* a sôn am ei gathod neu'r plant heddiw a'u cerddoriaeth swnllyd, neu beth bynnag. Ta beth, ces i alwad yn ôl ac yn sydyn roeddwn ar yr awyr, yn siarad â Chris Needs am

San Diego a dysgu'r Gymraeg ac ati. Gwnaethpwyd fi'n aelod o'r 'Friendly Garden' (rhif M2214 ydw i) ganddo fe. Ac wedyn dysgodd Chris fi sut i ddweud 'ardderchog'. Roedd y ffaith taw oddi wrth berson enwog y daeth y gair Cymraeg cyntaf hwnnw yn arwydd o sut y byddai pethau'n mynd. O'r dechrau, byddai cyfryngau Cymru yn ganolog i'm Profiad Cymraeg.

Am flwyddyn neu ddwy fi oedd *Yr* Americanwr Sydd Wedi Dysgu'r Gymraeg. Neu dyna fyddech chi'n ei gredu o weld a chlywed fy enw mewn papurau newydd, cylchgronau, ar-lein, ar y radio ac ar y teledu. Fel mae'n digwydd, mae yna lawer o bobl yn yr Unol Daleithiau sydd wedi dysgu, neu sydd yn dysgu'r iaith – miloedd ohonynt. Ond rhywsut y fi oedd yr un i gael y sylw. Fy mlog oedd yn gyfrifol am hyn, fwy na thebyg. Mae yna Americanwyr eraill sy'n blogio trwy gyfrwng y Gymraeg, ond fi oedd y cyntaf. 'Timing is everything', medden nhw. Does dim rhaid cael dawn, dim ond bod yna pan ymddangosa'r camerâu. Ymddengys taw felly oedd hi yn fy achos i. Cafodd fy mlog sylw *Golwg*, a arweiniodd at gael sylw Beti George, a arweiniodd at gael sylw rhagor o bethau a phobl nag y gallaf eu cofio.

Ac wedyn aeth pethau'n hollol od am sbel. Daeth uchafbwynt y swrrealaeth pan ges i sylw gan y *Daily Mirror*, sef y tabloid Prydeinig annarllenadwy. Welais i erioed mo'r peth gyda'm llygaid fy hun ond, yn ôl y sôn, ar 13 Chwefror 2006, yn rhan *People* y papur roedd yna froliant bach amdanaf, ymhlith rhai eraill am bobl go enwog megis Robbie Williams, George Clooney a Kelly Holmes. Ar ôl hyn, roeddwn yn siŵr na allai pethau fod yn rhyfeddach, ond fe'm profwyd yn anghywir.

Bues i – ym mis Gorffennaf 2005 – yn un o'r bobl hynny y mae Beti George wastad yn siarad â nhw. Ces i fy nghyf-weld tros y ffôn ar gyfer rhaglen am flogio. Gosododd y profiad hwnnw gynsail ohonof yn siarad â'r cyfryngau yng Nghymru yn fwy aml nag â phobl 'normal' (nid fy mod i'n awgrymu bod Beti George yn annormal, ond rydych chi'n gweld fy mhwynt). Wrth gwrs nid oedd yna siaradwyr Cymraeg 'normal' i'w cael ym Minnesota. Tra byddai gan ddysgwr arferol diwtor a dysgwyr eraill i gyfathrebu â nhw, nid oedd gennyf i y pethau hyn. Felly deuai cyfryngau Cymru – yn enwedig y BBC – i fod yn ddirprwy sgwrswyr o fath. Dyna i chi werth tâl drwydded deledu: corfforaeth ddarlledu enfawr sy'n rhychwantu'r byd, ac maen nhw'n cadw cwmni i fi.

Ym mis Hydref 2005, yn ogystal â chyfeillion blog, rhoddodd sgwrs gyda Hywel a Nia ar Radio Cymru hyder imi ar y diwrnod cyn y cyfweliad â Phrifysgol Caerdydd. Ym mis Medi 2006, bu stori amdanaf ar wefan BBC a achosodd i'r fenyw yn Chicago roi'r gorau i drafferthu â phapurau'r briodferch ifanc a fi pan ymgeisiom am ein teitheb. Mewn ffordd anghredadwy o ryfedd, des i i fod yn fath o berson enwog am adeg fechan. Pan glywodd cyfnither fy nghyfaill Huw (yr ydw i'n ei nabod trwy fy mlog Saesneg) ei fod e'n fy nabod, dywedodd hi wrtho: 'Do you realise how much of a celebrity he is within the Welsh-speaking cyber-world?'

Faint o fyd yw'r byd-seibr Cymraeg tybed? Byd a lenwa drên, efallai – os taw hen drên dau-gerbyd Arriva ydyw. Ond ymddengys fod hynny'n ddigon; pan gyrhaeddais Gymru o'r diwedd, neidiodd y lefelau swrrealaeth hyd yn oed yn uwch. Yn yr wythnos gyntaf o fod yng Nghaerdydd doedd gennyf ddim ffôn na rhyngrwyd na dim byd arall o'r fath ond byddai Rhys yn galw draw i'r tŷ ac aem ni i gyd i'r Mochyn Du. Wrth eistedd ym muarth y dafarn un noson, daeth menyw ataf a gofyn: 'Are you Chris Cope?'

Gohebydd BBC Wales Online oedd hi, ac roedd hi eisiau cyf-weld â'r briodferch ifanc a fi am gyrraedd Caerdydd, sut yr oeddem yn setlo i mewn ac yn y blaen. Ni allwn ddyfalu sut y gwyddai hi taw yn y Mochyn Du y byddem ni, a phan ofynnais, roedd ei hateb yn amwys:

'Oh, they said you would be here,' meddai.

They?! Pwy uffach oedd *they*? meddyliwn. A sut wydden *nhw* ble yr oeddwn? A oedd y BBC wedi glynu *tracking device* wrthyf heb yn wybod i fi? Efallai taw adain MI-6 yw'r BBC. Ar y noson, dywedais yn ffraeth wrth fy nghyfeillion y dylen nhw ffonio'r BBC os oedden nhw eisiau cysylltu â fi, ond, fel mae'n digwydd, gwnaethpwyd hyn yn union gan Brifysgol Caerdydd ym mis Awst. Ces i alwad ffôn rhyw fore; dywedodd y person ar ben arall y lein ei fod o'r BBC ac meddai, 'Mae gen i neges ichi gan eich coleg.'

Corfforaeth ddarlledu enfawr sy'n rhychwantu'r byd, ac maen nhw'n cymryd negeseuon ar fy rhan.

*

Anterth y swrrealaeth oedd Eisteddfod Abertawe a'r Cylch. Ar fore Iau yr ŵyl, cludwyd fi i'r Eisteddfod gan ITV Wales. Yn y car llwyddais i ddifyrru'r dyn camera â'm fersiwn o 'Jump Around', gan y grŵp hip-hop House of Pain, a berfformiais yn acenion Iwerddon a De Cymru. Peth gwirioneddol dwp yw fy fersiwn ond roedd yn fodd o ddal fy sylw fy hun rhag i mi boeni am yrru gwyllt y dyn camera. O'm blynyddoedd ym myd newyddion yr Unol Daleithiau gallaf adrodd ichi nad oes gwahaniaeth rhwng dyn camera o'r UDA a dyn camera o Gymru – mynna'r ddau yrru 700 milltir yr awr. Mae yna rywbeth am bobl sy'n gweld y byd trwy lens sy'n achosi iddyn nhw dorri trwyddo mor gyflym â phosib.

Serch hynny, cyrhaeddom ni'r maes yn saff. Ac o'r pwynt

hwnnw ymlaen byddwn i yn y 'modd sioe' am weddill y dydd. Nid rhyw fath o 'Mr Show' ydw i – does gennyf ddim talent – ond pan fydda i o flaen camera mae yna rywbeth ynof sydd eisiau plesio pobl. Fel rhywun a weithiai yn y cyfryngau, gwn fod pwy bynnag sy'n siarad â fi eisiau rhywbeth da i ddod o'r peth. Felly ceisiaf ddangos brwdfrydedd, a chogio bod yn naturiol, a siarad mewn broliannau bach sy'n haws eu golygu, ac ati. A siarad yn blaen: tipyn o slwt am sylw ydw i. Os pwyntia rhywun gamera ataf, rydw i eisiau iddyn nhw fod yn hapus a byddaf yn gwyrdroi fy hun tu chwith allan ar eu cyfer. O ganlyniad, rydw i wedi canfod fy hun yn gwneud pethau hurt o dro i dro. Unwaith, daeth ffotograffydd y *South Wales Echo* i'r tŷ a gofyn: 'Do you have a baseball hat? Something to make you look more American. Like a New York Yankees cap?'

'I Am Not From New York,' datganais yn glir. 'There's a lot of America outside New York.'

Yn yr un modd na fyddai Cymro'n hoffi cael ei gymysgu â Sais, mae'n dân ar fy nghroen bod pobl yn tybio y byddai gennyf i unrhyw fath o ddillad Efrog Newydd-aidd, neu y byddai yna damaid bychan ohonof yn dymuno hyrwyddo'r lle. Ond hyd yn oed petai rhywbeth fel hynny gennyf, a fuasai'n addas gofyn imi ei wisgo ar gyfer llun? Petawn i'n ddysgwr o'r Alban, a fyddai'r ffotograffydd wedi gofyn i fi wisgo cilt? A fyddai e wedi gofyn i Wyddel lowcio peint o Guinness? Ond wrth gwrs, roeddwn *i* eisiau i'r boi fod yn hapus, felly des i o hyd i fy het bêl fas USS *Coronado* (sef llong Paul pan oedd ef yn y Llynges) a gwisgais honno. Diolch byth, dilëwyd y stori yn y diwedd ac ni welwyd fy wyneb hurt yn yr *Echo* erioed.

Tynnir egni ohonof gan y math hwn o berfformio. Ni fyddech chi'n meddwl y gallai siarad lol fod mor lluddedus, ond mae e. Ar ôl treulio dwy awr yn gwneud *package* (sef stori newyddion ar fideo) gyda ITV am flogio trwy gyfrwng y Gymraeg, roeddwn yn barod am baned, bisged a 'sit-down'. Ond prin bod fy niwrnod wedi dechrau. Roedd jyst digon o amser i lyncu peint o Brains cyn gorfod rhedeg i gwrdd â chriw *Wales Today*, sef y rhaglen fwyaf poblogaidd ond un yng Nghymru. Ces i fy hysbysu am ei statws yn y *ratings* gan aelod o griw'r rhaglen pan geisiais gellwair â'r cynhyrchydd am y ffaith y byddwn i ar y rhaglen.

'Rhaid ei bod yn ddiwrnod diflas o araf os ydych chi'n gwneud *package* 'da fi,' meddwn. 'Neu efallai nad oes neb yn gwylio *Wales Today*.'

Ond dro ar ôl tro ar ôl tro yn y Profiad Cymraeg caf fy atgoffa nad yw pob Cymro yn deall tynnu coes Americanaidd. Credaf fod rhai Cymry o'r farn nad yw Americanwyr yn gallu bod yn sarcastig. Ar sawl achlysur, rydw i wedi dweud rhywbeth tafod-yn-y-foch dim ond iddo gael ei gamddehongli fel datganiad o ddifrif. Er enghraifft, dywedais ar fy mlog unwaith yr hoffwn i gael rhyw gyda'r gyflwynwraig deledu Sarra Elgan. Atebodd person mewn panig: 'Ond mae'n briod! Chwaraewr rygbi yw ei gŵr!'

Ie, fel petai dim ond un rhwystr rhyngof i a noson ddrygionus a rhywiol yn ystafell wely Sarra Elgan, sef y fodrwy honno ar ei bys gan Simon Easterby. Os byth y bydd y ddau'n gwahanu gellwch dybio y bydd Sarra a fi wrthi'n cnocio bŵts ymhen hanner awr o'r ysgariad.

Felly, ymateb yr aelod o'r criw i'm hymgais at jocian oedd ymsythu i'w lawn daldra a chyhoeddi wrth bawb a phopeth taw 'Rhif Dau' yn y cyfraddiadau yw *Wales Today*, diolch yn fawr iawn (*EastEnders* yw rhif un, gyda llaw). Roedd fy jôc wedi methu. Penderfynais na ddylwn i geisio bod yn gellweirus â'r criw o hynny ymlaen, ac y dylwn wneud beth bynnag yr oedden nhw eisiau i mi ei wneud. A'r hyn yr oedden nhw eisiau oedd imi addysgu Claire Summers, cyflwynwraig y BBC, sut i ddefnyddio gwefan *Catchphrase*. Yn y *package* ces i fy nghyflwyno iddi gan gyflwynydd tywydd y BBC a'r Cymro chwedlonol Derek Brockway.

Efallai, oherwydd bod *Wales Today* yn 'Rhif Dau', fod gan y rhaglen y math o ddylanwad i gael criw enfawr. Roedd yna Derek, Claire, dyn camera, dyn sain, cynhyrchydd, rhywun i ganu clodydd y rhaglen yn y cyfraddiadau ac o leiaf un cynorthwywr. Yn ogystal â hyn, roedd criw dau-ddyn *O Flaen Dy Lygaid*, rhaglen ddogfennol y BBC, wrthi'n fy ffilmio i'n cael fy ffilmio. Afraid dweud bod hyn i gyd yn uffach o syrcas; roedd camerâu a phobl ym mhobman. Ac wedyn trowyd y nobyn swrrealaeth i un ar ddeg.

Brasgamodd menyw wallt golau mewn sgidiau uchel ar draws y maes – fel pe na bai'r maes yn greigiog o gwbl. Wyddwn i ddim pwy oeddi hi ond roedd yn amlwg ei bod yn gyfforddus â chael pobl yn llygadrythu arni; roedd pawb yn troi 180 gradd i edrych arni ac nid oedd arni awydd cuddio rhag y sylw. Dyma ryw fath o *big-wig* Eisteddfod, meddwn wrthyf fy hunan. Roeddwn wedi darllen cyn hyn am y 'crachach'; rhaid bod hon yn un ohonynt, meddyliais. Adnabuwyd hi gan Derek ac yn sydyn roeddwn yn cael fy llusgo draw i gwrdd â hi.

A fuoch chi erioed mewn sefyllfa lle *gwyddoch* chi na ddylech chi fod yno? Sefyllfa y gwyddoch yn y bôn ei bod yn anghywir, neu nad oes lle i chi ynddi. Y math o sefyllfa sy'n debyg i'r olygfa honno mewn ffilm pan gerdda rhywun i mewn i dafarn ac mae'r gerddoriaeth yn stopio. Sefyllfa boenus oherwydd anaddasrwydd y ffaith eich bod yno. Dyma fy sefyllfa i ar faes Eisteddfod Abertawe wrth i'r fenyw hon nesáu ataf. Roedd fy nillad yn anniben, roeddwn i'n sychedig, roedd llwnc tost yn datblygu ynof o achos y siarad, roedd fy

Nghymraeg yn wael. Dim ond *smartass* o'r Unol Daleithiau ydw i – dwi ddim i fod i siarad â phwysigion. Doeddwn i ddim eisiau cael fy ngorfodi i fod yng nghwmni seren rhaglen *Rhif Dau* yng Nghymru ynghyd â thywysoges Eisteddfodol. Doeddwn i ddim yn perthyn. Ond nid oes gennyf ddewis. Cyflwynodd Derek fi i'r fenyw a ddywedodd wrthyf taw tiwtor Derek oedd hi.

'O, diawl,' meddyliais. 'Mwy na thebyg taw hon yw'r tiwtor gorau erioed. Archdderwydd Gorsedd y Tiwtoriaid neu rywbeth. A dyma *fi*'n siarad fy Nghymraeg ofnadwy â hi!'

Dywedodd y fenyw fy mod i'n *sexy*, a rhoddodd ddwy gusan Ewropeaidd (sef, ar fy moch) imi.

'Hei, dwi'n hoffi'r fenyw 'ma,' meddyliais.

Cyn gynted ag yr oedd yna gyfle, sleifiais i ffwrdd o'r sgwrs. Chwifiodd Marc, cynhyrchydd *O Flaen Dy Lygaid*, arnaf i ddod draw i siarad â'r camera. Amneidiais fy mhen ar y fenyw a gofynnais trwy wên hurt: 'Pwy ydy hi?'

'Ti ddim yn gwybod?' gofynnodd Marc.

'Na.'

'Siân Lloyd,' meddai. 'Cyflwynwraig tywydd. Roedd hi ar *I'm a Celebrity Get Me Out of Here*.'

'O, reit,' meddwn, heb wybod am beth roedd Marc yn sôn.

Ond, rhaid dweud chwarae teg i Siân Lloyd am gyflwyno ei hunan fel tiwtor Derek yn lle beth bynnag arall y gallai hi fod wedi ei ddweud. Mae'n weithred a ddangosodd elfen o ostyngeiddrwydd, rydw i'n meddwl. Ta beth, sawl mis yn ddiweddarach, byddai clip fideo'n ymddangos ar YouTube o'n Siân dlos yn rhoi'r cusanau imi. Roedd rhywun wedi arafu'r foment ac ychwanegu'r gân 'Je t'aime . . . moi non plus' gan Serge Gainsbourg a Jane Birkin.

*

Bore trannoeth ymddangosodd gohebydd ar fuarth y Mochyn Du, canfûm gaffi rhyngrwyd (sef caffi lle gellir defnyddio'r rhyngrwyd, nid caffi sy'n bodoli ar y rhyngrwyd) ac anfonais e-bost at fy rhieni i ddweud wrthynt na ddylen nhw bryderu amdanaf.

'The BBC has decided to adopt me,' ysgrifennais. 'They're keeping tabs on me in your stead. I'm sure that pretty soon they'll start pestering me about eating enough vegetables and asking when Rachel and I are going to have kids.'

Ac fel mae'n digwydd bu yna o leiaf un cyfweliad *O Flaen Dy Lygaid* lle byddai Marc yn gofyn drachefn am gynlluniau teuluol y briodferch ifanc a fi. Ac er taw cellwair yr oeddwn am gael fy mabwysiadu gan y BBC, byddai yna wirionedd i'r sylw hwnnw hefyd. Cawn fy ffilmio am wyth mis ar gyfer y rhaglen un-awr *O Flaen Dy Lygaid* a ddarlledwyd ym mis Mai 2007. Yn ystod y cyfnod hwnnw aeth pethau yn ofnadwy o anodd yn fy mywyd, a siarad â Marc a'r camera oedd fy unig gyfle fwy neu lai, i sôn am yr hyn a deimlwn. Weithiau teimlai'r sgyrsiau yn fwy fel sesiynau cynghori na chyfweliadau teledu.

Cofiaf yn benodol y cyfweliad a wnaethom ni ym mis Rhagfyr o flaen adeilad Ysgol y Gymraeg Prifysgol Caerdydd. Siaradom ni am awr a hanner, y tu allan yn yr awyr oer nes bron na allwn i deimlo fy mysedd. Siaradais yn blaen, yn onest ac yn gyfan gwbl o'r galon; des i'n agos at grio. Efallai bod yna grio wedi bod, ni chofiaf yn glir. Yr hyn a gofiaf yw pa mor boenus oedd pethau, ac mor angerddol yr oeddwn eisiau siarad amdanynt. Yn y diwedd, ni chafodd eiliad o'r sgwrs honno ei dangos yn y rhaglen ddogfen orffenedig. Mae'n rhaid bod Marc yn gwybod yn weddol fuan yn ystod y cyfweliad na fyddai'n defnyddio'r stwff hwnnw yr oeddwn yn ei ddweud. Hynny yw, mae e'n ŵr proffesiynol, ac rydw i'n siŵr y gall weld mewn cyfweliad pan na fydd sgwrs yn cyrraedd y *final cut.* Ond efallai ei fod e'n gallu gweld hefyd fod yna fwy o angen am y cyfweliad nag am beidio â gwastraffu tâp.

Er mor rhyfedd a swrrealaidd oedd elfen y cyfryngau yn fy Mhrofiad Cymraeg, anodd yw dychmygu sut fyddwn i wedi goroesi hebddi.

14

Bloody Wales

Roedd rhyw fath o sŵn rhybudd i fod. Ond roedd y peth a wnâi hynny wedi torri, meddai'r dyn wrth y botwm gyda gwên. Mae pethau wastad yn torri yn y lle hwn, meddai eto. Torrodd un o'r llithrennau yr wythnos o'r blaen; lladdwyd llanc. Trist iawn.

'What? Really?' gofynnais yn syn.

Clic.

Diflannodd y llawr odanaf a gollyngwyd fi allan i'r awyr iach. Disgynnais yn rhydd am hanner eiliad ac wedyn hyrddiwyd fy nghorff yn erbyn y llithren. Plymiais tua 80 troedfedd, y dŵr yn pigo fy nhraed ac yn creu niwl yn fy llygaid. A dyna fi'n sgrechian nerth fy mhen yr holl ffordd i lawr . . . Roedd fy mhrofiad o dymor cyntaf y Brifysgol yng Nghaerdydd yn fy atgoffa o'r profiad hwnnw ar lithren 'The Bomb Bay' y bues i arni yn Orlando, Florida, pan oeddwn yn ddeunaw oed.

Penderfynodd fy asiant llyfr (a minnau, o'm hanfodd) roi fy nofel yn y to gyda'r ffidil ym mis Medi ond doedd dim amser nac egni i ofidio am y peth. Bu cychwyn y flwyddyn academaidd fel cael fy ngwthio oddi ar glogwyn i mewn i'r môr. Yn gyntaf roedd yna geisio gorffwyll i afael ar ddim wrth syrthio trwy'r awyr, wedyn crac o boen a cholli gwynt wrth daro wyneb y dŵr, ac yn olaf brwydro mewn panig a dryswch i neidio i gael fy mhen uwchlaw'r tonnau. Wel, rhywbeth tebyg i hynny, petai'r gwymp a'r trawiad a'r panig yn parhau am sawl mis; a phetawn i'n gwisgo siwt wlân wrth geisio nofio; a phetai yna arth bolar newynog yn y môr gyda fi; a phetai hithau'n gwisgo hct gyda reiffl laser arni. Fy mhwynt yw hyn: roedd y cyfnod hwnnw yn y brifysgol yn ast o her.

O'r diwrnod cyntaf brwydrwn yn erbyn y llanw. Anodd oedd deall cofrestru hyd yn oed. Roedd yna eiriau a threfnau na ddefnyddir mohonyn nhw ym mhrifysgolion yr Unol Daleithiau; unwaith eto cawn fy nrysu gan y manylion bach. A phroses hen-ffasiwn dros ben oedd hi hefyd. Bu rhaid inni gasglu tair taflen bapur, cerdded milltir ar draws campws i gampfa, sefyll am 45 munud mewn ciw (neu fwy os oedd gan y myfyriwr enw cyffredin i Gymru megis Jones neu Williams), rhoi taflen mewn blwch, cerdded milltir arall a rhoi taflen arall mewn blwch arall. Câi'r drydedd daflen ei chadw gan y myfyrwyr – rhywbeth i'w roi ar ein waliau, efallai. Roedd fel cofrestru mewn oes arall. Gwnes i rywbeth tebyg pan gofrestrais ym Minnesota State University Moorhead amser maith yn ôl, yn 1995 (sef 11 mlynedd cyn y cofrestru hwn). Ond honno oedd blwyddyn olaf y drefn hynafol honno ym Moorhead.

Ta waeth, yn syth o'r cychwyn roedd gennyf deimlad o fod yn warthus o ar-ei-hôl-hi gyda threfn gofrestru; roeddwn yn baglu cyn i fwg y *starting gun* glirio. Yn yr Unol Daleithiau, *cake walk* yw dyddiau cyntaf y tymor. Yn aml, treulir y darlithoedd cyntaf yn gwneud dim ond cyflwyno myfyrwyr i'w gilydd. Dywed pob un myfyriwr ei enw, o ble mae'n dod, beth mae'n mwynhau ei wneud yn ei amser sbâr, ac ati. Peth hurt a phlentynnaidd i'w wneud mewn prifysgol, efallai, ond mae'n fodd o ymlithro myfyriwr i mewn i straen y tymor. Rhydd gyfle iddo ddod i nabod pobl eraill ar ei gwrs heb ei orfodi i fynd atynt a siarad â nhw 'yn oer'. Efallai, oherwydd ein bod ni'n talu (neu'n cael benthyg) cymaint o arian ar gyfer mynychu prifysgol (roedd y swm a fenthycais i fynd i'r brifysgol dda yng

Nghaerdydd gymaint â'r swm a delir gan berson i fynd i brifysgol safon-canol yn yr Unol Daleithiau), ein bod ni, Americanwyr, yn disgwyl mwynhau'r profiad. Rydym eisiau addysg *ac* amser da. Er, a bod yn deg i Ysgol y Gymraeg, des i i sylweddoli yn ystod blynyddoedd fy nghwrs na fyddai pwnc o'r ddarlith gyntaf yn debyg o ymddangos mewn arholiad neu draethawd. Ond ni wyddwn hynny yr adeg honno. Teimlwn yn y bôn y dylai pethau fod yn haws yn ystod y dyddiau cyntaf, ond doedden nhw ddim. Nid i mi, o leiaf. Synhwyrwn nad oedd fy nghyd-fyfyrwyr yn pryderu nac yn teimlo eu bod yn cael eu gorlethu, ac fe achosodd hynny bryder ychwanegol ynof. Os oeddwn yn methu yn y cychwyn, sut byddwn yn delio â'r pethau anoddach oedd i ddod?

'O, diar,' meddyliwn. 'Bydd hyn yn fwy o her nag yr oeddwn yn ei disgwyl.'

Na, celwydd. Doeddwn i ddim yn meddwl hynny, a dweud y gwir. Doedd fy Nghymraeg ddim yn ddigon dda i feddwl yn yr iaith. A go brin y gallwn ddweud bod fy meddyliau mor glir. Yr hyn a feddyliwn oedd: *Fuck! Fuck! Fuck! Fuck! Fuck! Fuck! Fuck! Fuck!*

Ymhen wythnos o gychwyn, teimlwn nad oeddwn erioed wedi dysgu'r Gymraeg, a bod yr hyn a wyddwn yn bell o fod yn safon iaith prifysgol. Daeth prif anfantais hunanaddysgu i'm dyrnu yn deg ar fy ngên: wrth ddysgu ar fy mhen fy hun, roeddwn i wedi methu dysgu'r hyn na wyddwn y dylwn ei ddysgu. Os na wyddwn rywbeth, ni wyddwn na wyddwn ef. Roeddwn i wedi gosod fy hunan mewn sefyllfa Donald Rumsfeld-aidd pur. Dywedodd Rumsfeld, cyn-Ysgrifennydd Amddiffyn yr Unol Daleithiau, unwaith:

> There are known knowns. There are things we know that we know. There are known unknowns. That is to say, there are

things that we now know we don't know. But there are also unknown unknowns. There are things we do not know we don't know.

Yn sydyn roeddwn yn delio â'r 'unknown unknowns' – yr anhysbysion anhysbys. Wrth ddysgu'r iaith trwy'r rhyngrwyd, ar fy mhen fy hun, ni fuaswn yn ymwybodol o'r hyn na wyddwn. Bellach, roedd yr anwybodaeth honno'n fy llethu. Wrth gwrs, cyn cychwyn, disgwyliwn gyfarfod â rhai problemau wrth fynd ati – gwyddwn nad oedd fy Nghymraeg yn berffaith. Roeddwn i'n dal i wneud llawer o ddyfalu wrth sgwrsio â phobl. Ond roedd uffach o agendor rhwng Cymraeg safonol prifysgolaidd a'r math o Gymraeg yr oeddwn i'n ei siarad. Tipyn o ergyd oedd y sioc o ddarganfod hyn. Beth fues i'n ei ddysgu hyd yn hyn? Sut roeddwn i wedi parhau i feddwl am gymaint o amser fy mod i'n siarad Cymraeg, heb fod yn medru siarad yr iaith? Pa fath o ffŵl oeddwn i? Meddyliwn am y siarad a wnes yn yr Eisteddfod, y cyfweliadau hynny a wnes i â chyfryngau Cymru, y cyfweliad ar gyfer Dysgwr y Flwyddyn, y siarad ar lwyfan Maes D ac ati – roeddwn yn sâl gan chwithdod. Teimlwn fel maer Tref-y-Lembo.

Yn ogystal â methu gwybod pa bethau y dylwn fod yn eu gwybod, roeddwn i wedi tybio nad oedd angen eu gwybod. Roeddwn i wedi clywed am iaith safonol ond roeddwn i wedi clywed hefyd taw iaith ansathredig oedd honno. Fel y darlun o Gymru a ges i oddi wrth grwpiau e-bost, roedd y darlun yn fy mhen o'r iaith safonol yn hollol anghywir. Pan ddaw'r chwyldro, y bobl gyntaf yn erbyn y mur fydd y rheiny a fynna, 'O, does *neb* yn defnyddio hynny,' tra soniant am elfennau'r iaith.

'O, does *neb* yn defnyddio'r amhersonol . . .'

BANG.

'Does *neb* yn ysgrifennu pethau megis "nid wyf" . . .'

BANG.

Crëwyd rhyw *hat trick* o hurtrwydd gan i mi gredu'r bobl hyn, y diogi ar fy rhan i fy hun, a'r anhysbysion anhysbys hynny. Rhwystrwyd fi gan y pethau hyn rhag gweld (yn yr ystyr ddadansoddol) iaith safonol yn y llyfrau a ddarllenwn. Byddwn yn darllen nofelau ac yn y blaen gyda'r amcan o ddeall pethau'n gyffredinol; nid arhoswn er mwyn canfod ystyr penodol pob un gair. Ceisiwn afael ar gyd-destun. Newydd, felly, oedd popeth wrth gychwyn yn y brifysgol, ac roedd popeth yn ormod. Ni wyddwn, hyd yn oed, sut i redeg y ferf 'bod'. Y stwff 'bûm' hwnnw? Doeddwn i erioed wedi clywed amdano.

'Ond Chris,' rydych chi'n dweud. 'Does neb yn defnyddio "bûm".'

BANG.

Ar ben hyn, deuai'r iaith ar gyflymdra newydd, a doedd gennyf ddim profiad o'i chlywed mewn sefyllfa darlith. Mewn sgwrs caiff pethau eu hail-ddweud, bydd yna seibiau, bydd y siaradwr yn edrych ar eich wyneb am arwyddion o ddealltwriaeth, a bydd yn addasu'r neges er mwyn ichi ei deall. Ond bellach, roeddwn yn ceisio eistedd yn dawel, gwrando a deall; roeddwn yn ceisio defnyddio sgiliau nad oeddwn i erioed wedi eu defnyddio o'r blaen. Anfantais arall hunanaddysgu yw diffyg cyfleoedd i weithio ar sgiliau gwrando. Dim ond ers symud i Gymru yr oeddwn wedi dechrau datblygu'r sgiliau hynny'n ddwys. Ers tri mis. Prin bod hynny'n ddigon o baratoi ar gyfer prifysgol.

Gafael gresynus o wan ar yr iaith ei hun oedd gennyf, ac, o'i chlywed, ei deall. Mewn termau syml roedd safon fy Nghymraeg yn annerbyniol. Gallech ddadlau na ddylwn i fod wedi bod yn y brifysgol o gwbl. Meddyliaf yn aml am y cwestiwn hwnnw hyd heddiw: a ddylai Ysgol y Gymraeg Prifysgol Caerdydd fod wedi fy nerbyn i ar y cwrs yn y lle cyntaf? Buasai cael fy ngwrthod ar ôl y cyfweliad yn 2005 wedi bod yn ergyd emosiynol. Buasai'r poen yn llethol. Ac erbyn hyn gallaf ddatgan yn falch fod pethau'n well. Ond a fyddai pethau wedi bod mor dda i rywun arall? Petai'r un pethau wedi digwydd i berson arall, beth fyddai'r canlyniad? Rhywun nad oedd yn destun rhaglen ddogfen, er enghraifft: a fyddai pethau wedi gwella mor gyflym heb sylw camerâu? Anodd yw ailasesu'r gorffennol, a chymysglyd yw fy nheimladau am benderfyniadau a wnaed. Rydw i'n arbennig o ansicr ynglŷn â'r penderfyniad i'm gosod mewn grŵp iaith gyntaf.

Gwahanir myfyrwyr y flwyddyn gyntaf i mewn i grwpiau iaith-gyntaf ac ail-iaith, sef grŵp siaradwyr Cymraeg ers bore oes (neu bobl sydd â sgiliau o safon debyg) a grŵp o bobl a ddysgodd yr iaith rywbryd yn ddiweddarch (mewn ysgol uwchradd, er enghraifft). Ond, yn gyffredinol, polisi Ysgol y Gymraeg Prifysgol Caerdydd yw gosod myfyrwyr hŷn ymhlith siaradwyr iaith gyntaf. Felly y bu hi yn fy achos innau. Er fy mod yn ansicr am y peth nawr, yr adeg honno teimlai fel petawn yn destun jôc greulon. Teimlwn yn hen a thwp ac anwybodus. Ymhen pythefnos roeddwn yn gofyn o ddifrif i mi fy hun ai camgymeriad fu dod i Gymru. Ac i roi halen ar y briw, collais fy modrwy briodas yn ystod yr un cyfnod. Roedd y Profiad Cymraeg yn tynnu darnau ohonof oddi wrthyf, yn feddyliol ac yn gorfforol.

*

> You're living the dream. But no one said it would be a nice dream.
>
> – Sylw gan un o ddarllenwyr fy mlog Saesneg

Gwyddwn na allwn roi'r gorau i'm breuddwyd mor fuan. A dweud y gwir, nid oedd gennyf ddewis. Ar ôl blynyddoedd o ddyheu'n wyllt am symud i Brydain, dweud wrth bawb, gwario miloedd o ddoleri, cael benthyciadau am filoedd yn rhagor, llusgo fy ngwraig dros y môr, ac yn y blaen, allwn i ddim troi fy nghefn ar y peth ar ôl pythefnos. Byddai rhaid imi ddal ati, dim ots pa mor awyddus yr oeddwn i wneud yn wahanol.

Rydw i wastad wedi parchu'r dull o feddwl *down with the ship*. Gwrol a Hemingway-aidd yw hynny, rydw i'n credu. Os rhaid methu, methu mewn modd mawr. *Do not go gentle*, fel petai. Gan hynny, penderfynais wthio fy hunan mor galed ag y gallwn. Mae hyn yn f'atgoffa o gartŵn Daffy Duck lle mae Daffy yn adeiladu pont wrth sefyll arni. Hynny yw, mae'n hoelio dwy astell at ei gilydd, yn sefyll ar flaen y ddwy astell ac yn hoelio astell arall wrth y pen, cyn symud ymhellach allan a hoelio astell arall, ac ati ac ati gan greu pont hir sigledig heb ddim yn ei dal i fyny. Felly roedd y cyfnod hwnnw i mi yn y brifysgol. Roeddwn yn ceisio dysgu'r iaith wrth i mi gael fy addysgu ynddi. Tra byddai fy nghyd-fyfyrwyr yn myfyrio ar ystyr a chynnwys darlith, neu, o leiaf yn gwneud nodiadau arni cyn mynd i'r dafarn, roeddwn i'n myfyrio yn gyntaf ar ystyr y geiriau.

Prin y gallwn amgyffred yr hyn a ddywedid mewn darlith. Dibynnwn ar Blackboard, tidbit electronig lle gall myfyriwr ganfod ffeiliau PowerPoint a ddefnyddir gan ddarlithwyr. Beth fyddwn i wedi ei wneud heb Blackboard, tybed? Methu, mwy na thebyg. Methu yn ddistaw. Cyfuniad o ofn a balchder a thwpdra oedd yn fy atal rhag dweud dim wrth neb am fy anawsterau i ddeall. Er, a bod yn onest, beth allen nhw fod wedi ei ddweud wrthyf? Petaech chi'n ddarlithydd a rhyw fachgen (wel, OK, dyn 30 oed) yn dod i mewn i'ch swyddfa a dweud nad oedd yn deall dim, beth allech chi ddweud wrtho? Beth allai'r adran fod wedi ei wneud ac eithrio rhoi llaw ar fy ysgwydd a dweud: 'Wel, daliwch ati'?

> FI: Helô, dwi'n marw. Dwi'n boddi. Dwi ddim yn deall gair.
> NHW: Wel, daliwch ati.

Ta beth, ni ddywedais ddim. Gwnawn i fy ngorau glas i ffugio dealltwriaeth mewn darlithoedd. Perffeithiais ddull o eistedd i greu argraff fy mod yn gwrando'n astud. Eisteddwn mewn *thinker pose*, gyda'm llaw ar fy ngên, a'm mynegfys yn gwthio ewin yn erbyn gwaelod fy septwm (y wal rhwng y ddwy ffroen). Byddai gwneud hyn yn peri poen, gan achosi i mi gael golwg fyfyriol. Yn ogystal â hyn, gwnawn fy ngorau i ddweud celwyddau wrthyf fy hunan a phawb arall am yr hyn a ddeallwn. Mewn cyfweliad ar gyfer y rhaglen ddogfen honnais y gallwn ddeall tua '60 i 70 y cant' o'r darlithoedd. Celwydd noeth oedd hynny. Mewn gwirionedd, roeddwn yn lwcus i ddeall 40 y cant.

Yn seminar gyntaf Llenyddiaeth Gymraeg, dosbarthwyd copïau o ddarn o farddoniaeth gan Mererid Hopwood. Gallaf gofio'n glir edrych ar y peth a meddwl: *Oh, for fuck's sake. This is nothing more than a page of shit I don't know. This is not a poem; it's a list of words I've never seen before.*

Yn ogystal â dysgu na wyddwn y nesa peth i ddim am y Gymraeg, roeddwn i'n dysgu hefyd na wyddwn ddim o gwbl am Gymru ei hunan. Nid oedd gennyf yr un math o sylfaen gwybodaeth â phawb arall ar y cwrs. Dychmygwch ein dysgwr

Saesneg eto. Dychmygwch iddo fynd i mewn i siop lyfrau a phrynu nofel ddiweddar Carl Hiaasen heb wybod dim am John Keats ac ati. A nawr mae'n eistedd mewn darlithoedd a seminarau ac mae'n clywed enwau'r llenorion mawrion – eithr *dim ond enwau* ydyn nhw i'n dysgwr druan. Pan sonnir am James Joyce, er enghraifft, ni ddywed darlithydd: 'James Joyce, y Gwyddel a ddiffiniai lenyddiaeth Wyddelig a'r dull modernaidd, ac un o lenorion mwyaf dylanwadol yr 20fed ganrif.'

Na. Fe ddywed 'Joyce'.

Tybir y gwyddys y gweddill. Ond ni wyddwn y gweddill. Ni wyddwn enw Mererid Hopwood, na Twm Morys, na Kate Roberts, na Saunders Lewis, ac yn y blaen. Enwau oedden nhw i gyd, a dim mwy. O'm rhan i, gallasai'r enwau fod yn enwau ar bobl ar fy nghwrs. Mewn darlith unwaith, wrth sôn am Dafydd ap Gwilym, gwnaeth y darlithydd ystum gyda'i fawd gan bwyntio y tu ôl i'w ysgwydd. Roedd yn cyfeirio at y gorffennol – sef y 14eg ganrif pan oedd Dafydd ap Gwilym yn mynychu tafarnau – ond oherwydd nad oeddwn i erioed wedi clywed am y bardd enwog meddyliais taw at yr ystafell drws nesaf yr oedd y darlithydd yn cyfeirio. Tybiais taw aelod o staff Ysgol y Gymraeg Prifysgol Caerdydd oedd Dafydd ap Gwilym.

Gyda phob darlith deuwn i fod yn fwyfwy ymwybodol o faint yr hyn na wyddwn. Yn y wlad fechan y tu mewn i wlad fechan a ddarganfuwyd gan Paul a fi roedd lle â'i hanes a'i straeon a'i ddiwylliant ei hunan. A doeddwn i erioed wedi clywed amdanynt. Ar y cyfan, gwyddwn ffeithiau diddorol di-ddim: dechreuwyd Côr Tabernacl y Mormoniaid gan Gymry, roedd trydedd ran o arweinwyr y *Declaration of Independence* yn Gymry, ac ati. Dechrau a diwedd fy ngwybodaeth am Gymru oedd yr hyn a ddarllenais yn *A History of Wales* gan John

Davies. Darllenais y llyfr hwnnw yn 2003, a nodwch taw yn y Saesneg y darllenais e. Dair blynedd yn ddiweddarach roedd fy niffyg gwybodaeth mor geunantaidd fel y teimlwn nad oeddwn i erioed wedi clywed am Gymru o'r blaen.

Ac wrth gwrs does dim llawer o sôn yng ngwaith John Davies am draddodiadau diwylliannol Cymru. Methais â sylweddoli, er enghraifft, pa mor bwysig yw barddoniaeth i lenyddiaeth Gymraeg. Wrth gwrs roeddwn wedi clywed amdano ond roeddwn wedi clywed pob math o stwff arall hefyd; clywswn taw hanes gwir oedd chwedl Madog, a bod tîm pêl-droed cenedlaethol Cymru yn dîm da. Ni ddychmygais y byddai – mewn gwirionedd – llawer o bwyslais ar farddoniaeth. Nid oedd yna lawer o bwyslais arni pan wnes i fodiwlau llenyddiaeth Saesneg yn yr Unol Daleithiau. Os ydych chi eisiau malu awyr am farddoniaeth mewn prifysgol yn yr Unol Daleithiau, rhaid mynychu modiwl arbennig gydag enw megis Barddoniaeth y 18fed ganrif. Ond doeddwn i ddim ym mhrifysgol yn yr Unol Daleithiau, nac oeddwn? Mae barddoniaeth *yn* bwysig yng Nghymru, onid yw? Sy'n anffodus imi. Oherwydd, ynghyd ag ysgrifennu'n gyflym a chyfieithu, rydw i'n casáu barddoniaeth.

Efallai fy mod i yn y lle anghywir.

*

> I feel so stupid in my courses. They are like The Machine in *Princess Bride*; but instead of sucking away years of my life, they rob me of all self-confidence.
>
> – Cofnod o fy mlog Saesneg

A ydych chi'n cofio'r bennod honno o *Torchwood* lle na allai Dr Owen Harper ddianc o'r gwaith pŵer niwclear cyn i ddeunydd ymbelydrol orlifo trwy'r adeilad? Safai yno'n syn, yn gwylio'i gorff ei hunan yn dadelfennu i ddim o flaen ei lygaid ei hun. Felly roedd effaith y Profiad Cymraeg arnaf. Mewn ffordd. Rydw i yma o hyd, fel petai, ond teimlwn ym misoedd cynnar y flwyddyn gyntaf honno fel petai rhywbeth yn fy nhynnu ar wahân. Teimlwn fy mod yn colli'r hyn a ddiffiniai fi. Cyn bo hir, doedd gennyf ddim hyder nac awydd i siarad nac ysgrifennu. Doeddwn i ddim eisiau mynd allan. Teimlwn mor boenus o hurt ac anwybodus fel na wyddwn beth i'w wneud.

Darllenais stori newyddion unwaith am filwr a gafodd ei anafu yn ddifrifol mewn ffrwydrad yn Irac. Collodd fraich, y ddwy goes a hanner ei benglog ond, rhywsut, llwyddodd i aros yn fyw. Stori oedd hi am y misoedd a'r misoedd a dreuliodd yn yr ysbyty yn gwella ac yn ailddysgu sut i fyw. Roedd ganddo agwedd gadarnhaol iawn ond cyffesodd yntau taw rhwystredig oedd yr anwybodaeth. Roedd yn gas ganddo wybod na wyddai rywbeth. Hynny yw, gwyddai'n sicr ei fod yn arfer gallu gwneud pethau syml, ond cafodd ei ymennydd ei sgramblo cymaint fel na allai wneud y pethau hynny bellach. Roedd yn ddwl, meddai, a'r peth mwyaf poenus iddo oedd *gwybod* ei fod yn ddwl. Rydw i'n ddigon lwcus fod gennyf fy aelodau i gyd, felly does dim lle imi gwyno gormod, ond cytunaf yn llwyr am y poen a achosir o wybod am eich anwybodaeth eich hunan.

Ddywedais i ddim wrth neb am yr hyn oedd yn digwydd y tu mewn. Mae'r briodferch ifanc yn dweud yn aml fy mod i'n ddiawledig o dda am guddio pethau mewnol, yn enwedig o ystyried fy mod yn berson sy'n ymddangos mor agored. Yng nghyfweliadau'r rhaglen ddogfen roeddwn yn cellwair a chogio bod popeth yn iawn. Mewn darlithoedd a seminarau gwnawn fy ngorau i eistedd yn dawel a cheisio ffugio dealltwriaeth. Ond roeddwn yn byw mewn ofn o gael fy ngorfodi i siarad ymhlith pobl fy nghwrs. Cawn hunllef y byddai fy nhiwtor personol yn fy ngalw i mewn i'w swyddfa a dweud wrthyf: 'Look, I'm going to speak to you in English, because it's obvious now that you don't understand Welsh to the standard required. This was a mistake, wasn't it? You either did a very good job of fooling us, or we were too ambitious in accepting you onto the course, but it's clear that the only result will be failure.'

Pan oeddwn yn yr ysgol yn Texas, a Minnesota, amser maith yn ôl, siarad cyhoeddus oedd fy *secret weapon*. Hynny yw, teimlwn yn eithaf hyderus wrth ei wneud. Tra ofnai myfyrwyr eraill gael eu gorfodi i gyflwyno adroddiad, neu beth bynnag, byddwn i'n edrych ymlaen ato. Mab i ddarlledwr ydw i, wedi'r cyfan. Dywed y briodferch ifanc fod gwrando ar fy nhad a fi'n sgwrsio gyda'n gilydd fel sioe radio. Cafodd yr hyder hwn ei gario trosodd i'm siarad Cymraeg – hyd at ddechrau yn y brifysgol. Bellach, roedd ofn yn fy atal rhag dweud gair yn Gymraeg.

Yn ystod y seminar hwnnw pan ddosbarthwyd darn o farddoniaeth Mererid Hopwood, gofynnwyd i'r myfyrwyr ddarllen pennill neu ddau yn uchel er mwyn inni gael gwell syniad o sŵn a theimlad y darn. Ni wyddwn y geiriau, doeddwn i erioed wedi darllen darn o ddim byd yn y Gymraeg yn uchel, a doeddwn i ddim eisiau i bobl glywed gymaint o ffŵl oeddwn i. Mygwyd fi gan ofn. Parlyswyd fi ganddo. Pan ddaeth fy nhro i ddarllen, roeddwn yn dyheu'n orffwyll am gael fy esgusodi. Ces i bŵl o banig. Ni allwn siarad. Ni allwn anadlu. Aeth fy wyneb yn boethgoch a chochboeth ac ni allwn feddwl am ddim ond dianc. Ni allwn godi fy llygaid i edrych ar neb, ond gallwn deimlo pawb arall yn edrych arnaf fi ac yn meddwl: 'Chris, methiant wyt ti.'

'Dim darllen . . . yym . . . dw i . . .' gwichiais ac atal deud arnaf, '. . . araf.'

Teimlais fod arnaf eisiau crio; roedd fy llwnc yn cau, fy ngwefus yn crynu.

'Dwi'n . . . darllen yn araf,' ceisiais eto, yn chwifio fy llaw mewn ymdrech i awgrymu i'r darlithydd y byddai'n well iddo symud ymlaen i'r person nesaf.

'Darllenwr araf,' meddwn fel *machine gun*. 'Falle gallu chi . . . mynd dros fi . . .'

'Mae'n iawn,' meddai e'n garedig. 'Cymerwch eich amser.'

Dylai fod yna ryw fath o ystum rhyngwladol i gynrychioli cyfyngder cymdeithasol. Mae yna fodd o fynegi eich bod chi'n tagu, dylai fod yna fodd o gyfathrebu'r neges y byddai'n well gennych chi fod unrhyw le yn y byd ond y lle yr ydych chi ynddo ar y pryd. Wrth gwrs ni allwn ddweud hyn wrth y darlithydd – ni ddeuai gair o Gymraeg i'm pen. Ni ddeuai gair o Saesneg, chwaith. Dim ond sŵn gwyn byddarol o embaras y gallwn ei glywed. Ni theimlais i erioed yn fy mywyd gymaint o hurtrwydd ac embaras a chywilydd â'r hyn oedd yn chwalu i lawr ar fy mhen.

Ond gyda'm llais yn torri a phrin yn glywadwy, darllenais trwy'r penillion mor gyflym â phosib. Eisteddais yn ddistaw a llonydd am weddill y seminar, gyda'm pen i lawr fel petai pwysau'n tynnu arno. Roeddwn i'n mudlosgi gyda hunan-ddicter a ddaeth trwy boen fy hurtrwydd fy hunan. Nid edrychwn ar neb, a doeddwn i ddim eisiau i neb edrych arnaf finnau. Pan ddaeth terfyn y seminar saethais o'r ystafell ac yn syth i'r tŷ bach, lle yr eisteddais mewn stâl am chwarter awr yn crynu a chrio ac eisiau diflannu.

Teimlwn yn chwithig ac yn ddifrodedig ac yn hurt ac yn unrhyw ansoddair negyddol arall yr hoffech ei ychwanegu. Roeddwn mor ddi-glem, mor anwybodus. Teimlwn yn ddiymadferth a diwerth. *Even my strengths had become weaknesses*. Gwaetha'r modd, byddai'r boen yn digwydd eto. Ac eto ac eto. Dro ar ôl tro. Daeth pob darlith i fod yn artaith, ac ar ôl pob un ohonynt canfyddwn fy hunan yn ôl mewn stâl tŷ bach yn crio.

Dois i gasáu'r Profiad Cymraeg.

*

Cwympais trwy'r iâ unwaith. Roeddwn yn pysgota gyda chyfaill, Corbett, ar Lyn Coleman, llyn ger y tŷ lle ces i fy magu yn Bloomington Rock City. Roedd braidd yn hwyr yn y tymor ac roedd yr iâ yn denau. Gallwn gicio twll ynddo gyda'm bŵt, a dylai hynny fod wedi bod yn arwydd na ddylem ni fod yn troedio arno. Ond 13 oed oedd Corbett a fi, a dyw meddwl yn ddwys ddim yn rhan o *modus operandi* glaslanciau. Es i drwy'r iâ rhyw 30 troedfedd o'r lan. Yn y ffilm *Titanic*, sonia cymeriad a berfformiwyd gan Leonardo DiCaprio am fynd trwy'r iâ pan oedd yntau'n fachgen (ffaith ddiddorol, ddibwynt: sonia'r cymeriad am gwympo i mewn i Lyn Wissota, yn Wisconsin, ond llyn-gwneud yw hwnnw ac ni fodolai hyd at chwe blynedd *ar ôl* i HMS *Titanic* suddo). Sonia Leonardo yn ddi-baid am oerni'r dŵr. Ond, mae mynd trwy'r iâ'n gymaint o sioc fel na ellir teimlo'r oerni – mae'r oerni'n rhy oer i'w deimlo. Ceisiais ymlusgo yn ôl ar yr iâ ond malodd fy mreichiau trwyddo. Bu rhaid imi nofio'r 30 troedfedd, gan dorri'r iâ, gyda Corbett yn chwerthin ar fy mhen yr holl ffordd.

Ar ôl cyrraedd tir solet bu'n rhaid cerdded milltir yn ôl i'm tŷ. Wrth gerdded, roedd fy mreichiau a'm coesau yn fferru. Bu rhaid defnyddio fy nannedd i droi allwedd y drws oherwydd ni allwn ddefnyddio fy nwylo'n iawn. Roedd fy nghorff yn dioddef hypothermia. Pan ddigwydda hyn, penderfyna eich ymennydd roi'r gorau i bwmpio gwaed i'r dwylo a'r traed ac ati er mwyn ceisio arbed y pethau pwysig yn y corff. Ceisia ei orau glas i'ch cadw chi'n fyw ac mae'n fodlon dweud ffarwél wrth eich gyrfa ddawnsio neu ganu piano er mwyn llwyddo yn y dasg.

Tynnu i mewn yw'r peth naturiol i'w wneud felly. Pan aiff pethau'n anodd, rydym ni'n cael gwared â'r pethau diangen ac yn gobeithio parhau hyd at ddiwedd y cyfyngder.

Es i i'm cragen. Prin iawn y siaradwn â rhywun. Peth hawdd ei wneud oedd hyn yn fy mywyd prifysgol, yn rhannol oherwydd natur glymbleidiol myfyrwyr prifysgol Brydeinig. Ond, a bod yn onest, nid oeddwn i chwaith yn ymdrechu'n eithafol o galed i fod yn gyfaill â neb. Rhywbryd yn ystod mis Hydref ceisiodd cyd-fyfyriwr, Llŷr, dynnu sgwrs â fi ond heb lwyddiant. Ni ddeallais ond un gair a ddywedodd wrthyf, a theimlais yn rhy hurt i ofyn iddo ailadrodd. Erbyn hyn gwn taw Cofi yw Llŷr, a does neb yn ei ddeall. Ond yr adeg honno mwmialais rywbeth fel 'yhm, ie' wrtho ac es i ffwrdd yn dawel. Dysgais yn nes ymlaen ei fod yn meddwl nad oedd gennyf ddiddordeb mewn siarad ag e.

Hefyd collais gysylltiad â'r cyfeillion hynny oedd gennyf eisoes, megis cyfeillion blog. Doedd gennyf ddim hyder nac awydd i siarad â neb yn y Gymraeg oherwydd mor ymwybodol oeddwn o ddiffyg safon fy iaith. Roeddwn yn ddwl a gwyddwn fy mod yn ddwl, a doeddwn i ddim eisiau i neb weld y gwir amdanaf. Nid oeddwn eisiau i neb deimlo tosturi trosof.

Hefyd, nid oeddwn yn ysgrifennu ar fy mlog Cymraeg bellach. Nid oeddwn eisiau cyhoeddi fy hurtrwydd i'r byd. Fe'm distawyd gan betruster ynglŷn â safon fy Nghymraeg. Roeddwn i eisiau swnio'n ddeallus, neu, o leiaf, nid fel ynfytyn, ond ni wyddwn sut i wneud hynny. Meddyliaf fod y syniad o

Gymraeg Pur sy'n amgylchynu Cymraeg safonol yn achosi i berson fod eisiau cael gwared â'r cyfan a mynd yn ôl i ganolbwyntio ar Sbaeneg. Mae'n anffodus na chofnodais ar fy mlog yn aml yn ystod y cyfnod hwnnw; byddai'n ddiddorol edrych yn ôl nawr a gweld pa mor gyflym oedd fy Nghymraeg yn newid. Cofiaf wythnos benodol lle newidiodd fy nefnydd o berson cyntaf presennol y ferf 'bod' sawl gwaith, er enghraifft: 'dw i', 'yr wyf', 'rwyf', 'yr ydw', ac ati. Ni allwn benderfynu pa un i'w ddefnyddio, felly nid ysgrifennais ddim byd.

Yn ogystal â diffyg awydd i siarad â phobl, doedd yna ddim *amser* i fynd i'r dafarn gyda chyfeillion na pharablu ar y we. Treulid pob awr dan glo yn yr astudfa'n ceisio dysgu'r Gymraeg newydd hon a ddefnyddid yn y brifysgol. Awn i ddim i redeg, awn i ddim am dro, ni fyddwn yn mwynhau'r wlad yr oeddwn i wedi symud dros y môr i fyw ynddi, ni wyliwn deledu, pur anaml y gwrandawn ar y radio, ychydig a siaradwn, ychydig a gysgwn. Roeddwn mewn panig gerwin cyson. Defnyddid pob eiliad o'm hamser a phob owns o'm hegni mewn ymdrech ddi-fudd i beidio â cholli tir gyda gwaith prifysgol. Roedd tasgau syml yn anferthol. Tra gallai fy nghyd-fyfyrwyr frasddarllen y taflenni a'r darnau ac ati a ddosberthid mewn darlithoedd a seminarau, byddai rhaid imi fynd adref â'r adnoddau hyn a phori drostynt gyda dau eiriadur.

Roeddwn mewn trafferth. Allan o'm dyfnder. Fe'm gorlethwyd. Nid oeddwn yn perthyn. Ac roeddwn yn mynd ar drai o ganlyniad.

Gwaethygodd pethau yn fwy. Erbyn mis Tachwedd roedd y tristwch yn anochel a di-baid. Roeddwn yn ddyn wedi'i ddryllio. Bellach ni wnawn y pethau oedd yn arfer fy niffinio fel person. Nid ysgrifennwn yn greadigol. Doedd gennyf ddim hyder wrth siarad. Nid oeddwn yn gwneud ymarfer corff. Ni chwarddwn. A deuai'r teimladau hynny ynglŷn â chyfnewid: roeddwn wedi cyfnewid bywyd ym Minnesota am fywyd yng Nghymru; roeddwn wedi cyfnewid gyrfa fel awdur am fod yn fyfyriwr o safon isel; roeddwn wedi cyfnewid tŷ yn St Paul a byw ger fy nghyfeillion am fyw yn dlawd mewn lle na chawn fy nerbyn. Jôc oedd fy mreuddwyd, ac ynfytyn oeddwn i. Yn aml troai tristwch yn ddicter. Roeddwn yn grac â'r sefyllfa ac â fi fy hun: yn grac am wneud cymaint o lanast o bethau; yn grac am fod mor anwybodus; yn grac am beidio â bod yn fwy deallus; yn grac am fethu delio â phethau'n well; yn grac am grio cymaint. Llanwyd fi gan ffieidd-dra a malais tuag ataf fi fy hunan pan fyddwn i'n crio. Yn fwyfwy, câi adegau o grio eu disodli gan lid. Cynddeiriogwn yn fy erbyn i fy hunan ac ni allwn feddwl am unrhyw beth nac unrhyw berson yn y byd yr oeddwn yn ei gasáu yn fwy na fi fy hun.

15

Dwi ddim yn Gymro

Dyw e ddim yn ddoniol. Ond mewn ffordd ryfedd, dywyll, amhriodol, mae e. Dyna lle roeddwn i, yn crogi, yn edrych ar fy oriawr *Winnie the Pooh* ac yn meddwl: 'Uffach, pryd wna i golli ymwybyddiaeth? Pa mor hir fydd rhaid imi aros fel hyn? Hmmm, oni all ymennydd fynd am o leiaf chwe munud heb ocsigen? Dyna beth ddysgwyd i ni yn yr ysgol, beth bynnag. Er, onid aeth y David Blaine 'na am ryw naw munud heb anadlu? Fe alla *i* ddal fy anadl am ddwy funud 30 eiliad. Dwi wedi bod bedair munud erbyn hyn. Dwi wedi diflasu.'

Gwasgai'r belt yn erbyn y triongl isfacsilaidd, sef y rhan o'r gwddf o dan fy nghên. Gwasgai yn erbyn fy nodau lymff gan achosi i fi wingo mewn poen. Brifai fy mhen yn arallfydol gan y tagu ond mynnai fy nghorff ymdrechu i anadlu. Asthmatig ydw i; treuliais lawer o'm plentyndod mewn ysbytai ac ymddengys fod fy ysgyfaint wedi hen ddysgu sut i frwydro am awyr – i'r diawl â'm hamcanion hunanddinistriol. Nid peth fel hyn oedd y crogi a welir mewn ffilmiau. Nid oedd hyn yn cŵl nac yn drasig, ond roedd yn ddiflas ac yn boenus. A hurt. Mor ffycin hurt. Roedd yna ormod o amser i feddwl, i ddechrau gweld pa mor ddwl oedd hyn i gyd a theimlo dicter tuag ataf fy hunan am ei wneud. Ysgydwais er mwyn tynhau'r belt o amgylch fy ngwddf. Ond daeth y peth yn rhydd o'r canllaw a chwympais i lawr y grisiau.

*

Cafodd 18 Tachwedd 2006 gychwyn digon da. Diwrnod braf. Heulog. Cynnes i fis Tachwedd. Dim ond siwmper ysgafn roedd ei hangen arnaf. Yn gynnar yn y bore aeth y briodferch ifanc i Lundain gyda grŵp o'i chapel. Roedd hynny'n iawn gennyf i oherwydd roedd tomen o waith prifysgol i'w wneud. Er gwaethaf hyn, es i i'r Mochyn Du am ginio. Ac er mwyn cwrdd â Rhys a Tom. Dysgwr arall o'r Unol Daleithiau yw Tom, ac roedd ef ar ei wyliau gyda'i gariad. Nid oeddwn wedi siarad yn y Gymraeg â neb y tu allan i'r darlithoedd ers mis, ond, a dweud y gwir, doeddwn i ddim yn hapus i adael y tŷ ar y diwrnod. Serch hynny, gwn o'm profiadau fy hunan faint o fudd i unrhyw un yw cael cyfle i ddefnyddio'r Gymraeg tra bydd yng Nghymru. Ta beth, meddyliais, dim ond cinio fyddai hyn. Byddai rhaid imi fwyta hyd yn oed petawn i'n aros yn y tŷ, oni fyddai? Ond, wrth gwrs, aeth cinio yn ginio a pheint, ac yna'n beint arall. Curwyd tîm rygbi cenedlaethol Lloegr gan dîm De Affrica, 21–23. Roedd pawb mewn hwyliau da. Peint arall, a pheint arall. O'r diwedd llwyddais i dynnu fy hunan o'm sedd tua phedwar o'r gloch y prynhawn.

Cyn gynted ag y camais o'r dafarn gorchuddiwyd fi gan deimlad sâl o ddicter a siom tuag ataf fi fy hunan.

Safais wrth arhosfan bws gyferbyn â'r Cayo Arms i aros am y 62. Roedd hi'n dechrau nosi. Roedd yna bobl y tu allan i'r dafarn yn siarad ac yn chwerthin. Roedd y dydd ar fin gorffen. A than hynny roeddwn i heb wneud ffycin dim yn ystod y dydd. Rhywsut, teimlai fel petai'r bobl y tu allan i'r Cayo yn chwerthin ar fy mhen am fethu adolygu. Dechreuais ysgyrnygu fy nannedd wrth ferwi y tu mewn a meddwl am yr adolygu oedd gennyf i'w orffen cyn dydd Llun – mwy o waith nag y gallwn ei wneud mewn un diwrnod. A bellach roedd fy mhen yn aneglur oherwydd y cwrw. Sut oeddwn i fod i ganolbwyntio ar waith prifysgol gyda'm pen yn nofio mewn môr o Reverend James? Ffŵl. Mynd allan am y tro cyntaf ers mis a gwneud llanast o'r peth. Hurtyn. Does dim angen pryderu am gael fy nhrechu gan y brifysgol, roeddwn i'n gwneud hynny'n iawn ar fy mhen fy hun. Ynfytyn. Gallwn deimlo'r dicter yn codi ynof – y tinc sŵn-gwyn o lid yn llenwi fy nghlustiau. Mwlsyn. Roeddwn yn crynu pan gyrhaeddodd y bws.

Dicter. Llid. Fitriol. *Rage. Disgust.* A oes gair yn y Gymraeg neu'r Saesneg sy'n cynnwys yr hyn a deimlwn wrth deithio adref ar y bws hwnnw? Prin y gallwn eistedd yn llonydd. Dechreuais anadlu'n gyflym. Suddodd fy mysedd i mewn i'm coesau ac ysgyrnygu fy nannedd wrth geisio dal y gwallgof-rwydd hwn y tu mewn. Teimlwn fy wyneb yn poethi, fy llwnc yn cau. Roedd arnaf eisiau crio, eisiau gweiddi. Crynwn wrth feddwl am y fath aflwyddiant oeddwn i. Roeddwn i wedi neidio i mewn i'r pen dwfn yn y brifysgol – ni allwn ddal fy mhen uwchlaw'r dŵr – a dyma fi'n mynd i'r ffycin dafarn! Roeddwn yn methu. Roeddwn yn gwastraffu fy nghyfle gorau i wneud rhywbeth â fy mywyd diwerth. Ac yn lle brwydro yn erbyn y methiant, yn lle ymdrechu i lwyddo, roeddwn yn meddwi. Yn lle pori drwy nodiadau darlithoedd, roeddwn yn gwastraffu arian nad oedd gennyf ac yn tywallt cwrw i fy nghorn gwddw.

'Cheers. Thank you,' prin y llwyddais i'w ddweud wrth yrrwr y bws trwy boethder fy nghynddaredd.

Cyflymais fy nghamau adref. Dyrnais fy hunan yn yr ystlys. Yn y frest. Thŷmp. Thŷmp. Roeddwn yn chwalu. Roedd angen cyrraedd adref a chloi fy hunan tu mewn iddo. Roeddwn ar fin ffrwydro. Ni allwn glywed. Ni allwn feddwl. Roeddwn mewn cyflwr catatonig awtomatig dinistriol wrth daflu fy hunan trwy ddrws y tŷ. Gweithredais heb feddwl. Tynnais fy melt wrth ruthro lan y grisiau. Clymais un pen wrth y canllaw a rhoi'r pen arall o amgylch fy ngwddf. Cwympais i lawr ac arhosais i'r poen mewnol ddod i ben.

*

Wrth gyrraedd gwaelod y grisiau, gorlethwyd fi gan ofid a chwithdod. Dim ond un peth sy'n fwy gresynus a chwithig na cheisio lladd eich hunan, sef *methu* lladd eich hunan. Arhosais yno am ennyd mewn math o bentwr dynol gyda'm pen yn pwyso yn erbyn y llawr-teilsen oer. Dechreuais lefain yn dawel. Beth oeddwn i newydd geisio ei wneud? Aeth y crio yn drymach. A oeddwn i wir newydd geisio lladd fy hunan? Beth oedd o'i le arnaf? Sut allwn i fod wedi gwneud hynny? Sut allwn i fod wedi caniatáu i fi fy hunan ymddwyn fel hyn? Aeth y crio yn floeddio. Roeddwn yn rhochian a phoeri gan y boen emosiynol a oedd yn cynyddu a'm malurio o'r tu mewn. Roeddwn i wastad wedi credu taw gweithred wan ac annerbyniol yw hunanladdiad. Ond bellach. O shit. Beth oeddwn i wedi ei wneud?

Fel petai yna glogfaen wedi ei gwthio o ben y grisiau, daeth gwylltineb costig newydd i lawr arnaf. Clepiais fy mhen yn erbyn y llawr. Gwingais mewn poen ac wedyn rhois slap i fi fy hunan ar draws fy wyneb. Gyrrais ddwrn yn erbyn fy nhalcen, ac wedyn yn erbyn ochr fy mhen. Curais fy hunan i mewn i'r ystafell fyw ac yn sydyn doedd gennyf ddim rheolaeth na synnwyr. Teimlwn fel petai yna ddau ohonof. Rhywun yn ddwfn y tu mewn i mi, ac roeddwn i eisiau ei frifo, ei ddinistrio, ei ladd. Fi oedd fy ngelyn gwaethaf. Roeddwn yn tagu ar gasineb tuag ataf fy hunan. Roeddwn i eisiau chwydu.

'I hate you!' gwaeddais arnaf fy hunan, gan gau fy nyrnau a chrynu. 'Goddamn you! Fuck you! I hate you! I hate you so much! Worthless, weak! I FUCKING HATE YOU!'

Dyrnwn fy mhen, fy wyneb, fy nhalcen, fy ochrau, fy mrest, fy mreichiau, fy nghoesau mor galed ag y gallwn – eto ac eto ac eto. Roeddwn yn wyllt gan chwithdod a thristwch a llid a mil o emosiynau eraill. Goranadlwn, ac ni allwn weld yn glir gan ddagrau a ffosffenau (sef y sêr a welir ar ôl ergyd i'r pen). Ffustiwn o gwmpas yr ystafell mewn pŵl o hysteria, yn dyrnu fy hunan a chwympo i'r llawr mewn poen. Codwn a dyrnwn fy hunan nes bod fy nwylo'n brifo. Ond ni ddiflannai'r cur mewnol – y boen a losgai yn fy mherfedd, poen a oedd yn fy arteithio.

Rywle yng nghefn fy mhen gallwn weld llun o fi fy hunan: yn hercian a chylchdroi a chwympo a chrio a bloeddio a hunan-niweidio. Roedd yr olygfa a welais yn chwerthinllyd ac yn ynfyd. Roedd hyn yn ffynhonnell arall o embaras. Teimlais gywilydd am fethu yn y brifysgol; cywilydd am fethu ennill cyfeillion; cywilydd am gredu y gallwn symud i rywle a chanfod hapusrwydd mor hawdd; cywilydd am ganiatáu i'r methiant fy ngorchfygu; cywilydd am geisio lladd fy hunan; cywilydd am ymateb i hyn i gyd gyda stranc blentynnaidd. Ond ni ddiffoddai'r ffyrnigrwydd. Casineb tuag ataf i fy hunan oedd yr unig beth oedd yn glir yn fy mhen. Ac roedd yn gasineb pur, didostur, llethol. Es i ati i geisio colli ymwybyddiaeth. Dyrnais fy mhen tan i mi fethu dioddef y boen yn fy arddyrnau a'm dwylo. A daeth cywilydd newydd trosof am na allwn golli ymwybyddiaeth: 'I'm so shit, I can't even kick my own ass!'

A dyna fi'n ymestyn am *Y Geiriadur Mawr*, fy hen eiriadur Cymraeg, ac yn ei swingio yn erbyn fy nhalcen gyda'm holl nerth. Torrodd meingefn y llyfr ac fe'm bwriwyd i lawr ar fy ngliniau. Daeth gwaed, ond roeddwn yn effro o hyd. Edrychais ar y gwaed ar fy mysedd, ar fy ngeiriadur a tholc ynddo, ac arnaf fy hunan; chwarddais yn ysgafn.

Yr hen, hen ffŵl. Roeddwn wedi cyrraedd y gwaelod.

Roedd hi wedi nosi yn ystod hyn i gyd. Daeth pelydrau oren goleuadau'r stryd trwy'r ffenestr. Treuliodd yr adrenalin allan ohonof a chychwynnodd poen dreiddio o bob darn o fy nghorff. Aeth fy egni i gyd. Ni allwn grio bellach. Tawelodd fy anadlu. Daeth heddwch. Mae yna fath o Zen mewn trechu. Eisteddais yn ddistaw am amser hir yn gwrando'n ddwys ar bob un peth bach o'm cwmpas: mwmian yr oergell, clic y boeler, ticio fy oriawr *Winnie the Pooh*, a chrecian mân tŷ sy'n setlo ar gyfer noson o hydref. Prin y gallwn symud gan y boen. Ar ôl hanner awr, neu awr – wn i ddim – codais oddi ar y llawr. Golchais y gwaed o'm gwallt yn sinc y gegin. Arllwysais wydraid o Brains SA, cliciais y teledu ymlaen a gwyliais *Strictly Come Dancing*.

*

A bod yn onest, roeddwn yn ansicr am yr hyn a ddigwyddodd. Hyd heddiw rydw i'n ansicr. Mae fy nheimladau yn erbyn hunanladdiad mor gryf fel ei bod yn anodd credu y byddwn i'n gwneud y fath beth. Doeddwn i ddim yn y modd Lladd Fy Hunan wrth gyrraedd y tŷ; doeddwn i ddim yn meddwl: 'OK, gwnaf i hyn a dyna fydd diwedd popeth hyd dragwyddoldeb.'

Ond rhoddais y belt hwnnw o gwmpas fy ngwddf ac arhosais i golli ymwybyddiaeth. Beth oeddwn yn disgwyl i ddigwydd?

Roeddwn i am gael gwared â'r poen tu mewn a oedd yn fy nychu. Roeddwn i am roi stop ar y *math* o fywyd yr oeddwn yn ei fyw, ond yn bendant nid rhoi stop ar fywyd ei hunan. Symudais i Gymru er mwyn canfod rhywbeth nad oedd gennyf yn yr Unol Daleithiau. Symudais gydag awydd i fod yn rhan o rywbeth mwy, i ddod o hyd i ryw fath o bwrpas, a lle i berthyn iddo. Ond, yn lle hynny, dyna lle roeddwn i yn treulio pob awr dan glo mewn astudfa. Roeddwn yn byw yng Nghymru, ym Mhrydain, yn Ewrop! Miloedd o flynyddoedd o hanes a diwylliant a phobl a bywyd yn chwyrlïo o'm cwmpas. Roeddwn yn mynd i ddyled er ei fwyn, ond nid oeddwn yn blasu dim byd ohono. Treuliwn fy amser ar fy mhen fy hun mewn ystafell chwech wrth ddeg troedfedd. Roeddwn yn sownd mewn cylchred: cylchred o fethu deall mewn darlith, dioddef pẁl o banig, gwthio fy hunan i adolygu, teimlo'n drist ac yn anhapus ac unig am orfod gweithio mor galed, colli stêm, methu deall mewn darlith, dioddef pẁl o banig, ac yn y blaen ac yn y blaen, dro ar ôl tro.

Roedd crogi fy hunan yn ymdrech i ailosod pethau, mewn ffordd. Fel petawn yn ceisio rhoi saliwt tri-bys i fywyd. Hen derm cyfrifiadurol yw 'saliwt tri-bys' a ddaw o bwyso'r botymau 'Ctrl,' 'Alt' a 'Del' ar unwaith i orfodi cyfrifiadur i ddiffodd ac ailddechrau. Doeddwn i ddim eisiau marw, mewn gwirionedd, ond cychwyn eto. Gwyddwn yn rhywle yng nghefn fy mhen y byddai crogi yn fy lladd, ond *ni ddeallwn* hynny. Ni allwn ddirnad ei bod yn weithred barhaol.

Ond deallwn ddigon i deimlo gast o embaras tros y peth. Ddywedais i ddim wrth neb am yr hyn a ddigwyddodd. Ffugiais salwch er mwyn esbonio i'r briodferch ifanc pam yr oedd fy nghorff mewn poen, a pham yr oeddwn yn gwisgo crysau-T llawes-hir yn y gwely (roeddwn yn eu defnyddio mewn gwirionedd i guddio cleisiau). Roedd euogrwydd am yr hyn a wnes i'n hofran uwch fy mhen fel petawn i wedi ymosod ar berson arall yn hytrach nag arnaf fi fy hunan.

*

Cyn symud i Brydain darllenais sawl gwaith yn y newyddion am brinder dietegwyr yng Nghymru. Hwn oedd y rheswm am fy hyder y byddai'r briodferch ifanc yn canfod swydd heb ormod o drafferth. Ac mae hi'n ddietegydd â gradd meistr. Dim problem, meddyliais. Ond, fel mae'n digwydd, nid prinder dietegwyr sydd yng Nghymru ond prinder swyddi iddyn nhw. Cwyna'r llywodraeth am iechyd pobl, ond ni chyflogir neb i wella'r broblem. Felly i'r Starbucks aeth y briodferch ifanc. Graddiodd hi *summa cum laude* yn y brifysgol ond bellach roedd hi'n gweini coffi yn Heol y Frenhines. Roedd hynny'n ddiraddiol. Teimlwn euogrwydd a dicter am ei llusgo 4,000 milltir tros y môr dim ond iddi weithio mewn swydd na fyddai hi'n ei derbyn petaem ni yn ôl yn St Paul. Ond gan ei bod yn santes, ddywedodd hi ddim am y peth. Âi i'w gwaith bob dydd a gweithiai oriau dygn mewn ymdrech i'n cynnal.

Nid oedd yn ddigon wrth gwrs. Gall unrhyw un mewn swydd fel honno ddweud wrthoch chi nad yw cyflog lleiafswm yn gyflog y gall person fyw arno. Piso ar yr haul oedd yr arian o ran yr hyn oedd ei angen arnom. Fel estronwyr, nid oeddem yn gymwys i dderbyn cymorth gan y llywodraeth. Clywir cwyno yn y newyddion yn aml am fewnfudwyr arswydus a ddaw i Brydain a mynd ar y dôl yn syth. Celwyddau haerllug yw'r straeon hyn. Neu mae'r briodferch ifanc a fi'n byw yn y lle anghywir, oherwydd ni chafodd Rachel na fi geiniog o fudd-dal. Cyhoeddwyd yn glir ar ein teithebau: 'No recourse to public funds.'

Byddai rhaid i'n harian ddod o leoedd eraill felly. Gwthiwyd y cardiau credyd i'w huchafswm, gwariwyd y cyfan o'm benthyciadau myfyriwr, gofynnwydd i'r teulu am arian ychwanegol. Daeth cymorth oddi wrth aelodau o gapel Rachel, hefyd. Er, cymorth gweddol ryfedd oedd hwnnw weithiau. Er enghraifft, cawsom ein teledu gan fenyw o gapel Rachel a benderfynodd na allem ni *fyw* heb y fath beth. Ymddangosodd hi ar ein stepen drws un noson gyda set enfawr i'w rhoi inni yn rhad ac am ddim. Roeddem ni'n ddiolchgar ond, wrth gwrs, o etifeddu teledu byddai dyletswydd arnom nawr i brynu trwydded deledu.

Ond rhywsut roedd yna ddigon o arian parod i brynu twrci ar gyfer Diolchgarwch, sef *Thanksgiving* – yr ŵyl Americanaidd a ddaw ar ddiwedd mis Tachwedd. Hwn yw fy hoff ddiwrnod o'r flwyddyn, yn rhannol oherwydd symylrwydd y cysyniad: bwyta gyda chyfeillion a theulu. Dyna i gyd. Does dim angen prynu anrhegion i neb, does dim angen addurno'r tŷ, does dim angen gwisgo dillad arbennig, does dim angen bod o grefydd benodol – nac o unrhyw grefydd o gwbl. Gŵyl ar gyfer pawb yw hi. Petai bodau o'r gofod yn cyrraedd y Ddaear a mynnu gwybod pam na ddylen nhw ddinistrio'r Unol Daleithiau byddai Diolchgarwch yn rhan o'm hateb (ynghyd â cherddoriaeth *blues*, y Minnesota State Fair a Tony Orlando). O'r holl bethau yr ydym ni Americanwyr wedi'u hallforio i weddill y byd, trueni nad yw Diolchgarwch yn un ohonynt. Mae gan Brydain Starbucks a McDonald's a KFC a gordewdra a thuedd i brynu ceir sy'n rhy fawr a phob math o bethau Americanaidd eraill, ond nid yw'r pethau gorau ganddi.

Yn swyddogol, cynhaliwyd y Diolchgarwch cyntaf gan y criw hwnnw a gwrddodd â Samoset amser maith yn ôl. Penderfynodd Samoset a'i bobl beidio â lladd y pererinion (y penderfyniad anghywir efallai, wrth edrych yn ôl, ond dyna ni). Ar ôl blwyddyn neu ddwy, roedden nhw mor hapus eu bod wedi llwyddo i fyw trwy'r caledi nes y penderfynon nhw gael pryd enfawr er mwyn dathlu a dweud diolch wrth Dduw. Wel, dyna'r hanes fwy neu lai. Ta beth, y pwynt yw: cafodd yr ŵyl ei dechrau ar ôl sbel hir o fywyd anodd. Felly, ar ôl ein misoedd hir cyntaf yng Nghymru roeddwn innau'n arbennig o benderfynol i ddathlu'r diwrnod.

Ar y pedwerydd dydd Iau ym mis Tachwedd y mae Diolchgarwch yn draddodiadol, ond roedd rhaid imi fynychu darlith ar y diwrnod hwnnw, felly cytunodd y briodferch ifanc a fi i wneud popeth ar y dydd Gwener. Codasom yn gynnar y bore hwnnw a cherdded i lawr y stryd at y cigydd i gasglu'r twrci. Nid oedd gennym gar yn y dyddiau hynny. Ac *wrth gwrs* roedd hi'n bwrw glaw. Roedd y strydoedd yn gorlifo â dŵr wrth i ni gerdded milltir at y cigydd o dan yr ymbarél truenus yr oeddwn i wedi ei ffeindio ar drên. Roedd angen neidio i ochr y palmant i osgoi'r tonnau a godid gan y ceir. Ford Escorts oedd y mwyafrif ohonynt. Mae'n rhaid bod mwy o Ford Escorts a chapiau pêl-fas New York Yankees yn cael eu gwerthu i breswylwyr y Tyllgoed, Caerdydd, nag yn unrhyw le arall yng Nghymru. Faint ohonynt sy'n gallu enwi un chwaraewr y Yankees, tybed? Er, chwarae teg iddynt, fe geision nhw beidio â'n gwlychu ni, ond ymdrech ddi-fudd oedd hi. Erbyn cyrraedd y cigydd edrychem fel petaem ni'n nofio yn ein dillad. Fe brynon ni'r twrci mwyaf a fyddai'n ffitio'r popty, a'i osod mewn bag IKEA ar gyfer mynd â fe adref. Daliodd Rachel a fi ddolen o'r bag bob un wrth sloshio yn ôl adref.

'This sucks,' meddai'r briodferch ifanc.

'It's character-building,' meddwn yn uchel er mwyn cael fy nghlywed uwchben y glaw. 'It'll be a fun thing to tell our guests: "We walked a mile in the freezing rain to get this turkey!"'

'Uphill, both ways,' ychwanegodd Rachel yn chwareus.

Y peth yw, anghofiais ddweud hanes y twrci wrthyn nhw. Tan nawr . . .

Roedd y tŷ yn llawn y noson honno. Cofiwch taw tŷ bychan oedd ein cartref. Fe'i llanwyd gan naw person, yn ogystal â chriw dau-ddyn y rhaglen ddogfen. Nid oedd lle i sefyll. Ond roedd yna fwy na digon o fwyd. Daw'r briodferch ifanc o deulu mawr (mae ganddi bedair chwaer ac un brawd) a fyddech chi fyth yn brin o fwyd o dan do ei thad. Gŵyr fy ngwraig, felly, sut i baratoi pryd go iawn. Twrci, tatws stwnsh, stwffin â bacwn, bara corn, caserol taten felys, ffa Ffrengig, brocoli, grefi brown, grefi gwyn, llugaeron, *brownies*, teisennau, sawl potel o win a chwrw. Llawer a llawer o gwrw. Yn ystod ffilmio'r achlysur roedd yn rhaid i'r dyn camera gael rhagor o fatrïau ar gyfer y meicroffon, felly i Somerfield yr aeth e a Marc. Cyn mynd, gofynnodd Marc a oedd angen rhywbeth arall.

'Wel, cwrw,' meddwn i. 'Does byth digon o gwrw.'

Chwarter awr yn hwyrach, ymddangosodd y ddau gyda llwyth enfawr o neithdar alcoholig: Boddingtons, Brains, Guinness, John Smiths, Stella Artois. Roedd fel petaent yn paratoi am Ddydd y Farn, neu'n disgwyl pawb yn y gymdogaeth i droi i mewn am gàn a sgwrs. Roedd yna gymaint o gwrw fel y byddai'n amhosib i ni ei yfed i gyd y noson honno. Ni fyddwn i'n ei orffen ar y noson wedyn chwaith, na'r noson ddilynol. Byddai'n cymryd pythefnos imi wacáu pob un càn.

'Cwrw am ddim,' meddwn wrth gyfaill. 'Does dim angen mwy o reswm i ddysgu'r Gymraeg na hynny, nac oes?'

Ond y peth yw, yfodd dim un o'r criw ddiferyn o'r stwff. Dyna i chi'r BBC: ffyddlon i'w gwaith. Petaswn i'n gwybod nad oedden nhw am gael diod, ni fyddwn i wedi awgrymu y dylent ei brynu. Ond o leiaf llwyddais i'w gorfodi i fwyta ychydig. Cyn y noson, bu'r briodferch ifanc a fi'n pryderu na fyddai digon o fwyd i bawb ond, wrth gwrs, roeddem ni wedi paratoi yn ôl safonau Americanaidd. Mewn ystafell o Brydeinwyr roedd pawb yn llawn dop – ac roedd hanner y twrci ar ôl o hyd. Daeth y noson i ben yn rhy gynnar imi, ond deallaf taw anodd yw bod yn ffraeth ac yn siaradus wrth deimlo bod eich stumog ar fin ffrwydro. Teimlais yn drist wrth ddweud nos da wrth y gwestai olaf. Ni wyddwn ar y pryd, wrth gwrs, na fyddwn o'r noson honno ymlaen yn cymdeithasu â neb am tua thri mis.

*

Rywbryd yn ystod hydref 2006 darllenais stori newyddion am ferch Dylan Thomas a oedd yn grac am ryw astudiaeth a awgrymodd fod y bardd Cymreig enwog yn ddyslecsig. 'Dylan's daughter Aeronwy is understood to be furious,' ysgrifennwyd yn y *Western Mail*.

Mae yn beth od i fod yn grac yn ei gylch, pan feddyliwch chi am y peth. Alcoholig, merchetwr, dyn o foesoldeb amheus – siŵr, mae'r rhain yn iawn, ond dyslecsig? Y fath syniad!

Ta beth, dyfalais ai dyna oedd fy mhroblem innau yn y brifysgol. Teimlwn fy mod yn brwydro'n rhy galed i ddal fy mhen uwchlaw'r dŵr – teimlwn y dylai rhywbeth mwy nag anwybodaeth fod ar fai. A bod yn hollol onest, *gobeithiwn* fod rhywbeth mwy ar fai. Felly es i drwy sawl awr o brofi diflas, yn defnyddio (hynny yw: gwastraffu) amser y gallwn fod wedi ei ddefnyddio yn adolygu. Ac yn y diwedd ces i'r newyddion da nad oedd dim byd o'i le. Ychwanegodd y newyddion hyn at y tristwch. Os nad oedd problem gyda fy null o ddysgu oni olygai hynny taw hurtrwydd oedd y rheswm dros frwydro cymaint? Roeddwn yn ceisio a cheisio, ond yn methu er hynny. Os nad oedd gennyf anhawster dysgu, ymddangosai imi taw diffyg deallusrwydd oedd fy unig esgus. *I wasn't learning disabled, I was just stupid.*

Suddwn yn ddyfnach i mewn i'm tristwch. Aeth y byd yn llwyd a chollais olwg ar yr hyn a oedd ar y cyrion. Aeth bywyd i fod yn ddim ond rwtîn. Pob un diwrnod fel yr un cynt. Codi yn y bore. Cael brecwast. Te. Dau ddarn o dost. Ceisio adolygu. Methu canolbwyntio. Mynd ar y trên. Eistedd yn dawel. Gwthio fy nhraed yn erbyn gwresogydd. Mynd i ddarlithoedd. Bwyta yng nghaffi Julian Hodge. £2.90. Mynd i'r llyfrgell. Ceisio adolygu. Mynd i ddarlithoedd. Gwthio i mewn i drên gorlawn. Teimlo'n unig ac yn wag ymhlith torf. Cyrraedd y tŷ. Cael paned. Ceisio adolygu. Aros i'r briodferch ifanc gyrraedd adref o Starbucks. Cael swper hwyr. Ceisio adolygu. Mynd i'r gwely. Methu cysgu. Aros am y bore.

Ni allai dim fy nghysuro. Weithiau, wrth aros am y trên, byddwn eisiau cwympo i'r llawr a pheidio symud. Cofiais am ffilm a welais yn yr ysgol unwaith am ryw lwyth yn Affrica lle mae'r dynion yn ewyllysio eu hunain i farw. Bydd dyn yn eistedd i lawr ar garped arbennig ac yn dweud wrtho'i hunan: 'Iawn, dwi'n barod i fynd.'

Ac ymhen diwrnod neu ddau gellwch gael ei stereo oherwydd dyw e ddim yn ei ddefnyddio bellach.

Roeddwn i eisiau gwneud rhywbeth tebyg: gorwedd ar blatfform concrit caled, oer, gwlyb, a pheidio â bod. Cawn feddyliau fel hyn yn gyson. Nid oeddwn am geisio lladd fy hunan eto, ond meddyliwn am y peth yn ddi-baid. Roedd y tristwch yn llethol a dechreuai chwarae triciau gyda'm pen. Dioddefwn byliau o bryder weithiau ac ni fyddwn eisiau gadael y tŷ; ni allwn godi fy llygaid i edrych ar ddim ond fy nhraed.

Yn y brifysgol, doedd neb yn siarad â fi a doeddwn i ddim yn siarad â neb. Roedd arnaf eisiau siarad â phobl ond ni allwn gynhyrchu'r geiriau. Ni ddeuent. Ni wyddwn beth i'w ddweud na sut i'w ddweud. Yn fy mhen, plediwn â phobl i siarad â fi: 'Plîs, plîs. Dweda un gair wrtha i. Dweda helô. Rhywbeth! Plîs! Dwi mor unig, mor wag! Plîs!'

Fe'm trywanwyd gan ddiffyg cyfeillach. Ond wn i ddim beth fyddwn wedi ei ddweud petai rhywun wedi ceisio sgwrsio â fi. A dweud y gwir, mae Llŷr yn cofio ceisio cychwyn sgwrs â fi fwy nag unwaith, ond dim ond mwmian wnes i. Roeddwn ar goll yn fy unigrwydd, tristwch a diffyg hyder.

Gwaedai'r absenoldeb hwnnw i mewn i'm bywyd y tu allan i'r brifysgol; doedd gennyf ddim hyder i siarad â neb yn y Saesneg chwaith. Yn y brifysgol roeddwn i wedi sefydlu patrwm o beidio dweud dim oherwydd fy mod yn poeni am ei ddweud yn anghywir. Yn isymwybodol, parhâi'r dull o feddwl i mewn i sefyllfaoedd Saesneg. Mewn siopau a chaffis ac ati cyfathrebwn drwy fwmian a phwyntio a nodio fy mhen. Prin y siaradwn â'r briodferch ifanc hyd yn oed. Distaw fyddai ein swperau ac wedyn ffown i yn ôl i'r astudfa i adolygu a chuddio rhag y byd. Treulid dyddiau cyfan heb yngan gair.

*

Mae hoffter y briodferch ifanc o'r Nadolig yn gynhenid. Yng nghartref ei theulu mae o leiaf bedair coeden Nadolig i'w gweld ar hyd y flwyddyn. Rydw i'n weddol siŵr bod hynny'n arwydd o afiechyd meddyliol fy mam-yng-nghyfraith. Mae yna lawer o bethau yr ydw i'n eu hoffi ond dim ond rhyw a chwrw rydw i eisiau pob un diwrnod trwy'r flwyddyn gron gyfan. O ran y Nadolig, rydw i'n hapus i aros tan fis Rhagfyr cyn mynd ati i ddathlu. Ond yn nhŷ'r rhieni-yng-nghyfraith caiff y paratoadau ar gyfer pen-blwydd Iesu eu dechrau tua chanol yr haf. Diolch i'r drefn nad yw pethau cynddrwg â hyn i'r briodferch ifanc. Fel arfer, llwyddaf i gadw'r fflodiardau Nadoligaidd yn gaeedig tan fis Tachwedd. Er, caiff Rachel ei chanfod weithiau yn gwrando ar Johnny Mathis yn lladradaidd ym mis Medi. Cyn gynted ag yr ymostynga i'w hawydd i ddathlu'r *Noël*, caiff y tŷ ei addurno a chenir cerddoriaeth y tymor trwy'r dydd.

Daeth newyddion da cynnar ym mis Rhagfyr bod Rachel wedi

llwyddo i ganfod swydd go iawn, swydd dietegydd, yng Nglyn Ebwy. Felly roedd ei hawydd i ddathlu ei hoff ŵyl gyda holl nerth ei hysbryd yn anorchfygol. Yn enwedig gyda fi mewn hwyliau drwg. Er na fyddai'r swydd yn dechrau tan fis Ionawr, rhywsut daethom ni o hyd i ddigon o arian i brynu coeden Nadolig blastig a dyrnaid o addurniadau. Paratowyd CD o gerddoriaeth Nadolig gan Rachel, a chylchdrôi'r peth ar y chwaraeydd yn ddiddiwedd. Nid hawdd oedd codi fy hwyliau ond gwrthodai fy ngwraig ganiatáu i fi ddiflannu i'r astudfa na gorweddian yn y gwely ar fy mhen fy hun fel y byddwn eisiau. Brwydrai hi i'm gorfodi i fwynhau'r tymor. Roedd hi'n ddyfal, a gwnâi bob math o bethau rhyfedd i'm hannog i sirioli. Er enghraifft, byddai'n troi'r gerddoriaeth yn uwch ac yn mynnu dawnsio gyda fi yn yr ystafell fyw. Ffilmiom ein hunain yn gwneud hyn unwaith, a rhois hyn ar fy mlog. Mor boblogaidd oedd y peth gyda chyfeillion a theulu fel y daeth i fod yn draddodiad Nadolig newydd.

Bu rhaid imi fenthyg arian oddi wrth fy nhad i brynu anrhegion pitw ar gyfer y briodferch ifanc: pâr o fenig Next am £12, a blwch o siocledi Thornton's am £10. Teimlwn yn siomedig na allwn fforddio prynu rhagor iddi. Edrychwn ar y ddau becyn bychan o dan y goeden a theimlo tonnau o gywilydd. Ond nid anrhegion yw canolbwynt y Nadolig yn llygaid Rachel. Roedd hi'n hapus yn mwynhau'r awyrgylch yng nghanol y ddinas, yn gwylio rhaglenni teledu a DVDau Nadoligaidd, yn canu cerddoriaeth y tymor, ac yn mynnu fy nghael i i ymuno yn y miri. A diolch iddi, roedd y Nadolig hwnnw'n OK. Heb y pwysau beunyddiol o'r brifysgol, roedd pethau'n dechrau gwella yn fy mhen. Ar fore Nadolig, roedd arnaf hiraeth am fy nghyfeillion a'm teulu a thywydd oer ac eira Minnesota, ond nid oeddwn yn rhy drist.

Yn anffodus, nid oedd meddyliau tywyll byth yn rhy bell.

Datblygais y ffliw yn ystod yr wythnos ar ôl y Nadolig, a gyfrannodd i deimlad erchyll ar Nos Galan. Gorweddais yn llesg ar y soffa wrth iddi fwrw hen wragedd a ffyn a chenllysg y tu allan. Fe wyliom ni *Jools Holland's Hootenanny* ar y teledu a meddyliais am y Nos Galan flaenorol yn nhŷ Eric a Kristin, yn ôl yn y 'Twin Cities'. Roeddwn yn llawn gobaith ac optimistiaeth y noson honno. Prin y gallwn aros i adael am Gymru a mynd ati i fentro yn fy mywyd newydd. Bellach, flwyddyn yn ddiweddarach, roeddwn wedi fy nhrechu. Teimlwn yn bathetig. Roedd y Profiad Cymraeg bron wedi fy lladd ac ni allwn ddweud ychwaith y byddai'n llwyddo cyn bo hir.

Ac onid yw'n debygol taw ar yr adegau caletaf megis yn awr y meddyliwn i am bethau drwg i achosi i bethau deimlo'n waeth? Mae yna rywbeth mewnol sydd eisiau troi'r gyllell, efallai. Roeddwn yn sâl, yn hunanddinistriol, yn dlawd ac yn hiraethus ond doedd hynny ddim yn ddigon, nac oedd? Meddyliais, felly, am yr ast anfad o gyn-gariad sy'n dwyn eneidiau.

Byddai hi wedi mwynhau fy ngweld mewn cyflwr mor druenus, roeddwn yn siŵr. Meddyliais am ei phrofiadau yn Ffrainc. Hi oedd yr un oedd eisiau mynd i Ewrop. Ond fel y digwyddodd pethau, bu ei phrofiad yn ddyrnod o siom iddi. Erbyn hyn dyw hi ddim yn siarad gair o Ffrangeg. Prin bydd hi'n siarad am y dyddiau hynny; mae hi fel petai'n ffugio na ddigwyddodd y flwyddyn honno. Yn y cyfamser roeddwn i'n hapus yn Portsmouth. Ond bellach, yng Nghymru, ar ôl dyheu am fynd i Ewrop, roeddwn i'n dioddef y siom o fethu addasu i'r lle. A fyddai fy mhrofiad yn debyg i brofiad yr ast anfad o gyn-gariad sy'n dwyn eneidiau? A fyddwn i'n encilio yn ôl i'r Unol Daleithiau a gwrthod sôn am Gymru byth eto? A wnes i gamgymeriad wrth ddod i Gymru? A oedd gennyf obaith o atgyweirio pethau?

Yn union ar hanner nos dacth storm genllysg drom i gyhoeddi'r flwyddyn newydd. Rhoes y briodferch ifanc gusan imi ar fy nhalcen. Penderfynais taw hon oedd fy Nos Galan waethaf erioed.

*

Prin y symudais i dros y mis nesaf. Llwyddais i ysgrifennu dau draethawd angenrheidiol ond wnes i ddim byd ychwanegol. Ni ddarllenwn. Nid adolygwn. Ni siaradwn â neb. Treuliwn fy nyddiau yn gorweddian yn y gwely neu ar y soffa, yn llygadrythu ar y nenfwd. Dywedwn wrth y briodferch ifanc fy mod yn sâl o hyd. Cychwynnodd hi ei swydd a threuliwn i'r oriau ar fy mhen fy hun yn ddistaw, ddisymud a diynni. Meddyliwn am fyw, marw a Duw; ni chawn atebion.

Wn i ddim ai 'gwell' oeddwn i pan ddaeth yr amser i ddychwelyd i'r brifysgol ddiwedd mis Ionawr. Wrth edrych yn ôl, credaf i mi ddychwelyd at arfer prifysgol am nad oedd dim byd arall i'w wneud. Es yn ôl yn awtomatig, yn beiriannaidd. Gwnes i hynny oherwydd na wyddwn beth i'w wneud yn wahanol. Tybed a fyddwn i wedi dal ati – a fyddwn i wedi dychwelyd am dymor arall – petawn i'n meddwl yn glir? Er hynny, dychwelais. A bron yn syth daeth yr hen dristwch trosof. Cofiaf gamu ar y trên ar y bore cyntaf hwnnw a gwynto ei arogl llaith, clos, myglyd, Arrivaidd. Rhuglo'r gwresogydd. Anwedd ar y ffenestri. Sŵn pesychu a snwffian teithwyr eraill. Tawel. Tywyll. Unig. Daeth popeth yn ôl mewn fflach: y boen fewnol, teimladau o ddieithrwch, pryder am bethau academaidd, synhwyro bod fy mreuddwydion wedi mynd yn draed moch. Tynnais fy sgarff dros fy wyneb a chrio. Wrth sefyll ar blatfform yng ngorsaf Heol y Frenhines, ar goll yn fy meddyliau ac yn aros i newid trenau, teimlais law ar fy ysgwydd. Tocynnwr oedd e.

'Did you not hear me?' gofynnodd.

'No,' meddwn yn dawel.

'You need to step back on the platform, mate,' meddai. 'Train'll hit you otherwise. Don't want to get yourself killed, do you?'

16

Cadw dy ffydd, Chris

Roedd yn fwy na thristwch, wrth gwrs. Roeddwn yn dioddef anhwylder meddyliol, er na wyddwn hynny ar y pryd. Na, celwydd yw hynny. Gwyddwn. Rhywle yng nghefn fy ymwybyddiaeth gwyddwn fod yna broblem, a gwyddwn hefyd fod arnaf angen help. Ond nid oeddwn eisiau gwybod. Peth cywilyddus yw afiechyd meddyliol, neu dyna a deimlwn ar y pryd. Nid oeddwn eisiau cydnabod bodolaeth y peth. Ond hefyd roedd yn anodd gofyn am help oherwydd nid oedd gennyf afael gref ar realiti, sef yr hyn a ddigwyddai y tu allan i fy mhen. Achosai'r iselder imi fethu deall fy hunan, fy meddyliau na'r byd o'm cwmpas.

Defnyddiaf y term 'iselder' wrth gyfeirio at yr hyn a ddioddefwn (a'r hyn a ddioddefaf o hyd, os ydw i'n onest), oherwydd iselder yw'r rhan ohono nad oeddwn yn ei fwynhau. A bod yn fanwl gywir, person deubegwn, *bipolar*, ydw i, neu berson sy'n dioddef iselder manig (er, dywedir nad yw'r term 'iselder manig' yn *kosher* erbyn hyn [adwaenid y cyflwr hefyd fel 'iselder gorffwyll' amser maith yn ôl]. Mae'n anffodus nad dyna'i enw o hyd oherwydd nid am anhwylder deubegwn yr ysgrifennodd Jimi Hendrix gân). Ond rydw i'n dwlu ar y teimladau gwyllt a hapus. Felly at yr elfen isel y cyfeiriaf pan soniaf am fy afiechyd meddyliol annwyl. Mae'n werth nodi taw tuedd i feddwl yn ddyblygol a thwyllodrus yw canlyniad dioddef anhwylder deubegwn. Felly pan soniaf am fy mhrofiadau dywedaf sawl peth sy'n gwrth-ddweud ei gilydd. A phan soniaf amdanynt, mae'n werth nodi hefyd nad ydw i'n gyffyrddus yn sôn amdanynt. Felly peidiwch â'm defnyddio yn eich thesis Ph.D.

Mae gan bawb yn yr Unol Daleithiau broblemau meddyliol, onid oes? Neu fel hyn y gall ymddangos weithiau. Yn enwedig o'm profiad i; cofiwch taw yn y cyfryngau yr oeddwn yn arfer gweithio. Yn y byd newyddion-teledu ymddangosai weithiau fod pob un person o'm cwmpas ar ryw foddion ar gyfer rhywbeth: iselder, pryder, diffyg hyder, anhwylder diffyg canolbwyntio, anhwylder gorfywiogrwydd, ac yn y blaen. Mae gan bawb bopeth ac mae gan bopeth rywbeth ar ei gyfer – mae yna bilsen i helpu gyda phob emosiwn. Cytunaf y bodola'r afiechydon hyn, ond nid ar raddfa mor enfawr. Nid oes gennyf dystiolaeth o'r hyn a deimlaf, wrth gwrs, ond rwy'n amau taw diogi yw'r rheswm gwirioneddol am nifer o'r anhwylderau hyn. Hynny yw, defnyddia pobl ryw afiechyd meddyliol fel esgus am eu hymddygiad. Darganfyddant fod byw yn anodd ond dydyn nhw ddim eisiau delio â'r peth; dydyn nhw ddim eisiau gweithio mor galed; dydyn nhw ddim eisiau wynebu'r heriau beunyddiol o'u blaen; dydyn nhw ddim eisiau bod yn oedolyn go iawn. Felly darbwyllant eu hunain fod yna rywbeth o'i le, taw ar eneteg a chemegau'r ymennydd y mae'r bai. Fel y credir bod Duw wedi hen benderfynu eich ffawd ar ôl eich marw, credir nawr fod geneteg wedi penderfynu eich ffawd wrth fyw. Ac os dyna fel mae hi, wel dyna ni – does dim pwynt ymdrechu. Ac yna cewch bresgripsiwn am bils lliwgar am weddill eich oes.

Yn erbyn y pils y teimlaf gryfaf. Er fy mod innau'n *nutjob*, teimlaf fod yna orddefnydd o bils. Serch hynny, fel y dywedais ynghynt, nid oes gennyf dystiolaeth i gefnogi'r hyn a deimlaf.

Cecru â'r gwynt ydw i ar y cyfan. Teimlo heb feddwl. Ces i fy magu yn rhannol yn Texas, â'i hen draddodiadau – efallai taw dyna'r rheswm dros fy nheimladau. Yn ogystal â hynny, ces i fy magu yn rhannol gan fy nhad-cu, â'i hen ddull o feddwl. Ac efallai ei fod hefyd yn un o sgil effeithiau'r cyflwr ei hunan. Rhan fawr o iselder yw'r teimladau llethol o gasineb tuag ataf fy hunan. Felly, wrth ystyried a oedd gennyf broblemau mwy difrifol na thipyn o hiraeth a'r anawsterau arferol o gymdeithasu mewn lle newydd, teimlwn ddicter, amarch, a chwerwedd tuag at y bobl hynny sy'n cyffesu bod angen help arnynt. Ac ar yr un pryd teimlwn ddicter, amarch, a chwerwedd tuag ataf fy hun. Dywedwn wrthyf fy hunan y byddwn yn wan petawn i'n cyffesu'r angen am gymorth. Dywedwn wrthyf fy hunan taw derbyn fy nhrechu fyddai gofyn amdano.

Ar ben fy ngelyniaeth afresymol tuag at y cysyniad o afiechydon meddyliol, roedd yna deimlad chwithig. Onid oeddwn yn ymddwyn fel hen fabi mawr wrth boeni cymaint? Onid oeddwn yn ymddwyn fel rhyw laslanc gordeimladwy? Bu'r daith i Gymru'n hir ac yn anodd ond bellach roeddwn yn byw'r freuddwyd. Onid oeddwn? Beth oedd wedi digwydd i'r meddyliau Dyffryn Conwy-aidd? Beth oedd wedi digwydd i'r dyheu di-baid am symud i Gymru? Bellach roeddwn yn gwneud yn union yr hyn roeddwn i wedi bod eisiau ei wneud: roeddwn yn byw ym Mhrydain ac yn mynychu prifysgol ac yn gwneud pethau 'Cymraeg'. Sut gallwn i droi fy nghefn ar hynny a dweud nad oedd arnaf eu heisiau bellach? Wrth gydnabod iselder oni fyddwn yn troi yn erbyn y freuddwyd? Meddyliwn y byddwn, petawn i'n cydnabod iselder, yn cydnabod cael fy nhrechu, a thrwy hynny byddwn yn datgan wrth wn-i-ddim-pwy nad oeddwn yn ddigon da. Byddwn yn cyfaddef i'r byd a'r betws taw camgymeriad fu symud i Gymru.

Nid oeddwn eisiau i'r Profiad Cymraeg fod yn gamgymeriad. Nid oeddwn eisiau iddo fod yn gelwydd yr oeddwn i wedi ei ddweud wrthyf fy hunan. Ar ôl dim ond hanner blwyddyn o fyw yng Nghymru nid oeddwn eisiau cyfaddef fy mod i wedi bod yn anghywir. Teimlwn yn gryf taw fy nghyfle olaf i roi trefn ar fy mywyd oedd Cymru. Roedd amser chwarae wedi dod i ben. Hynny yw, gall dyn wneud pob math o gamgymeriadau yn ei fywyd ond ar ôl cyfnod daw'n bryd iddo ymddwyn fel oedolyn neu fod yn llanast o berson am weddill ei oes. Mae yna wahaniaeth rhwng y dyn 20 oed sydd wedi methu gwneud rhywbeth o'i hunan a'r dyn 30 oed sydd wedi methu. Roeddwn i yn 30 oed. Roeddwn i wedi hen ddefnyddio'r arian, y cyfleoedd a'r cymwynasau sbâr. Felly, yn fy null o feddwl *slippery slope-aidd*, y Profiad Cymraeg oedd Fy Nghyfle Olaf Am Brynedigaeth.

Yn ogystal â theimlo y byddai gofyn am help yn golygu nad oeddwn yn ddyn go iawn, a phryderu a oeddwn wedi cymryd cam gwag anadferadwy wrth symud i Gymru, doeddwn i ddim yn fodlon cydnabod fy iselder gan fy mod yn mynd o'm cof. Cafodd yr iselder effaith creulon ar gyflwr fy meddwl, a gwegiodd fy ngafael ar realiti.

Sŵn gwyn fyddai popeth yn fy mhen weithiau. Ganol gaeaf, safwn yn yr ardd gefn heb grys nac esgidiau yn yfed fy nhe ac ni theimlwn ddim. Roedd unigrwydd ac arwahanrwydd ac iselder a hunanamheuaeth fel cemegau neu gyffuriau dinistriol a heintiai fy mhen. Ar adegau ni theimlwn fel person go iawn. Teimlwn fel petawn yn ysbryd neu hologram. Neu, taw *trompe l'oeil* oedd gweddill y byd. Wedi'r cyfan, roeddwn i yn meddwl, onid oeddwn? A dywedodd yr hen Descartes fod y sawl sy'n meddwl yn berson sy'n bodoli. *I was thinking therefore I was.* Efallai nad oedd gweddill y byd yn real felly.

Ta beth, ni theimlwn gysylltiad rhwng y ddau beth: y fi a'r byd. Meddyliwn yn gyson am hunanladdiad ac aeth yn fwyfwy anodd amgyffred realiti a pharhauster y weithred. Os nad oeddwn i'n real, neu os nad oedd y byd yn real, sut y gallwn ddweud y byddai lladd fy hunan yn weithred real? Neu, y byddai'n cael effaith real?

Credwn ambell waith fy mod yn anweladwy. Nid edrychai neb arnaf ar blatfform trên, ac ni fyddai neb yn siarad â fi yn y brifysgol. Os ydw i'n onest nid oeddwn i'n gwneud llawer o ymdrech i dynnu sgwrs na magu perthynas â neb; teimlwn nad oeddwn yno, neu na allai neb fy ngweld. Er, credaf hefyd fod gwahaniaethau diwylliannol yn haeddu ychydig o'r bai am y teimlad hwn. Cwyna rhai beirniaid fod pobl Prydain yn 'oeraidd'. Honnir, er enghraifft, nad yw Prydeinwyr mor groesawgar â'r Sbaenwyr. A dweud y gwir, dw i ddim yn siŵr fy mod i'n credu hynny. Ond gallaf ddweud bod pobl Prydain ar y cyfan ychydig yn llai 'corfforol' nag Americanwyr. Bydd Americanwyr yn cyffwrdd â chi wrth sgwrsio. Daw llaw ar eich ysgwydd neu eich braich. Daw cofleidiadau yn rhwyddach. Tuedd Prydeiniwr yw eistedd yn weddol lonydd wrth ymddiddan (er bod yna eithriadau); bydd Americanwyr yn ceisio ychydig yn galetach i'ch tynnu i mewn i'r sgwrs. Doeddwn i erioed wedi sylwi ar y pethau hyn o'r blaen ond deuent yn fwy amlwg yn fy unigrwydd ac arwahanrwydd. Doedd neb yn cysylltu â fi mewn ffordd go iawn, synhwyradwy, felly dechreuais deimlo nad oedd yna rywbeth go iawn i gysylltu â fe. Teimlwn fy mod yn diflannu.

Dechreuais gredu hefyd y gallai pobl glywed yr hyn a feddyliwn. Mewn darlithoedd neu mewn caffi, neu ar y trên, byddwn yn llygadrythu ar bobl ac yn pledio â nhw (yn fy mhen) i siarad â fi. Dim ond eisiau rhyw garedigrwydd bach oeddwn i – cyfarchiad neu wên: 'Helô, Chris. Dwt ti ddim ar dy ben dy hun yn y byd 'ma.'

Wrth gwrs, nid oeddwn yn *dweud* dim byd wrthyn nhw, dim ond ei feddwl. Wnawn i ddim oll ond syllu fel gwallgofddyn. Ond gan fod fy llygadrythu mor gryf, sut yn y byd y gallent *beidio* â'i deimlo? Sut y gallent beidio â chlywed fy meddyliau? Teimlwn eu bod yn fy anwybyddu; roeddent – yn fwriadol – yn gwrthod siarad â fi. *I was coming undone.* A doedd neb yn sylwi.

Chwaraea iselder hefyd gyda'ch synnwyr amser: does dim yfory na ddoe. Neu, os ydych yn ymwybodol o'r pethau hyn, maent yn union fel y diwrnod presennol. Felly, wrth deimlo'n drist, anodd yw gweld y pwynt o ofyn am help oherwydd credwch taw fel hyn y teimlwch am byth. Ac os na ddaw newid beth yw'r pwynt o geisio gwella'ch sefyllfa? Hynny yw, os gwnaf yr un pethau ddydd ar ôl dydd ar ôl dydd ar ôl dydd, yr unig beth 'gwahanol', a'r unig beth 'go iawn' sydd gennyf yw'r teimladau hynny o iselder. Petawn i'n cael gwared ohonynt, beth fyddai ar ôl? Wrth ddioddef iselder mae yna deimlad taw gan yr iselder y cewch eich diffinio. Eich personoliaeth yw'r teimladau hyn; cysylltwch â'r byd trwyddynt. Petaech chi'n llyncu pils er mwyn lladd y boen tu mewn beth fyddech chi'n ei deimlo? *Sut* fyddech yn teimlo? Sut gallech wrando ar gerddoriaeth? Sut allech ddarllen llyfr? Gallech wneud y pethau hyn yn yr ystyr technegol, siŵr, ond sut fyddech chi'n eu *teimlo* nhw? Yn sgil hynny, roeddwn yn gyndyn i ofyn am help oherwydd nad oeddwn eisiau colli fy hunan – beth bynnag o'm hunan a oedd yn bod.

Ond, fel y dywedais, doedd yr iselder ddim yn gyson. Nid oeddwn yn anhapus bob un munud o bob un diwrnod. Siglai fy hwyliau yn wyllt. Deuai 'pwyll' a hapusrwydd, gorfoledd hyd yn oed, yn sydyn. Ar dro siawns byddai'r hapusrwydd mor eithafol fel na allwn eistedd. Heb reswm, heb rybudd, byddwn yn afresymol o hapus. Pan ddigwyddai hyn, anghofiwn am y dyddiau annedwydd cynt. Fel yr oeddwn yn methu gweld cyfanlun amser wrth ddioddef iselder, ni allwn ei weld chwaith pan deimlwn yn hapus. Meddyliwn: 'Rydw i'n hapus nawr, felly byddaf yn hapus am byth.'

Ar yr adegau llawen hyn dywedwn wrthyf fy hunan nad oedd yna broblem. Neu, os oedd yna broblem, roedd y peth wedi hen fynd. Ceisiwn ddarbwyllo fy hunan fy mod yn iawn. Sut gall person doniol ddioddef o iselder? âi'r ddadl fewnol. Pan fyddwn yn ysgrifennu cofnod blog difyrrus, neu'n recordio fideo ysgafn, datganwn wrthyf fy hunan fod y pethau hyn yn dystiolaeth anwadadwy o'm hapusrwydd. A gwnawn ymdrech ddwys i gyflwyno'r dystiolaeth mae-popeth-yn-iawn hon i'r briodferch ifanc. Gwnawn fy ngorau i ymddwyn yn siriol yn ei phresenoldeb. Hi oedd yr unig berson a oedd yn rhyngweithio â fi yn feunyddiol, felly hi oedd yr unig berson yr oedd rhaid imi ei dwyllo. Oherwydd y normalrwydd a ffugiwn, a'r baich gwaith newydd arni hi, roedd digon i'w hatal rhag pryderu gormod bod rhywbeth enfawr o'i le.

Roeddwn yn ddigon bodlon i gadw pethau yn y cyflwr hwn am byth. Teimlwn yn chwithig am bopeth. Teimlaf yn chwithig am y cyfnod hwnnw hyd y dydd hwn – yn enwedig am fy ymgais at hunanladdiad. Mae dioddef iselder yn beth *cliché* i'w wneud onid yw? A cheisio lladd fy hunan? Uffach, byddai'n chwerthinllyd oni bai am y ffaith ei fod yn wir. Mae fel petawn yn dilyn rhyw sgript hac, ystrydebol am enaid dolurus. Fel petai *EastEnders* yn ceisio trin pwnc anhwylder deubegwn. Ba! Mae atgofion o'r cyfnod hwnnw'n codi cymaint o gywilydd arnaf. A hyd heddiw mae'n beth anodd imi sôn amdano. Ac eithrio pedwar person – y briodferch ifanc, fy hen gyfaill Jeni, fy meddyg, a'm cynghorwr – siaredais i ddim am y peth â neb hyd nawr. Y llyfr hwn yw'r tro cyntaf i mi sôn amdano. Ni ŵyr fy rhieni hyd yn oed. Dw i ddim am ddweud wrthyn nhw, chwaith. A dweud y gwir, daw hyder i fod yn onest yn y llyfr hwn am yr hyn a ddigwyddodd yn rhannol o wybod nad yw fy rhieni'n deall y Gymraeg. Gwn na fyddan nhw'n darllen hwn.

Mae'n anodd hyd yn oed heddiw gyfaddef bod problem wedi bod. Ac roedd yn llawer anoddach yn y gaeaf poenus hwnnw. Rhywle, yn ddwfn, gwyddwn fy mod yn dioddef. Gwyddwn fod pethau'n mynd o ddrwg i waeth. Nid oeddwn eisiau cyfaddef yr hyn a oedd yn digwydd ond gwyddwn fod angen anochel imi wneud rhywbeth; roedd angen difrifol am newid.

Fe ddaeth y newid hwnnw diolch yn rhannol i Drenau Arriva Cymru.

17

Gwerth y byd i gyd yn grwn

Sefwn yng nghanol torf awr frys a oedd yn arllwys o blatfform Cathays. Ionawr y 29ain oedd hi, ac roedd y tywydd fel y byddech yn disgwyl iddo fod. Tra gwaedai'r lliw llwyd distadl hwnnw a elwir yn 'olau dydd' yn y gaeaf, hongiai niwl oer, tristlyd yn yr awyr. Fel blanced wlyb ar fin syrthio i lawr arnom. Symudai'r dorf yn ddiamynedd wrth edrych draw ar hyd y cledrau am y 17.13 i Dreherbert. Heb os, byddai'r hen drên mwll yn llawn pobl erbyn cyrraedd Cathays, a byddai angen inni fathru ynghyd i'w fyrddio. Fel arfer. Gêm feunyddiol yw ceisio llenwi'r cerbydau trên â rhagor o gyrff na ddylai fod mewn lle mor gaeedig. Rhoddir i Gymru gan ei gwasanaeth trenau deimlad ei bod yn wlad yn Nwyrain Ewrop, fel petai'n un o hen daleithiau'r Undeb Sofietaidd. Drewllyd a chlos yw'r trenau 80aidd budr, a does yna ddim digon ohonynt. Ond efallai fy mod yn edrych ar y peth y ffordd anghywir. Cwynaf nad yw Prydeinwyr yn 'gorfforol' wrth ddelio â'i gilydd ond os oes eisiau cofleidiad arnoch, dim ond teithio ar drên Arriva yn ystod yr awr frys sydd angen. Nid oes gan y teithwyr druain ddewis ond anwesu ei gilydd. O leiaf mae gan lawer o fenywod Cymru fronnau mawr.

Ar y platfform, pwysais ar ganllaw wrth ymlacio yng nghysur fy nghôt aeaf. Un fawr, ddu, gynnes o wlân. Edrychwn ar yr awyr yn nosi'n bruddglwyfus, ac anadlwn mewn anadliadau hir, trwm, dwfn, ingol. Hongiai'r tristwch arnaf. Meddyliwn am fy nghôt. Mae yna duedd imi feddwl am bethau fel hyn pan orchuddir fi gan dristwch. Efallai ei fod yn fodd isymwybodol o achub fy hunan rhag niwed trwy wrthdynnu fy sylw. Mewn ymdrech i'm cadw rhag ystyried pethau tywyll penderfyna fy ymennydd ganolbwyntio ar rywbeth cwbl ddibwys. Felly: 'O, dwi'n hoffi'r sgarff 'ma. Sgarff, sgarff, sgarff! Rwyt ti mor bert, sgarff! Ac onid yw fy nghôt yn hyfryd?'

Ydy, mae hi'n hyfryd. Dyw'r briodferch ifanc ddim yn ffan fawr o'r wisg dywydd-oer, ond rydw i'n dwlu arni (y gôt rydw i'n golygu, er mod i'n dwlu ar y briodferch ifanc hefyd). *Pea coat* yw hi (y gôt, nid fy ngwraig), sef siaced morwr – y math o gôt a ddefnyddir yn ffurfiol gan Lynges yr Unol Daleithiau. Siaced morwr *go iawn* yw hon hefyd, nid y math o gôt ffasiynol ddiwerth a brynir yn Next neu beth bynnag. Prynwyd hi mewn siop filwrol yn St Paul gan fy rhieni ar gyfer fy mhen-blwydd yn 30. Gan mai siaced morwr go iawn yw hi, dyw ei thoriad ddim mor steilus â'r cotiau hynny a welir ar y stryd fawr. Ond diawl, mae'n uffernol o gysurus. Y gôt orau imi berchen erioed, efallai.

Felly roeddwn – ar goll yn fy meddyliau – pan welais ferch ddel yng nghornel fy llygad wrthi'n cerdded lan y dramwyfa tuag at y platfform. Merch o'm cwrs oedd hi; roeddwn yn ei nabod o'n seminar llenyddiaeth. Codais ael ati a mwmiais gyfarchiad di-air. Gwenodd hi yn ôl yn gyfeillgar. Cyrhaeddodd y trên ac yn sydyn roeddwn yn sefyll nesaf at fy nghyd-fyfyriwr fel petaem yn gariadon. Ac wedyn digwyddodd rhywbeth hollol allan-o'r-drefn:

Siaradodd hi â fi.

Wô. Doeddwn i ddim yn disgwyl hynny. O siŵr, roeddem ni'n cwtsio lan at ein gilydd, ond dyna beth sy'n digwydd ar drên Arriva. Dydym ni sydd wedi hen arfer â threfn trenau de Cymru ddim yn *siarad* â neb wrth deithio, dim ond yn anwesu'n gilydd yn dawel. *I've had many a wordless intimate moment with strangers on the Merthyr Line; there's no need for pillow talk.* Ond dyma'r ferch hon yn cyflwyno ei hunan – Fflur yw ei henw – a tharo sgwrs â fi fel . . . fel . . . fel pe na bawn i'n anweledig. Ac am y saith munud nesaf – o Gathays i Radyr – siaradom ni â'n gilydd, ac roeddwn yn cymdeithasu am y tro cyntaf ers misoedd. Ni chofiaf hyd heddiw beth soniom ni amdano. Pethau pitw mwy na thebyg, yn ôl y disgwyl ar drên, megis y tywydd, ein cwrs ac yn y blaen. Does dim ots. Y pwynt yw: yr oeddwn i yn cael sgwrs â pherson arall.

Teimlai'r peth yn swrrealaidd, fel petai'n dwyll meddyliol arall. Yn lle meddwl fy mod yn anweledig, neu y gallai pobl glywed fy meddyliau, roeddwn i'n dychmygu bod merched yn siarad â fi. Roedd yna elfen o amheuaeth wrth siarad â Fflur. Mewn ffordd, ni chredwn y peth. Dyfalais fod Fflur wedi meddwl ei bod yn sgwrsio â rhywun arall. Efallai ei bod hi wedi fy nghamgymryd am berson yr oedd hi'n ei nabod o rywle gwahanol, ac erbyn sylweddoli ei chamgymeriad, ei bod hi'n rhy hwyr. Dychmygais fod Fflur yn gobeithio, gyda phob gorsaf, y byddwn i'n gadael y trên.

Ond yn ychwanegol at hyn, teimlais yn llawn cyffro. Roeddwn mor hapus i fod yn siarad â rhywun fel na wyddwn yn iawn sut i ddelio â'r peth. Teimlwn fel petai adrenalin pur wedi cael ei dywallt ar fy ymennydd. A ches i bwl o banig wrth geisio meddwl am rywbeth i'w ddweud. Felly dywedais beth bynnag a ddeuai i'm pen. Siaradais yn ddwl a di-baid; siaradais er mwyn siarad, er mwyn llenwi'r awyr â sŵn ein lleisiau, er mwyn gallu dweud wrthyf fy hunan fy mod yn sgwrsio. Roeddwn i eisiau i bobl eraill ein clywed. Roeddwn yn meddwl: 'Chi'n gweld hyn, y byd? A ydych chi'n fy ngweld i? A ydych chi'n gweld fy mod i'n cael sgwrs â rhywun? A ydych chi'n gweld fy mod innau'n berson normal?'

Yn anffodus (neu, yn ffodus, yn achos Fflur), daeth y sgwrsio i ben yn weddol gyflym. Wrth nesu at ben draw fy nhaith, meddyliais am aros ar y trên hyd at orsaf Fflur, ble bynnag y byddai honno, er mwyn dal ati i sgwrsio. Ond penderfynais taw'r ffordd orau i andwyo unrhyw siawns o sgwrs arall fyddai gwneud hynny. *Demonstrating stalker-like traits is not the best way to win friends and influence people.*

'Wel, dyma fy stop i,' meddwn yn faldorddus. 'Diolch yn fawr. Pleser. Gwir. Dyma'r tro cyntaf i rywun siarad â fi ers . . . dwi ddim yn gwybod. Diolch. Dwi'n gwerthfawrogi. Pleser cwrdd â chi. Diolch am siarad â fi. Diolch yn fawr iawn.'

Roedd fy sgiliau cymdeithasu'n wirion o rydlyd, heb os. Roeddwn i wedi mynd am bron dri mis heb sgwrsio â neb yn y Gymraeg. Neb, o leiaf, nad oedd y tu ôl i gamera. Cawn gyfweliad neu ddau ar gyfer y rhaglen ddogfen yn ystod y cyfnod hwnnw ond mae yna wahaniaeth rhwng areithio o flaen lens a sgwrsio – sef siarad wyneb yn wyneb – â pherson. Yn amlwg, roeddwn wedi anghofio'r grefft o sgwrsio; roeddwn yn swnio fel hurtyn. Mae'n *Catch*-22-aidd, ond gellir sbwylio cymdeithasu weithiau gan frwdfrydedd i gymdeithasu. Pa berson sydd eisiau sgwrsio â lembo gorawyddus am sgwrs? A oeddwn i wedi dangos fy hunan i fod yn rhy chwannog? Trwy wneud hynny, efallai fy mod i wedi cadarnhau unrhyw resymau am beidio siarad â fi.

Er hynny, roeddwn uwchben fy nigon. Teimlwn fel plentyn ar fore Nadolig, fel glaslanc ar ôl gweld bronnau noeth am y tro cyntaf. Teimlwn fel nad oeddwn i erioed wedi siarad â neb o'r blaen. Pan gyrhaeddais adref, ysgrifennais ar fy mlog Cymraeg: '*Siaradodd* rhywun â fi! Siaradodd rhywun â fi! Siaradodd rhywun â *fi*!'

Hoffwn ddweud taw dyna ddiwedd y stori; trwsiwyd popeth. Dîng – *the end.* Mewn ffilm byddai'r sgwrs saith-munud honno'n ddigon. O hynny ymlaen byddai pethau'n wych. Yn sydyn byddwn i'n dod allan o'm tristwch ac yn parhau i fod yn hapus am byth bythoedd. Byddai cwrdd â Fflur yn achosi math o dröedigaeth grefyddol. Er, tröedigaeth genedlaethol fyddai hi; Cymro ailanedig fyddwn i. Yn y ffilm honno, byddai yna *montage* gyda cherddoriaeth roc/ysbrydoledig i gynrychioli gweddill fy mlynyddoedd prifysgol: fi'n mwynhau adolygu a chodi fy llaw i gyfrannu mewn seminarau a chwerthin gyda chyfeillion newydd mewn tafarn. Byddai'r *montage* yn dod i ben gyda golygfa ohonof yn cerdded (yn araf, wrth gwrs) ochr yn ochr â'm cyd-fyfyrwyr ar draws lawnt Prifysgol Caerdydd, gyda fflach yn fy llygaid a ddywedai: 'Dw i'n dy garu di, Gymru! Mae popeth yn wych!'

Byddai'n *fuzzy bunnies and rainbows* i gyd.

Ond, wrth gwrs, ni ddigwyddodd hynny. Er ei fod yn teimlo fel petai yna arddangosiad tân gwyllt yn fy mhen yn syth ar ôl brasgamu o'r trên, ymhen 24 awr dechreuodd yr hen iselder ddiferu yn ôl. Serch hynny, bu'r profiad o'r hapusrwydd eithafol hwnnw'n ddigon i'm gorfodi i sylweddoli nad oeddwn eisiau teimlo mor alarus. Doeddwn i ddim eisiau cerdded trwy bob un diwrnod o dan faich tristwch. Doeddwn i ddim eisiau dioddef rhagor. Ysgydwyd fi i dderbyn bod yna angen diymwad am help. Bellach, gwyddwn fod rhaid imi gicio allan o gyflwr a oedd yn fy nhagu. A'r cam cyntaf, penderfynais, fyddai sôn wrth Rachel am yr hyn a ddigwyddodd ym mis Tachwedd.

Afraid dweud, doedd y briodferch ifanc ddim yn hapus pan ddywedais wrthi am y peth.

*

Wrth feddwl yn ôl, anodd yw edrych ar y profiad ar y trên heb o leiaf damaid o sinigiaeth am yr hyn a daniodd y newid ynof. Hynny yw: pam Fflur? Beth sydd mor arbennig amdani? Siaradodd â fi, do. Ond onid oedd Llŷr wedi ceisio siarad â fi sawl gwaith yn ystod tymor yr hydref? Her i'r cof yw iselder, felly mae'n hollol ddichonadwy bod yna bobl eraill wedi ceisio taro sgwrs â fi hefyd: pobl nad ydw i'n eu cofio oherwydd fy mod yng nghocŵn fy nhrallod. Efallai fy mod i wedi anwybyddu pobl heb sylweddoli hynny. Felly pam Fflur? Beth sydd amdani hi a dorrodd drwy fur fy hunan-gwynfan?

Amseru da? Efallai. Ond roedd yn fwy na hynny, tybiaf. A dyma ble y daw'r sinigiaeth. Rhaid cyfaddef taw merch hynod o bert yw Fflur, a byddwn wedi sylwi ar hynny hyd yn oed yn yr hwyliau gwaethaf. Dyna frawddeg a allai achosi tipyn o drafferth petai'n cael ei darllen gan fy ngwraig, onid e? Ond, a dweud y gwir, mae'n rhywbeth y bydd y briodferch ifanc yn tynnu coes amdano yn aml.

'You are such a sucker for womanly charm,' meddai hi.

Ac mae hi'n iawn. Mi ydw i.

Felly dyma ni. Mae'n syml ac yn hurt ac yn ansoffistigedig ac yn gwneud i mi swnio fel merchetwr, ond llabwst ydw i. Dw i ddim eisiau bychanu gwerth Fflur fel person o gwbl, nac fel cyfaill i mi, ond anodd yw credu y byddai hi wedi cael cymaint o effaith arnaf oni bai am y ffaith ei bod hi'n hawdd ar y llygaid. Mae'n beth chwithig i'w gyfaddef, ond wedi dweud hynny, efallai nad oes ots *sut* ges i fy neffro i'r realiti o fod angen help. Y pwynt yw: ces i fy neffro. Ac fe ddeuai newid oddi wrth hynny. Siarada Duw â ni yn ein hiaith ein hunain, meddan nhw. Ymddengys taw'r ffordd fwyaf effeithiol i roi cnoc ar fy mhen a mynegi angen am newid yw trwy gyfrwng merch dlos.

Fel mae'n digwydd, ni wnes i ormod o ffŵl o'm hunan ar y trên hwnnw. Neu mae Fflur yn ddigon od fel na phoenwyd hi gan fy ymddygiad. Ta beth, daeth hi i fod yn gyfaill eithaf da. Ac o gael fy nerbyn ganddi, yn araf ces i fy nerbyn yn gymdeithasol gan bobl eraill ar fy nghwrs hefyd. Yna penderfynodd rhai eraill roi cynnig arall arni. Ymhen wythnos byddai Llŷr yn rhoi tap i mi ar fy ysgwydd, yn defnyddio'r symbol rhyngwladol i gynrychioli yfed, a dyna'r ddau ohonom yn penderfynu mynd am beint.

*

Yn hwyrach, pan aeth Llŷr a dau o'i gyd-letywyr a finnau i'r Pen & Wig am y peint (neu ddau) hwnnw, roedd y lle mor llawn fel y bu rhaid inni fynd y tu allan i fuarth y dafarn gyda'n diodydd. Wrth eistedd yno yn nyfnder mis Chwefror, crynai cyd-letywyr Llŷr yn oerfel y nos. Roedd gan Llŷr fath o siaced forwr ffasiynol a edrychai'n dda ond roedd yntau'n fferru ynddi. Tra oeddwn i'n glyd ac yn gynnes yn fy nghôt fawr wlân, ddu.

Uffach, dyna gôt dda.

18

The soul-kill pills

'And how many times a day are you having suicidal thoughts?' gofynnodd y gynghorwraig.

Edrychais ar fy nhraed. Crynais. Ymladdais yn erbyn yr awydd i lefain. Roedd hefyd eisiau piso arnaf. Rydw i'n yfed dŵr pan fydda i'n nerfus neu'n anghyfforddus, felly es i drwy litr o H_2O cyn mynd i'r sesiwn. Bellach roeddwn eisiau mynd i'r tŷ bach yn ofnadwy. Mae'n rhywbeth sy'n digwydd ym mhob sefyllfa debyg; cysylltir bron pob atgof ingol yn fy mywyd â'r teimlad meddal-bigog hwnnw islaw fy mol.

'I don't know. Who counts?' meddwn yn dawel, fy wyneb yn boeth gan gywilydd ac eisiau rhedeg i ffwrdd. 'Just . . . all the time, I guess.'

'OK, but on average, how many times in a day would you say that you think about, you know, harming yourself or . . .' meddai.

Pwy sy'n cadw cyfrif o'r fath beth? Emosiwn yw e – nid oes yna ddau ben iddo. Ond dyna fi'n mynd ati i geisio cyfrif yr adegau i gyd a cheisio penderfynu beth sy'n nodwedd o feddwl unigol, a beth sy'n rhan o drywydd meddwl sy'n parhau am amser hir. Wel, hmm, meddyliais, daw'r meddyliau cyn gynted ag i mi ddeffro, ac eto wrth wneud brecwast, wrth fwyta brecwast, wrth gael cawod, wrth wisgo, wrth aros am y trên, wrth deithio ar y trên, ac . . . Efallai bod yna ryw *magic number*, meddyliais; efallai bod ganddi fath o 'Dr Freud's Official Crazy

Person Rankings Chart' ar ei chlipfwrdd a'i bod hi'n ceisio penderfynu a ddylwn i gael fy nhaflu allan o'r brifysgol er mwyn iechyd a diogelwch pobl eraill. Dylwn ddyfalu'n isel, meddyliais, ac wedyn byddai hi'n dweud nad oes yna broblem a gallwn roi'r gorau i'r stwff cynghori 'ma – nid oeddwn eisiau bod yno, nid oeddwn eisiau neb i feddwl bod yna rywbeth o'i le arnaf.

'I don't know, maybe nine to 15 times a day,' meddwn.

Dywedodd yr olwg ar ei hwyneb nad oedd hwn yn rhif isel. Mynnodd drefnu i'm gweld y diwrnod nesaf. Wedyn, anogwyd fi ganddi i arwyddo addewid yn cyhoeddi na fyddwn yn hunan-niweidio yn y cyfamser. Ac unwaith eto, dyw'r stwff yma ddim yn ddoniol ond, mewn ffordd ryfedd, dywyll, anghywir, mae e. Mae'n ddoniol i feddwl y byddai math o gontract yn ddigon i gadw person rhag ceisio lladd ei hun: 'Golly, I may be willing to end it all, but I am not some kind of crazy person who's going to commit breach of contract!'

Ond efallai ei *fod* yn ddigon. Onid ydw i yma?

*

Roedd y briodferch ifanc wedi mynnu fy mod yn gweld rhywun ar ôl i mi gyfaddef popeth wrthi. Cytunais yn anfodlon i fynd. Ond ni wyddwn pa fath o rywun i'w weld. Pwy? Ble? Sut? Un peth yw cyffesu angen am help, peth arall yw gwybod beth i'w wneud amdano. Mae yna sawl adnodd i helpu pobl mewn argyfwng seicolegol – ar gerdyn-adnabod Undeb Myfyrwyr Prifysgol Caerdydd mae yna rif ffôn ar gyfer pobl sydd angen cymorth dybryd – ond beth am y bobl eraill? Sut i gael help os nad oes angen deialu 999? Ond ar ôl ychydig o ymchwil ar-lein, bant â fi i *Student Support Centre* ar y campws. Lan y grisiau i dderbynfa a atgoffai fi o ddeintyddfa. Mae yna addasrwydd ac eironi i'r ffaith taw mewn adeilad mor ddigalon y gosododd y brifysgol ei gwasanaethau cynghori. Dywedais wrth y dderbynyddes fy mod eisiau siarad â rhywun, ac ar ôl pum munud o eistedd ar hen fainc yr oedd angen ei hailglustogi, yn gwrando ar Red Dragon FM ac yn bodio trwy sawl hen, hen gylchgrawn i ferched ('OMG! Brad and Jennifer broke up!'), daeth y gynghorwraig i'm harwain i ystafell fach ddienaid. Hon fyddai'r ystafell y deuwn iddi, bob wythnos am sawl mis, i eistedd mewn cadair blastig anghyfforddus a gwrando ar y trenau'n mynd heibio wrth siarad am ddim.

Teimlwn fy mod yn gwastraffu amser ac arian trwy fod yn y swyddfa honno. Dywedwn yn aml wrth y gynghorwraig fy mod yn siŵr bod yna berson arall yn rhywle gyda phroblemau go iawn y gallai hi fod yn siarad ag e yn hytrach na fi. Er, o ystyried fy mod i'n talu tua £9,000 y flwyddyn ar gyfer mynychu Prifysgol Caerdydd, doedd dim ots a oeddwn yn gwastraffu amser neu beidio. Wrth edrych yn ôl, dylwn i fod yno yn hawlio sgwrs wythnosol, iselder neu beidio (*Hiya, nothing's wrong but I'm paying up the wazoo to attend this university so I thought I'd pop round for a cup of tea*). Ta beth, sicrhawyd fi gan y gynghorwraig nad oeddwn yn gwastraffu amser neb. Roedd hynny'n gysur.

Cysylltodd gwasanaeth cynghori'r brifysgol â'm meddyg. Rhagnodwyd pils ganddo fe. Afraid dweud nad oeddwn yn hapus. Doeddwn i ddim eisiau bod yn un ohonyn *nhw*: y bobl sy'n llyncu moddion ar gyfer pob un cwyn. Doeddwn i ddim eisiau colli gafael ar yr hyn oeddwn i, yr hyn ydw i. Doeddwn i ddim eisiau peidio â bod yn fi – beth bynnag ydw i – er mwyn cael gwared â'r boen fewnol. Honnwn wrthyf fy hunan felly y gallwn ddelio â phethau ar fy mhen fy hun. Ac efallai y byddwn wedi ceisio gwneud hynny oni bai am feddyg da.

Chwaraewr rygbi yw fy meddyg teulu – peth pwysig wrth ddelio â rhywun fel fi a bryderai ei fod yn wan trwy gydnabod angen am gymorth seicolegol. Mae'n beth hurt i'w gyfaddef ond teimlwn fel petawn yn llai o ddyn rywsut am fethu cadw popeth y tu mewn a pheidio â dweud amdano wrth neb. Ac wrth gerdded tuag at y feddygfa, dychmygwn weld y meddyg yn rholio ei lygaid wrth wrando ar fy nghwyn. Ond, yn lle hynny, dyma'r dyn mawr, y chwaraewr rygbi, yn delio â'r peth o ddifrif. Ac yn sgil hynny gallwn innau ddelio â fe o ddifrif. Dywedodd y meddyg taw cyflyrau meddygol yw rhai cyflyrau meddyliol, ac felly bod rhaid eu trin fel y cyfryw.

'Look,' meddai. 'You have a family history of diabetes – your brother has diabetes, yes?'

'Yeah.'

'And he takes insulin, does he?'

'Yeah.'

'So, is he less of a man for doing so? Insulin is a medication, isn't it? Is your brother somehow weak for treating his condition properly? Of course not.'

Y dyn caletaf rydw i'n ei nabod yw fy mrawd iau. Mae'n arwr i fi, a thrwy ei gymharu â fi, llwyddodd y meddyg i'm darbwyllo. Yn enwedig pan ddywedodd na fyddai angen imi barhau ar y pils am hir.

'We'll give it two months and see how it goes from there,' meddai.

Teimlais beth rhyfedd wrth adael y feddygfa'r diwrnod hwnnw: teimlad o obaith. Cychwyn y broses oedd hyn ond gwyddwn rywsut y byddai pethau'n gwella. Ac ar draul swnio'n bregethwrol, anodd yw dychmygu sut y byddai hyn i gyd wedi digwydd yn ôl yn yr Unol Daleithiau annwyl. Heb os nac oni bai byddai pils lliwgar drud wedi cael eu rhagnodi, ond sut y byddwn i, myfyriwr a oedd yn byw mewn dyled, wedi fforddio mynd i weld y meddyg yn y lle cyntaf? Sut y byddwn i wedi fforddio talu am y pils? Yma yng Nghymru, gyda'i gwasanaeth iechyd a'r presgripsiwn am ddim, pan es i o'r diwedd am help, ces i help. Yn yr Unol Daleithiau, pwy a ŵyr beth fuasai wedi digwydd.

*

Byddai The Soul-Kill Pills yn enw gwych ar grŵp roc, rydw i'n meddwl. Petai yna grŵp o'r enw hwnnw byddai'n rhaid iddynt dalu breindal imi. Oherwydd dyna fy llysenw ar y moddion a ragnodwyd imi gan y meddyg. Anodd yw dweud a oedd y pils yn llwyddiannus ai peidio. Efallai. Wn i ddim. Erbyn hyn, credaf eu bod yn fodd 'ffon fawr' o ddelio â phroblem fy iselder. Hynny yw, roeddent fel cael fy nharo yn fy mhen gan bastwn cawraidd. Diddymodd y pils yr awydd am hunanladdiad, ond gwnaed hyn trwy ddiddymu popeth arall hefyd.

Sgil effaith amlycaf y pils oedd angen cyson i gysgu. Trwy gytuno i gymryd y moddion roedd arnaf eisiau dod o hyd i'r hen fi arferol (beth bynnag yw hwnnw). Ond ni ddigwyddodd hynny erioed o dan ddylanwad y pils marŵn bach hirgrwn – yn rhannol oherwydd prin y byddwn yn ddigon effro i ymddwyn fel yr hen fi arferol. Heb orliwio, cysgwn tua 15 awr y noson pan ddechreuais ar y moddion. Ac roedd y cwsg hwnnw'n drwm ac yn ddifreuddwyd; tebyg i fynd ar hediad traws-Iwerydd a cholli ymwybyddiaeth diolch i'r chwe jin a thonig a gawsoch yn y maes awyr. Ac yn araf, uwchben Grønland, mewn fflachiadau, deffrowch gyda theimlad nad oes dim yn iawn, yn ymwybodol o'r ffaith eich bod chi filoedd o droedfeddi yn yr awyr a miloedd o filltiroedd o ble bynnag yr aethoch i gysgu. Gyda'r pils yn chwyrlïo yn fy mhen teimlwn nad oedd darnau o fy nghorff yn gysylltiedig â'r darnau eraill, fel petawn yn arnofio ym Môr Wn-i-Ddim. Fel mae'n digwydd, unwaith, ces i brofiad allan-o-gorff o dan ddylanwad y pils hynny. Codais un bore yn teimlo fy mod i wedi bod i Minnesota. Nid breuddwyd oedd hon. Ni ddychmygais fy hunan yn y lle, yn teithio trwy wifrau neu beth bynnag; cafodd fy ysbryd/enaid ei gludo o Gymru i'r 'North Star State' ac roeddwn i'n 'bresennol' mewn barbiciw gydag Eric a sawl hen gyfaill eraill.

So let's recap, shall we? Cyn y pils, meddyliwn y gallai pobl glywed yr hyn a ddigwyddai yn fy mhen. Ar ôl dechrau ar y pils, meddyliwn y gallwn deithio dros y môr gyda fy meddwl. Ai gwelliant oedd hyn?

Er gwaethaf cyfleoedd am brofiadau hipïaidd, roedd y pils yn ast o her mewn termau academaidd. Teimlwn mor swrth weithiau fel na allwn godi o'm gwely. Byddai angen i'r briodferch ifanc fy nhynnu allan o'r gwely cyn gadael am y gwaith. Wedyn, cyn gynted ag y cyrhaeddai ei swyddfa, ffoniai fi i sicrhau fy mod i'n effro. Ond hyd yn oed os llwyddwn i fod ar fy nhraed, ni fyddai'n warantiad o lwyddo i fynychu darlithoedd. O leiaf ddwywaith cysgais i mor drwm ar y trên nes i mi golli fy arhosfan. Mewn darlithoedd, eisteddwn yn geg-agored gyda'm hamrannau'n mynnu cau. Prin y gallwn aros yn ymwybodol. Ceisiwn yr hen ddyfais honno o bwyso ewin yn erbyn fy nhrwyn ond byddai'n ofer, gan mor anorchfygol oedd yr awydd am gwsg.

Yn sgil crwydro o gwmpas mewn breuddwyd, cymysglyd oedd y byd o'm cwmpas. Teimlwn ddatgysylltiad oddi wrth fy ymennydd, fel petai popeth ar *satellite delay*. A ydych chi erioed wedi gweld adroddiad newyddion pan siaradant â rhywun sydd ym mhen arall y byd? Yn aml bydd saib hir rhwng yr hyn a ddywedir a'r hyn a glywir oherwydd bod rhaid i'r geiriau deithio i'r gofod ac yn ôl i'r Ddaear a thrwy bob math o didbits electronig. O ganlyniad, bydd yna ddawns-sgwrsio anghyfforddus rhwng y ddau berson o gamu ar fysedd traed ei gilydd wrth geisio siarad:

'Senator Hopkins, how do you respond to these allegations? . . . Senator?'

'. . . Well, first I'd like to . . . yes? Yes, I'm here. Can you hear me?'

'Yes, Senator, we can hear you, go ahead. How do you . . .'

'Oh, okay. Well, as I was saying, first . . . What? I'm sorry?'

Ac yn y blaen ac yn y blaen nes eich bod chi'n barod i daflu esgid trwy sgrin y teledu. Fel hyn oedd pethau yn fy mhen am ddau fis.

Mae gennyf ddamcaniaeth taw sgil effaith fwriadol y pils oedd yr anhrefn meddyliol hwn: ni allwn feddwl yn ddigon clir i gynllunio hunanladdiad. Nid fy ngwella a wnâi'r pils ond ei gwneud hi'n amhosibl i mi glymu cwlwm.

Sgil effaith arall – ai sgil effaith y pils, ai'r diffyg cwsg, ai'r anhrefn, ynteu'r tri gyda'i gilydd, wn i ddim – oedd problemau â'r cof. Prin y gallwn gofio'r hyn a drafodwyd mewn darlithoedd a seminarau; yn aml ni allwn gofio eu mynychu nhw o gwbl. Achoswyd trallod gan y gwacter hwn yn fy nghof. Ni allwn gofio'r hyn a ddigwyddodd ddiwrnod ynghynt. Ambell waith ni allwn gofio'r hyn a ddigwyddodd yn gynharach y diwrnod hwnnw. Es i ati i ysgrifennu nodiadau bach er mwyn helpu cofio gwneud pethau syml megis cymryd fy moddion neu wisgo crys. Pan fyddai fy mhocedi'n llawn darnau papur, ysgrifennwn ar fy nwylo. Neu, yn symlach, ysgrifennwn frawddeg ysbrydoledig ar fy elin i'm hatgoffa fy hunan i geisio gwthio ymlaen er gwaethaf y problemau meddyliol.

MILES TO GO BEFORE I SLEEP, ysgrifennwn yn addas.

Daw'r frawddeg o gerdd Robert Frost, 'Stopping by Woods on a Snowy Evening', sy'n ffefryn gan y briodferch ifanc a minnau. Am sbel, roeddwn am gael tatŵ o'r geiriau hyn ar hyd fy elin ond ces i fy narbwyllo i beidio gan Rachel.

Ni fuasai tatŵ'n help i'm hatgoffa o gynnwys darlithoedd beth bynnag. Unwaith, mynychais fy nosbarth Sbaeneg ac aeth y darlithydd ati i sôn am arholiad gramadeg o'r wythnos cynt. Ces i bŵl o banig: Arholiad gramadeg? Pa arholiad gramadeg? Doeddwn i ddim yn cofio arholiad. Pryd y cynhaliwyd yr arholiad hwn? Ni chofiwn ddim byd amdano. Ble roeddwn i pan ddigwyddodd hyn? O uffach! Sut y gallwn i fod wedi llwyddo i golli arholiad?! Shit, shit, shit! Roeddwn yn mynd i fethu fy mlwyddyn gyntaf, meddyliais.

Ond yn sydyn ymddangosodd papur ar fy nesg. Fy mhapur arholiad. Edrychais arno yn syn. Fy llawysgrifen i oedd arno. Roeddwn i wedi cael 65 marc. Ond, er hynny, wrth edrych arno a'i deimlo yn fy nwylo fy hunan, ni chofiwn wneud yr arholiad. Wrth fodio trwy'r peth, gwelwn atebion cywir a meddwl: 'Dwi ddim yn cofio ysgrifennu hyn. Sut y gwyddwn yr ateb i'r cwestiwn 'ma? Dwi ddim yn gwybod yr ateb nawr!'

Diolch i'r pils, digon tebyg i'r arholiad gramadeg hwnnw oedd y rhan fwyaf o'r cyfnod rhwng canol mis Chwefror a dechrau mis Mai: ni chofiaf lawer amdano. O ran yr hyn yr *ydw* i yn ei gofio, teimla fel petai'n ddim ond penwythnos. Yn ystod y penwythnos hwnnw, daeth fy rhieni i ymweld â ni, es i am beint neu ddau gyda Llŷr, eisteddais yng nghanol torf y Mochyn Du yn chwerthin yn uchel a chwerw pan gollodd tîm rygbi Cymru yn erbyn yr Eidal, ac yn araf araf iawn iawn dechreuais deimlo'n well. Ond proses hir, rwystredig ac anodd fyddai gwella. Proses yr ydw i'n mynd trwyddi o hyd.

19

Yr hen ddinas

> Edrycha'r tri brenin ar draws y brifddinas, ar draws y culfor, tua gwyrddni teyrnas arall. Edrychant lan y cwm a ddiffiniai'r lle hwn, sy'n ei ddiffinio o hyd. Maent yn barhaol; mor barhaol â chraig. Ac maent yn frau; mor frau â phridd.
>
> Yn ôl Bwdha, daw diwedd y byd pan gyrhaedda llygredd i bennau'r mynyddoedd. Ymgasgla concrid a tharmac a brics a mwg a sbwriel wrth droed gorsedd y tri brenin, ond o'u seddau mae popeth yn ei le. Ar ddiwrnod braf gellir gweld am filltiroedd, a gellir teimlo'n filltiroedd draw ymhell.
>
> Ers 4,000 o flynyddoedd mae'r brenhinoedd yn sefyll yno – hen hen hen eneidiau. Eneidiau sy'n gynhenid i'r wlad hon. Eneidiau a fodolai cyn y gwyddai unrhyw un i alw'r lle hwn yn 'wlad'. Eneidiau a fodolai cyn y gwyddai unrhyw un sut i ddweud 'gwlad'.
>
> – Cofnod o fy mlog Cymraeg.

Teithiaf draw i Ffynnon Taf tuag unwaith yr wythnos. Hen bentref ar lannau afon Taf ydyw. Dywedir taw'r pentref hwnnw a ysbrydolodd y ffilm *The Englishman Who Went Up a Hill But Came Down a Mountain*. Dyna rywbeth i'w ganmol, efallai. Erbyn hyn, dyw'r pentref ddim yn llawer mwy na maestref, gyda dwy dafarn, parc twt, siop gornel ar un pen a Co-op ar y llall. Maestref dawel, ddi-nod, anghyffrous. O'r orsaf drenau, cerddaf lan y stryd fawr tuag at dafarn Taff's Well Inn, lle trof i'r chwith ac anturio y tu ôl i'r ysgol, tros afon Taf a heibio'r llinell anweladwy sy'n gwahanu Rhondda Cynon Taf a Sir Caerdydd. Mentraf drwy danlwybr sy'n anghydnaws â'i amgylchedd oherwydd ei furiau chwistrell-paentiedig, lan llethr serth coediog tuag at bentref Gwaelod-y-Garth. Heibio tai del ac yna lan a lan a lan ffordd gul, droellog trwy goedwig nes cyrraedd llwybr bach sy'n mynd ymhellach trwy'r grug a lan Mynydd y Garth. Yn sydyn daw Caerdydd i'r golwg, ac yna Bro Morgannwg, Môr Hafren yn y pellter ac ar ddiwrnod braf, Lloegr. Yno hefyd, gwelaf Gymru gyfan.

Ar ben y Garth mae yna dair tomen gladdu o'r Oes Efydd. Rydw i'n hoffi dychmygu taw brenhinoedd neu eu tebyg a gafodd eu claddu yno. Dychmygaf nhw'n eistedd, ysbrydion bodlon, ar ben eu tomennydd trwy'r oesau – yn tremio tros y brifddinas, ei hardal a'r hyn sydd wedi dod i gynrychioli beth yw Cymru a'r Cymry.

Pan nad oedd e'n ffugio dogfennau neu'n tripio mewn tawch lodnwm, safai Iolo Morganwg gyda'r brenhinoedd weithiau. O dan ei draed roedd yna galchfaen, mwyn haearn a glo a fyddai'n cael eu mwyngloddio o'r mynydd a'u cludo trwy gamlesi a chledrau – ynghyd â'r nwyddau crai eraill a ddeuai o'r cymoedd – i lawr i'r dociau ac allan i'r byd mawr. Crwydra afon Taf, yr afon honno a roddodd lysenw (da neu ddrwg, wn i ddim) i'r Cymry am genedlaethau, heibio i droed y mynydd. Llifa heibio i gestyll a chaerau Rhufeinig. Llifa hefyd heibio i Eglwys Gadeiriol Llandaf, sydd ar fan sanctaidd ers o leiaf fil o flynyddoedd. Saif genweirwyr yn yr afon y dyddiau hyn wrth iddi ddiferu tuag at ganol y ddinas, wedyn heibio i Stadiwm y Mileniwm (yn ogystal â bragdy Brains) ac i lawr at y bae. Gellir gweld ei thaith yn glir ar ben y Garth. Gellir gweld y ddinas sy'n denu pobl, syniadau ac arian newydd i Gymru. Yn bellach i ffwrdd dyna'r Bae ei hun â'i adeiladau eiconig: Canolfan y

Mileniwm, Y Senedd. Ar ben gorllewinol y Bae gellir gweld Penarth, sef hen gartref Saunders Lewis. Ac yn bellach byth i'r gorllewin gellir gweld Llanilltud Fawr, lle addysgwyd Dewi Sant.

O safbwynt yr hen frenhinoedd ar ben y Garth, y rhai a fodolai cyn hyn i gyd, gellir gweld Cymru gyfan mewn ystyr athronyddol. Gellir gweld ei hanes, ei diwylliant, ei gobeithion, ei dyfodol. Ym mhob un ystyr – nid yn unig yn wleidyddol – mae Caerdydd yn brifddinas Cymru. Ac eto mae pobl yn mynnu gofyn pam y des i iddi.

*

'I know everybody tells you this,' meddai fy nghyfaill, Annie, wrthyf yn ddiweddar. 'But you should have gone to a little village in North Wales; you would have spoken more Welsh and met more people.'

Ac mae Annie yn iawn. Hynny yw, caf sylwadau fel hynny yn fynych gan bron pawb. Pan glywa person am fy mhrofiadau negyddol yng Nghymru mae yna duedd iddo roi'r bai ar y Ddinas Fawr Ddrwg. Awgrymir gan y person nad yw Caerdydd yn 'Gymru Go Iawn'. Ac, fel arfer, mynna'r person hwn y dylwn fod wedi symud i ba le bynnag y daeth ef ohono. Ni allaf ond sylwi pan ddywedir wrthyf y dylwn fynd i Gaernarfon neu Gaerfyrddin neu ble bynnag, mai brodor o'r lle hwnnw sy'n gwneud yr argymhelliad bob tro. Yn amlwg, daw Annie o bentref bach yng ngogledd Cymru. Ac efallai eich bod chi wedi meddwl rhywbeth tebyg wrth ddarllen: 'O, fasai hyn ddim wedi digwydd tasai'r boi 'ma wedi dod yma i Aberlledwinbyw. Pam aeth e i'r ddinas fudr erchyll 'na?'

Daw'r ymateb hwnnw o ffafriaeth ranbarthol, wrth gwrs. Mae gan berson duedd i gario ychydig o gariad tuag at ei ardal ei hunan. Does dim problem gyda hynny. Gallaf ddeall y dull hwnnw o feddwl. Wedi'r cyfan, mae gen i agwedd braidd yn ffafriol tuag at Texas a Minnesota. Ac, erbyn hyn, Caerdydd. Os gallaf honni fy mod yn unrhyw beth Cymreig, Caerdyddwr ydw i. *Ich bin Clark's Pie*, fel petai. Gan hynny mae gennyf duedd i ddigio ychydig pan glywaf berson yn difrïo'r brifddinas dlos. Ond er gwaethaf fy mias, credaf yn onest taw Caerdydd fu'r dewis cywir, ac anodd yw credu y byddai fy mhrofiadau'n well yn unman arall.

Dysgu'r Gymraeg oedd fy rheswm pennaf dros symud i Gymru, wrth gwrs. Pan awgrymir gan berson y dylwn fod wedi cipio fy hunan ymaith i Bwy-a-ŵyr, Gogledd Cymru, anghofir ganddo nad oes prifysgol yn y pentref hwnnw. Canolog i'm Profiad Cymraeg, ac angenrheidiol i'm teitheb, oedd mynychu prifysgol. Ac fel y dywedwyd o'r blaen, ymarferoldeb oedd yn rhannol gyfrifol am ddewis Prifysgol Caerdydd; atebon nhw eu he-byst, roedd benthyciadau myfyriwr ar gael, ac yn y blaen. Ond hefyd (cyn cofrestru, o leiaf), ces i'r argraff taw prifysgol fodern oedd Prifysgol Caerdydd, a chydweddai hyn â'm hamcanion wrth ddysgu'r iaith. Nid Lladin oeddwn yn ei dysgu; nid oeddwn eisiau dysgu'r Gymraeg fel petai hi wedi marw. Meddyliaf am y Gymraeg fel iaith sy'n bodoli yn y presennol, iaith fodern er gwaethaf ei hen wreiddiau. Gan hynny, roeddwn yn hoff o'r syniad o fynychu prifysgol mewn sefyllfa fodern, mewn dinas fodern.

Ond hefyd roeddwn eisiau mynychu prifysgol mewn sefyllfa o wead clòs. Rydw i wedi mynychu prifysgolion yn yr Unol Daleithiau lle nad oeddwn i'n fwy na rhif ynddynt. Byddai gennyf ddarlithoedd gyda 300 o fyfyrwyr eraill. Er mwyn cwrdd â darlithydd byddai rhaid amserlennu'r cyfarfod mewn ffenestr 10-munud rhyw wythnos ymlaen llaw. O ganlyniad, nid oedd yn anodd imi ddiflannu a methu. Ond yn Ysgol y Gymraeg nid oedd yna nifer gormodol o fyfyrwyr. Er mwyn cwrdd â darlithydd, dim ond cnocio ar ei ddrws yr oedd angen ei wneud a chamu i mewn. Gwnawn i fy ngorau i gadw fy nheimladau a'm pryderon y tu mewn ond roedd yna nifer o gyfleoedd i siarad â darlithwyr a thiwtoriaid – petaswn i'n ddigon deallus i ddefnyddio'r cyfleoedd hynny.

Ac ar ôl ildio, a mynd i weld cynghorydd, anogwyd fi i roi gwybod i'm hadran prifysgol hefyd am yr anhwyldeb. Gwnes i hynny, yn araf ac o hyd braich, ond roedd yn werth yr ymdrech. Canfûm garedigrwydd a dealltwriaeth gan fy adran, ac roedd hithau'n fodlon gweithio gyda fi i gwblhau'r gwaith angenrheidiol heb achosi rhagor o straen. Petawn i wedi mynychu prifysgol yn y 'Gymru Go Iawn', ai yr un peth fuasai fy mhrofiadau? Neu a fyddwn i wedi cael fy ngholli ymhlith corff mwy o fyfyrwyr?

Hefyd, a fyddwn i wedi medru dioddef byw y tu allan i ddinas? Ces i fy magu mewn dinasoedd. Mae gan y 'Twin Cities' gymaint o bobl â Chymru; mae gan San Diego ddwy filiwn o bobl yn rhagor; mae gan Houston ddwywaith poblogaeth y *Land of Song*. A dweud y gwir, Caerdydd yw un o'r mannau lleiaf yr ydw i wedi byw ynddo. Dyn y ddinas ydw i, ac er nad Chicago neu Ddulyn neu Lundain neu'r iwtopia Ewropeaidd yr oedd y briodferch ifanc yn ei ddisgwyl yw'r brifddinas, mae'n fwy cosmopolitan nag unrhyw le arall yng Nghymru ac mae'n dal i ddatblygu. Roedd hyn yn ffactor pan feddyliais am symud tros y môr. Ni siaradai'r briodferch ifanc Gymraeg yn y dyddiau hynny (erbyn hyn mae hi wedi dysgu ychydig trwy gwrs Wlpan). Doeddwn i ddim eisiau iddi gael ei hynysu mewn cymuned Gymraeg ei hiaith, ac wrth edrych ar fy mhrofiadau fy hunan anodd yw ceisio awgrymu na fyddai hynny wedi digwydd.

Roedd hapusrwydd y briodferch ifanc yn bwysig imi wrth gynllunio ein hantur Gymreig. Petasai hi'n anhapus yng Nghymru, byddwn i wedi gorfod ymladd ar ddau ffrynt: yn erbyn ei hanhapusrwydd hi, ac yn erbyn fy anhapusrwydd i fy hunan. Petai'r ddau ohonom yn aflawen, gallwn ddychmygu senario lle y byddem ni wedi dweud wrthym ein hunain: 'Screw this, we're going home.'

Ond diolch i'r drefn mae Rachel yn fodlon yng Nghaerdydd. Llwyddodd i ganfod capel lle mae ganddi gyfeillion ac mae'n teimlo erbyn hyn ei bod hi'n aelod o'r teulu. Dywedaf yn aml ei bod hi wedi addasu i Gymru yn well na fi. Hi yw'r un a ddefnyddia 'we' wrth sôn am dîm rygbi Cymru: 'We were amazing against England'. Hi yw'r un sydd wedi datblygu elfennau Cymreig yn ei lleferydd: 'Come sit down by 'ere'. Y hi yw'r un a siarada yn fwy aml am aros yng Nghymru. Cyn dod i Gymru pryderwn i am gael fy ngorfodi i weithio'n ddiflino i sicrhau y byddai'r briodferch ifanc yn hoffi'r wlad. Pryderwn y byddai hi'n hiraethu gormod ac eisiau dychwelyd i'r Unol Daleithiau cyn y gallwn orffen fy nghwrs gradd. Ond, i'r gwrthwyneb, hi a wnâi'r gwaith calonogi a chysuro; arni hi y byddai'r baich o hybu popeth Cymru/Cymraeg/Cymry/Cymreig.

Ynghyd ag eisiau sicrhau hapusrwydd personol y briodferch ifanc yng Nghymru roeddwn eisiau iddi ddod o hyd i swydd fuddiol. Meddyliwn y byddai swyddi'n haws i'w cael yn y brifddinas ac mewn ardal boblog megis de Cymru. Fel y byddai'n digwydd, cymerodd Rachel tua chwe mis i ganfod swydd, a doedd honno ddim yng Nghaerdydd hyd yn oed. Beth fyddai'r sefyllfa mewn ardal lai poblog tybed? A fyddai hi'n gweithio mewn siop goffi o hyd?

Ar y cyfan, daeth y briodferch ifanc a fi i brifddinas Cymru am resymau tebyg i'r rhesymau y daw cynifer o Gymry (a

Saeson, a Gwyddelod, ac ati) iddi. Mae mwy o bethau i'w gwneud yma, ac mae yna ragor o gyfleoedd i'w cael. O bydded i'r sefyllfa hon barhau. Cyn belled â bod yna bobl, syniadau, a diwylliannau newydd yn llifo i mewn i Gaerdydd rhoddir i Gymru ddynamism a gryfha'r wlad i gyd.

*

Building, breaking, rebuilding,
Under the smoke, dust all over his mouth, laughing with white teeth,
Under the terrible burden of destiny laughing as a young man laughs,
Laughing even as an ignorant fighter laughs who has never lost a battle,
Bragging and laughing that under his wrist is the pulse, and under his ribs the heart of the people.

– Darn o'r gerdd 'Chicago', gan Carl Sandberg, sy'n berthnasol i Gaerdydd, yn fy marn i.

Mewn seminar unwaith, gofynnwyd inni lunio map o'r Fro Gymraeg. Hynny yw, gofynnodd y darlithydd inni fraslunio ar bapur yr hyn y meddyliem ni i fod yn ardal Gymraeg ei hiaith. Aeth fy nghyd-fyfyrwyr ati'n astud i lunio mapiau manwl, gyda sawl math gwahanol o arlliwiad yn y gogledd a'r gorllewin i ddynodi crynoadau siaradwyr Cymraeg. Roedd pawb yn dawel ac yn brathu gwefus wrth ganolbwyntio'n ddifrifol ar geisio dangos ble yn union mae'r Fro Gymraeg, ble yn union mae 'Cymru Go Iawn'.

Doedd dim rhaid i mi feddwl am y peth; tynnais i lun o fachgen. Wedyn tynnais linell a bwyntiai at ei ben ac ysgrifennais: 'Y Fro Gymraeg'.

Does dim 'Cymru Go Iawn'. Dyw'r pentrefi hudol hynny, Cymraeg eu hiaith, lle gall ymwelwr gael croeso gyda breichiau lled-agored ddim yn bodoli. Dywedwyd gan Saunders Lewis (neu Lewis Valentine – dyw Wikipedia ddim yn gallu penderfynu): 'The only proof that the Welsh nation exists is that there are some who act as if it did exist.'

Gellir defnyddio'r un rhesymeg wrth ystyried y cysyniad o iaith a'i hardal: dyw hi ddim yn y lle nad yw hi, ac mae hi yn y lle y mae hi. Dyw'r Gymraeg ddim yn naturiol i unrhyw un man penodol neu'r llall yn y byd. Ni thyfa'r iaith o'r pridd fel moronen; nid oes ganddi batrymau mudo fel aderyn. Nid oes yna Fro Gymraeg; yr hyn ydyw yw'r tir o dan draed a phobl sy'n siarad y Gymraeg ac sy'n cario ei diwylliant yn eu dychymyg.

Mae gan Gaerdydd tua 34,000 o siaradwr Cymraeg – mwy nag unrhyw ddinas arall yng Nghymru. Ac eto mae yna dyrfa o bobl a fynna wrthyf nad yw'r brifddinas yn 'Gymru Go Iawn'. Dywedir taw artiffisial yw'r elfennau Cymraeg yn y brifddinas. Ond sut gall presenoldeb y Gymraeg fod yn artiffisial ac eithrio ei bod yn cael ei siarad gan robotau? Bodola'r Fro Gymraeg ym mhennau dynion ac mae gan yr hen ddinas filoedd o bennau sy'n llawn Cymraeg.

A hen ddinas yw Caerdydd; fe'i sefydlwyd yn 75 OC. Oddi yno daw fy nhuedd i gyfeirio ati fel 'yr hen ddinas'. Ond nid yw'n teimlo mor hynafol â hynny, nac ydy? Yn rhannol mae hynny'n wir oherwydd dyw darnau mawr ohoni ddim yn hen yn ôl safonau Ewropeaidd (wrth gwrs mae'r rhan fwyaf o'r brifddinas yn ysgytiol o hynod i Americanwr). Pan fyddai ein Iolo Morganwg ni'n sefyll ar ben y Garth roedd y brifddinas yn 'an obscure and inconsiderable place' chwedl ef, gyda llai na 2,000 o breswylwyr. Ar y cyfan felly, dinas weddol newydd a gweddol hen ydyw. Mae ganddi hen hanes ond eto mae'n hanes cuddiedig o dan hanes arall, o dan hanes a ddaw.

Af i lawr i ganol y ddinas yn aml er mwyn cael pastai yn y Cornish Bakehouse ar Church Street. Does dim y fath beth â phasteiod yn yr Unol Daleithiau. I ni, mae 'pasty' yn rhywbeth a wisgir gan fenyw mewn sioe fwrlésg. Pan fydd y tywydd yn braf neu'n dderbyniol prynaf fy mhastai a cherdded draw i'r sgwâr bach rhwng Marchnad Caerdydd a Queens Arcade, rhwng Eglwys Sant Ioan Fedyddiwr a'r Hen Lyfrgell, lle yr eisteddaf yn fodlon ar y meinciau pren. Pan symudais i Gaerdydd roedd y sgwâr hwn yn fynwent – tybed a yw'r cyrff a oedd yno ynghynt yn eu hen fannau o hyd? Ta beth, mae'n lle hyfryd i eistedd a meddwl am yr hen ddinas o'm cwmpas, a'i hen straeon.

Pwy fyddai'n gwybod taw hen lyfrgell yw'r Hen Lyfrgell? A oes rhywun yn cofio'r hen lyfrgell arall, dafliad carreg i ffwrdd, a gafodd ei dymchwel er mwyn creu lle ar gyfer rhagor o siopau a llyfrgell newydd? A oes rhywun yn gwybod bod Eglwys Sant Ioan Fedyddiwr wedi cael ei hanrheithio gan Owain Glyndŵr? A oes rhywun yn gweld yr eironi mai enw'r dafarn gyferbyn â'r eglwys yw Yr Owain Glyndŵr? A pha mor wir fydd y paragraff hwn ymhen pum mlynedd?

Mae'r hen ddinas yn newid yn gyson. Mae ganddi ei hen straeon ond dinas gyfoes ydyw; mae'n ddinas sy'n bodoli yn y presennol, dinas fodern er gwaethaf ei hen wreiddiau. Ac mae'n ddinas sy'n symud yn ddi-baid tuag at y dyfodol. 'Laughing as a young man laughs'. Yn sgil hyn mae'n lle pwysig i'r Gymraeg fod. Yn fwy na hynny, mae'n lle angenrheidiol i'r iaith fod os ydyw i barhau i'r dyfodol. Yn y bôn dyna'r prif reswm dros symud i Gaerdydd: rydw i eisiau bod yn rhan o ddyfodol Cymru a'i hiaith.

Credaf fod rhaid i'r iaith fod yn rhan feunyddiol ac annatod o'r ardaloedd trefol os yw'r Gymraeg am fod yn rhywbeth amgenach nag anghysondeb. I'r ardaloedd hyn y daw'r byd modern yn gyntaf, nid i'r pentrefi glân mewn lleoedd anhysbys. Os mynna person wrtho ei hunan fod yr iaith yn gynhenid i ardaloedd 'cefn gwlad' (a'r ardaloedd hynny'n unig), mae'n ategu'r ddadl nad yw'r iaith yn berthnasol i Gymru gyfoes. Atega'r ddadl fod yr iaith *past its sell-by date*. Rhoddir hygrededd i'r safbwynt na ddylai neb dalu sylw i'r Gymraeg – nid mwy, o leiaf, na'r hyn a delir i gestyll ac abatai a phethau briwsionllyd eraill i ddenu ymwelwyr. Os yw'r iaith yn rhywbeth mwy na *tourist novelty* mae angen iddi fodoli a byw yn y dinasoedd. Mewn dinas, rhoddir i iaith fath o normalrwydd. Credaf y gallai'r hen ddinas fod yn llewyrchfan dwyieithog i Gymru – er mor *corny* y swnia hynny. Yn araf, mae'r iaith yn dod yn rhan o fywyd beunyddiol yn yr hen ddinas. Mae'n dod yn rhywbeth na ellir ei wadu. Mewn dinas gyfoes a byw, os yw'r iaith wedi'i gwehyddu i mewn i fywyd beunyddiol, anodd fydd dadlau nad yw'r iaith yn gyfoes a byw hefyd. Cysylltaf yr iaith Gymraeg â phrifddinas ei gwlad, os oes ganddi wlad. Am y rheswm hwn y dewisais Gaerdydd: i fod yn rhan ohonynt. Yr hanes. Y dyfodol. Yr iaith. Yr hen ddinas.

20

Pymtheg munud rhagor

Tidbit electronig arall yw Facebook. Yn ôl pwy bynnag y digwyddwch siarad ag e, dywedir mai'r wefan gymdeithasol boblogaidd hon yw naill ai'r peth gorau neu'r peth gwaethaf i ddigwydd i gymdeithasu ers y chwyldro diwydiannol. Mae'n anodd gweld sut y gallai rhywbeth fel hwnnw – sy'n gwneud yffach o ddim ond rhestru fy hoff ffilmiau – fod mor arbennig. Ac, a dweud y gwir, dwi ddim yn siŵr ei fod e. Ar y cyfan, ymddengys taw ei ddefnydd gorau yw bod yn gyfrwng ar gyfer pobl o'm *high school* i gadw mewn cysylltiad â fi. Dwi ddim yn siŵr bod hynny'n beth da. Sawl tro gallaf ateb y cwestiwn: 'Oh my god, Whales?! How did you end up there?! Tell me all about life in England!'

Mae e fel fersiwn eilradd ar-lein o fywyd Cymry Cymraeg yn yr ystyr bod pawb yn nabod pawb a does dim dianc rhagddynt. Ond hefyd mae Facebook yn ffordd fras (ac anfanwl, ac amrwd) o fesur eich safle cymdeithasol (ymhlith y bobl hynny a ddefnyddia Facebook). Mae'n beth bas i'w wneud – ceisio rhoi rhif ar eich gwerth – ond gall fod o fudd i'r ego bregus weithiau. Felly, ar unwaith, gallaf weld 'mod i'n llai poblogaidd na Fflur, ond yn *fwy* poblogaidd na'r ast anfad o gyn-gariad sy'n dwyn eneidiau.

Rydw i'n fodlon â hynny.

Ta beth, ar y diwrnod cyn i'r rhaglen ddogfen *O Flaen Dy Lygaid* amdanaf gael ei darlledu, yng nghanol mis Mai, roedd gennyf chwe chyfaill Facebook. Erbyn diwedd y diwrnod nesaf roedd gennyf 87 cyfaill. Mae'n esiampl anwyddonol o'r math o beth a ddigwyddodd imi yn ystod y misoedd nesaf. Deuai sawl newid yn fy mywyd, a deuent yn gyflym. Tra bues i'n ysu i siarad â rhywun yn y misoedd cynt, yn sydyn roedd pawb ar fy nghwrs yn cymryd amser i ddweud helô a dangos imi nad oeddwn yn anweledig.

Bu'r rhaglen ddogfen honno'n ddigwyddiad hollbwysig yn fy mywyd. Yn fy mhen gallaf wahanu'n glir yr hyn a ddaeth o'i blaen, a'r hyn a ddaeth ar ei hôl. Wrth chwarae'r hen gêm honno o fyfyrio ynghylch sut y byddai pethau petai hyn neu'r llall wedi digwydd, anodd yw dychmygu nifer o'r pethau a ddigwyddodd oni bai am y ffaith i mi fod ar y teledu. (A fyddwn i wedi ysgrifennu'r llyfr hwn, er enghraifft?) Ond wedi dweud hynny, parhâi pethau'n weddol normal yn y dyddiau cyntaf. Darlledwyd y rhaglen yn ystod yr wythnos adolygu, felly ni welais neb o'm cwrs am wythnos. Ar fy niwrnod cyntaf yn ôl teimlwn yn chwithig am y rhaglen. Pryderwn y teimlai pobl ddyletswydd i siarad â fi. Pryderwn y byddent yn ceisio'n ormodol i fod yn garedig wrtha i, fel petawn yn berson 'araf'. Chris Cope, pencampwr y *Special Olympics*! Neu yn waeth byth, byddent yn teimlo'n gas tuag ataf am ymddwyn fel baban ar y teledu. Ni ddefnyddiwyd y cyfweliadau tywyllaf yn y rhaglen, diolch byth, ond bu yna eiliadau ynddi pan oeddwn yn agos at ddagrau. Pryderwn y byddai rhywun yn dweud wrthyf rywbeth megis: 'Gwelais y rhaglen amdanat ti, Cope. Dyma iti gliw: y rheswm nad oes neb yn siarad â ti yw dy fod ti'n hurt, yr hen ffŵl.'

Wrth gwrs, ni ddigwyddodd hynny. Ar y diwrnod cyntaf hwnnw 'yn ôl', cyrhaeddais y man arholiad yn gynnar ac eisteddais yn dawel ar fy mhen fy hun mewn caffi, yn ceisio adolygu. Ar ôl ychydig o amser, cyrhaeddodd grŵp bach o ferched fy nghwrs a dyma nhw'n eistedd wrth fwrdd gerllaw. Cedwais fy llygaid ar fy llyfr. Roeddwn yn ofni beth fyddai ymateb fy nghyd-fyfyrwyr i'r rhaglen. Ta beth, meddyliais, efallai nad oedden nhw wedi gweld y rhaglen.

'Dere i eistedd 'da ni,' meddai un ohonynt.

'O, yym, ie,' meddwn a thynnu cadair yn agos at y bwrdd.

'No, that won't do, Chris,' meddai wrth groesi ei breichiau.

Amneidiodd yn famol tuag at ei hochr, fel petawn i'n blentyn oedd wedi camfihafio yn y capel, i ddangos na chawn eistedd ar ymylon y sgwrs.

'Paid ag eistedd *fan'na*. We won't bite. Here. Next to us. Come and sit down by here,' meddai.

Doedden nhw ddim yn fy nghasáu, felly. Cefais brofiadau tebyg sawl gwaith yn ystod y dyddiau a ddilynodd; gwnâi llawer o bobl ymdrech i sicrhau nad oeddwn yn ddigwmni. Yn sydyn roedd pawb yn fy nghydnabod ac yn fy nghyfarch gydag amneidiau pen a 'helô' ac yn y blaen. Gallwn edrych ar hyn yn sinigaidd, efallai, a dweud eu bod yn siarad â fi o ganlyniad i ryw fath o euogrwydd neu rywbeth – taw peth ffug oedd y cyfeillgarwch hwn. Efallai nad oedd yn ddim mwy nag ymdrech led amlwg i wneud yn fach o'u snobyddiaeth gynt. Ond, a bod yn hollol onest, dwi ddim yn credu hynny. Credaf i'r rhaglen fy sbotlampio (dyna air Cymraeg gwan, ontefe? 'Spotlampio'). Hynny yw, nid fy anwybyddu oedd pobl cyn y darllediad; doedden nhw ddim yn ymwybodol ohonof. Nid oeddwn ym maes eu gwelediad.

Roeddwn fel y person hwnnw a welwch ar y trên bob bore. Ni siaradwch ag e, ond nid o anhoffter tuag ato. *You just don't think to speak to him*. Dyna i gyd. Mae gan y mwyafrif ohonom gronfeydd dychmygol o bobl yr ydym ni'n cymdeithasu â nhw fel arfer. Rhychwant cymdeithasol. Mae yna fath o berson yr ydym ni'n fwy tebygol o sgwrsio ag e, ac, i'r gwrthwyneb, dydyn ni ddim yn debyg o glebran â rhywun a ddaw o'r tu allan i'r gronfa honno. Fel myfyriwr hŷn, nid oeddwn yn aelod o gronfa'r mwyafrif o'm cyd-fyfyrwyr. Fel y dywedodd fy nghyfaill, Owen, yn ddiweddar: 'Mae'r term 'na, *mature student*, yn *kiss of death*.'

Ar ben hynny, gyda chynifer o bobl yn siarad â fi yn sydyn, des i i sylweddoli nad oeddwn *i* wedi gwneud uffach o ddim i ddangos diddordeb mewn sgwrsio â phobl. 'Be careful what you wish for', meddan nhw. Bellach, wedi tynnu sylw pawb, roedd arnaf damaid o hiraeth am fod yn anhysbys eto. Ond, ar y cyfan, pa ffordd bynnag y deuai'r sylw roeddwn yn fodlon ei gael. Er gwaethaf teimladau ansicr am y peth, roeddwn, unwaith eto, yn gwbl annisgwyl, yn *kind of a big deal*.

Estynnodd y sylw newydd hwn ymhellach na neuaddau fy mhrifysgol. Adwaenid fi ar y trên, mewn tai bwyta ac ati. Ces i sawl e-bost a llythyr gan bobl ar draws Cymru. Des i i fod yn bwnc trafod ar-lein hyd yn oed – lle nad oedd pawb yn hoff ohonof. Mewn trafodaeth ar y tidbit electronig maes-e.com, ysgrifennodd rhywun a honnai iddo fod yn gyd-fyfyriwr â fi ar y cwrs: 'Dydw i ddim wedi cwrdd ag ef . . . a dydw i ddim yn bwriadu darllen ei flog. Dwi'n cael digon o drafferth yn cyfiawnhau fy hunaniaeth genedlaethol fy hun heb sôn am orfod asesu persbectif ôl-drefedigaethol o Gymru.'

Ond ar y cyfan roedd yr ymateb i'r rhaglen yn gadarnhaol a charedig. Ces i sawl gwahoddiad i swper (er, rhaid cyffesu y byddwn yn rhy swil i dderbyn y cynigion; petawn i'n gwneud y fath beth byddwn yn pryderu am wneud rhyw fath o *faux pas* cymdeithasol arswydus dros ben), ac, wrth gwrs, clywais gan lwyth o bobl a fynnai na ddylwn i fod wedi dewis Caerdydd. Daeth fy hoff lythyr gan ddyn a ysgrifennodd ar draws tri thudalen na allai fe ddioddef y brifddinas am funud: 'I hate that city. It makes me feel sick to even think of going there.'

Onid yw'n ddiddorol taw yn y Saesneg y daeth cynifer o'r awgrymiadau hyn i fyw yn rhywle 'mwy Cymreig'?

*

Roedd y *soul-kill pills* yn help. Efallai. Roeddent o leiaf yn gymaint o help ag y buasai i gael hoe am ddeufis. Wrth grwydro yn y niwl mor hir, llwyddais i gael tipyn o bellter rhag yr hen deimladau erchyll a'r meddyliau negyddol. Mewn ffordd, roedd yn debyg i geisio cysgu trwy ben mawr ar ôl noson o gryn ddiota. Gweithia'r dacteg honno weithiau – ac yn sicr mae'n llai poenus na cheisio ysgyrnygu eich dannedd a dal ati – ond anfantais o roi diwrnod (neu ddeufis) i'r brenin yw nad aiff eich cyfrifoldebau i unrhyw le. Pan ddewch allan o'ch tawch mae gennych yr un domen o waith â chynt. Neu, fwy na thebyg, mae gennych domen fwy.

Yn gynnar ym mis Mai penderfynais roi'r gorau i'r pils. Mewn ennyd o eglurder sylweddolais nad oedd gennyf obaith pasio fy mlwyddyn gyntaf os na allwn gofio a oeddwn wedi bod yn bresennol mewn darlithoedd neu beidio. Yn wir, gallwn aros yn effro a chanolbwyntio'n well ymhen diwrnod neu ddau o gael gwared â'r moddion. Er, bron yn syth, roedd arnaf eisiau mynd yn ôl arno er mwyn cuddio rhag y baich gwaith o'm blaen. Diolch i'm *siesta* wyth-wythnos byddai fy 'adolygu' ar gyfer arholiadau yn broses o ddysgu pethau am y tro cyntaf. Bu'n rhaid gwasgu bron yr holl dymor o addysg i mewn i bythefnos. Unwaith eto roeddwn dan glo yn yr astudfa a gwthiwn fy hunan mor galed ag y gallwn ei ddioddef. Ond roedd yn haws delio â phethau y tro hwn; oherwydd gallwn weld y diwedd, efallai. Gwnawn fy ngorau i ddadleoli'r teimladau tywyll i gefn fy mhen a chanolbwyntio ar y ffaith na fyddai'n rhaid dal ati fel hyn am fwy na mis. Er, dyw hynny ddim yn golygu na fu sawl episod o bwl-o-sterics-canol-nos. Fe fu. O, uffach, do. Mae'n syndod gymaint o droeon y gallaf ddweud 'O shit, o shit, o shit!' mewn munud.

Daeth ac aeth yr arholiadau, ac er na wnes i gystal ynddynt ag yr hoffwn, o leiaf bues i'n bresennol a gallwn gofio bod yn bresennol. Heb os nac oni bai buasai pethau'n drychinebus petawn i wedi parhau i lyncu'r moddion seicolegol. Braidd yn afrealistig fyddai breuddwydio am ennill gradd gyntaf wrth adolygu yn anhrefnus fel hyn, ond gorffennais y flwyddyn. A dyna'r pwynt: para'n fyw.

Ar ôl yr arholiad olaf, llusgwyd fi gan Llŷr a grŵp o fyfyrwyr eraill i dafarn ar y campws. Wrth eistedd ynddi a gwrando ar sgyrsiau o'm cwmpas, teimlais fath o iselder llesg ynghyd â'r rhyddhad a ddaeth gyda diwedd y tymor. Roeddwn yn edrych ymlaen at yr haf, at ymlacio a darllen ac ati – roeddwn yn edrych ymlaen at wneud dim byd. Dychmygwn dreulio'r misoedd yn fforio cymaint o Gymru â phosib ar fy nghyllideb nad-oedd-yn-bod: teithiau-dydd bach i Gwmbrân neu Ynys y Barri neu *equally exotic locales*. Pethau syml, rhad, ar fy mhen fy hunan. Ond yn y dafarn honno ni allwn beidio â sylwi taw prin y medrwn ddeall yr hyn a ddywedid gan fy nghyd-fyfyrwyr.

Siŵr, roedd yna nifer o Gogs annealladwy ar y cwrs, ond roedd y broblem yn waeth na hynny. Er gwaethaf cyrraedd pen draw blwyddyn o ddysgu trwy gyfrwng y Gymraeg roedd fy ngafael ar yr iaith mor wan ag erioed. Gallwn barablu, ond ni allwn ddeall. Bellach roedd yna bobl a oedd yn fodlon cymdeithasu â fi, ond nid oedd gennyf yr arfau ymddiddanol angenrheidiol ar gyfer y dasg. Wrth feddwl am yr haf ar y gorwel, ni allwn weld sut y byddwn yn dod o hyd i lawer o gyfleodd i siarad a gwella. Ymddangosai'n annhebygol y byddai uffach o wahaniaeth yn fy Nghymraeg pan ddeuai fy ail flwyddyn yn yr hydref. Teimlais yn isel o feddwl y byddai fy nhair blynedd yn y brifysgol yn dod ac yn mynd ac na fyddwn i'n teimlo fel rhan o bethau mewn cymdeithas Gymraeg ei hiaith. Byddwn ar y cyrion am byth.

*

'This Welsh experience is like a Howitzer to my ego,' ysgrifennais ar fy mlog Saesneg ym mis Mehefin.

Hwn oedd fy ymateb emosiynol i e-bost a ges oddi wrth Ysgol y Gymraeg. Teimlwn fod y Profiad Cymraeg yn sadistaidd tuag ataf. Mwynhâi'r peth anfad fy ngwylio i'n dioddef. Cawn fy rhwygo yn ddarnau bach ganddo, ac wedyn câi'r darnau hynny eu malu. Mor hir ac anodd oedd y flwyddyn gyntaf fel bod awydd angerddol arnaf i gau'r drws arni, a dweud yn bendant: Iawn, dyna ddiwedd y peth uffernol 'na ac ni feddyliaf amdano fyth eto. Ond ni allwn wneud hynny. Cynnwys yr e-bost oedd gwahoddiad (ac awgrym cynnil) i ymuno ar gwrs haf er mwyn gloywi fy Nghymraeg. Cynigir cyrsiau dwys gan Ganolfan Cymraeg i Oedolion Caerdydd a Bro Morgannwg yn ystod yr haf, sy'n gwthio blwyddyn o ddysgu i fis a hanner. Byddech chi'n meddwl, efallai, y byddwn yn hapus i gael cyfle i wneud y fath beth. Onid oeddwn yn pryderu na fyddai safon fy Nghymraeg yn gwella digon cyn y tymor nesaf? Ond teimlai ychydig fel sarhad. Un peth yw cydnabod eich diffygion eich hunan, peth arall yw iddynt gael eu cydnabod gan berson arall – neu, yn yr achos hwn, adran brifysgol.

Ond ar ôl prynhawn o bwdu ac ymddwyn fel math o laslances

mewn *strop*, sylweddolais (ar ôl i'r briodferch ifanc nodi hynny) y byddwn i wedi neidio ar gyfle fel hwn ddim ond blwyddyn ynghynt. A dweud y gwir, cwrs fel hwn, sy'n canolbwyntio ar wella sgiliau Cymraeg llafar ac ysgrifenedig, oedd y math o beth yr oeddwn i wedi disgwyl ei gael yn fy nghwrs gradd. O'r diwedd cawn gyfle i fynd ar y fath gwrs. A dyna chi eto y fantais o fynychu Ysgol y Gymraeg Prifysgol Caerdydd: a fyddai prifysgol arall wedi darparu cyfle fel hwn (a thalu amdano)? Gellir teimlo weithiau bod gan Ysgol y Gymraeg tipyn o *chip on its shoulder* ynglŷn â'i statws ymhlith adrannau prifysgol Cymraeg eraill, ac mae hyn o fudd i fyfyriwr. Mae'n adran sy'n benderfynol o weld llwyddiant ei myfyrwyr.

Felly bant â fi i'r campws bob bore yn ystod swmp yr haf. Ac efallai, wrth edrych yn ôl, y bu'n drefn gathartig. Wrth ddilyn yr un prosesau ag y byddwn yn eu dilyn yn ystod tymor academaidd – codi'n gynnar, teithio i'r campws, eistedd mewn ystafell brifysgolaidd trwy'r dydd, ac ati – disodlais atgofion negyddol â phrofiadau newydd, profiadau mwy cadarnhaol. Sgil effaith y cwrs haf oedd y deuai'r campws i fod yn lle nad oeddwn yn ei ofni na'i gasáu.

Yn ogystal â hynny, llwyddais i gadw fy meddyliau rhag llithro yn ôl at iselder. A fwy na thebyg, dyna rywbeth a fyddai wedi digwydd petawn i wedi cael yr haf i mi fy hunan. Wrth edrych ar gofnodion fy mlog o'r cyfnod hwnnw gallaf weld bod crafangau tristwch ynof o hyd. Mewn cofnod ar fy mlog Cymraeg cyfeiriais at brif gymeriad *Monica* gan Saunders Lewis yn treulio dau fis yn gorweddian a dihoeni yn ei gwely.

'Fel hynny teimlaf y dyddiau hyn,' ysgrifennais. '[Er] mae gennyf bledren rhy fach i wneud (yr un peth). Mae rhaid i fi godi bob hyn a hyn er mwyn piso.'

*

The air was fresh. And in the mornings, sheep and wild mountain goats would mingle about eating the grass and heather and leaving all kinds of stuff for you to step in. It's a very pretty place, which means that it will almost certainly be spoiled within my lifetime.

– Cofnod o fy mlog Saesneg am Nant Gwrtheyrn.

Uchafbwynt cwrs yr haf fu taith i Nant Gwrtheyrn, sef y pentref cuddiedig enwog hwnnw ym Mhenrhyn Llŷn. Yn ogystal ag wythnos yn y pentref roedd yna deithiau bach i amryw fannau ar draws Llŷn. Ar fy mlogiau, cyfeiriais at yr wythnos honno fel rhaglen ailaddysgu – *re-education camp* – fel petawn yn rhan o arbrawf *1984*-aidd, *Clockwork Orange*-aidd i aildanio fy serch tuag at Gymru. Erbyn hynny roedd chwerwedd wedi datblygu ynof o ganlyniad i, wel, wn i ddim. Fy mhrofiadau, tybiaf.

'There have been a handful of staggering disappointments in the last year,' ysgrifennais ar fy mlog Saesneg.

'[Gofynnaf] o'm hunan a ydw i'n teimlo o hyd yr un pethau yr oeddwn yn arfer eu teimlo. A ydw i'n teimlo o hyd taw yma y gallaf ddarganfod fy nyfodol?' ysgrifennais ar fy mlog Cymraeg.

Efallai taw gan fy nychymyg y crëwyd y teimlad o raglen ailaddysgu. Rhywle yn ddwfn ynof roedd y teimlad o fod eisiau ailafael yn beth bynnag a'm denodd yn wreiddiol at bopeth Cymru/Cymraeg/Cymry/Cymreig. Ar y daith honno i Nant Gwrtheyrn daeth teimlad o ailosod pethau. Roedd ynddi deimlad o gymodi. Ychwanegwyd at y teimladau hyn gan ganlyniadau fy arholiadau, a oedd wedi cyrraedd yn y post yr wythnos cynt.

Roeddwn i wedi pasio pob un o'm modiwlau. Dim ond crafu. Ond pasio yw pasio, yntê? Weithiau mae'n well edrych ar bethau fel y maen nhw, yn hytrach na'u gweld fel nad ydynt. Ac yn y cyfanlun, llwyddiant oedd hwn. Roeddwn i wedi mynychu prifysgol o'r blaen – yn Lloegr, Minnesota, Nevada a California – ond nid oeddwn erioed wedi llwyddo i basio pob un modiwl mewn tymor, heb sôn am flwyddyn. Ac yn sgil y ffaith honno daeth teimlad o realiti neu ddilysrwydd newydd i'm Profiad Cymraeg. Os gallwn barhau trwy'r flwyddyn gyntaf, sylweddolais, gallwn fwnglera trwy'r ddwy arall. A thrwy hynny gallwn hawlio bod yn fyfyriwr go iawn. Gallwn ddweud hefyd bod y profiad yn un go iawn. A dyna'r pwynt eto, efallai. Roeddwn yn byw yng Nghymru, roeddwn yn dysgu'r Gymraeg. Roedd gwneud y pethau hyn yn anoddach nag yr oeddwn i wedi ei ddychmygu – yn hollol wahanol i'r disgwyl – ond roedd y freuddwyd yn real.

Un bore, wrth eistedd ar draeth creigiog Nant Gwrtheyrn, edrychais ar draws y môr tuag at Iwerddon, a'r Unol Daleithiau yn bellach yn fy nychymyg. Meddyliais am fy nhaith ddeg mlynedd i'r pwynt hwnnw. Ac am ryw reswm meddyliais am hen Benjamin Curry, fy hen hen dad-cu, ar ei daith i orllewin Texas o Swydd Tyrone amser maith yn ôl. Beth roedd e'n disgwyl ei gael yno, tybed? Beth gafodd e pan gyrhaeddodd? Pan eisteddai e yng nghanol ehangder di-ben-draw talaith fy ngenedigaeth, beth feddyliai amdano? Ni allai e fynd yn ôl. Doedd dim dewis. Ni allai lygadrythu tros y dŵr a dychmygu hynny hyd yn oed – mae Paint Rock, Texas, o leiaf 400 milltir o'r môr. Dim ond gwastadedd sych, hollol an-Wyddelig, o'i gwmpas am byth.

Ni chwrddais ag ef erioed, wrth gwrs. Roedd e wedi hen farw cyn i fi gael fy ngeni. Ond yn ôl y sôn dyn caled oedd ef. Roedd yn rhaid iddo fod, mae'n debyg. Ond dywedai fy hen-fodryb ei fod yn ddyn caredig hefyd. Weithiau rydw i'n hoffi ei ddychmygu ar ei ransh, yn gweithio'n hir tan iddi nosi, pan âi'r wybren yn binc ac yn oren a choch wrth i'r haul fachlud. Efallai y byddai'n caniatáu cipolwg cyflym ar y prydferthwch a ledai uwch ei ben, ac efallai y byddai'n caniatáu cip arall tuag at y dwyrain, tuag adref – rhywle draw tu hwnt i'r gorwel. Dychmygaf y byddai'n meddwl wrtho ei hunan: Dyma fi. Does dim ots ai dyma'r bywyd a ddychmygais ai peidio. Hwn yw'r bywyd sydd gennyf. Ac, yn y diwedd, yr unig beth y gallaf ei wneud yw byw.

21

Yr arth sy'n dawnsio

> But how can you get higher greater better than a teenage girl singing a harp-accompanied ode to Doctor Who? That's really about as good as it gets. Or, at least, as good as it gets in Eisteddfod.
>
> – Cofnod o fy mlog Saesneg.

'Most people think I'm a Scouser, because of the accent, like,' meddai gyrrwr y bws. 'But I'm not. I'm proper Welsh. See?'

Dangosodd imi fraich, ac arni datŵ enfawr o'r Tair Pluen. Ers camu ar y bws yng Nghaer roedd y gyrrwr wedi siarad â fi'n ddi-baid. Roeddwn wedi blino'n lân ar ôl y daith drên bedair-awr o Gaerdydd ond gwnes i fy ngorau i ffugio diddordeb yn y sgwrs. Efallai y byddai 'Araith' yn well gair i'w ddefnyddio – doeddwn i ddim yn gwneud dim ond gwrando. Gwyddai'r gyrrwr fwy am glwb pêl-droed Caerdydd nag y gwyddwn i ac adroddodd ei hanes am awr gyfan. Esboniodd hefyd taw Cymry go iawn yw pobl y gogledd. Wedyn, adroddodd hanes hir, ac ychydig yn rhy fanwl, am y daith wersylla y bu arni gyda'i gariad. Ac yn y blaen ac yn y blaen.

'Watch out for this one, she's trouble,' meddai wrth agor y drysau ar gyfer hen fenyw. 'Alright, love? Say hello to the American here. He's on his way to the Welsh festival.'

'That's all the way down in Llangollen, dear,' meddai'r hen fenyw. 'This bus goes to Mold.'

'That's what I've told him, love,' meddai'r gyrrwr. 'He seems to think there's another one.'

Ar ôl saith mlynedd ar y bws (neu fel hynny y teimlai), o'r diwedd cyrhaeddais yr Wyddgrug. Ac ar ôl mwy nag ychydig o helynt, cyrhaeddais y maes carafannau. Wrth grwydro'n ddigyfeiriad meddyliais eto y dylai fod math o rybudd wrth brif fynedfa'r Eisteddfod: *If you don't already know what's going on, and where everything is, turn back now.*

Er, fe ymddengys taw fi oedd yr unig berson a geisiodd gyrraedd yr halibalŵ gyda sach deithio ar ei gefn. Cerddais ar hyd ffordd gyda phobl yn edrych arnaf fel petawn i newydd gwymplanio o'r lleuad. Teimlwn ychydig fel hynny hefyd – ar ôl sboncio trwy'r dydd ar drenau, bysiau a bellach fy nhraed, doeddwn i ddim yn teimlo'n hollol ddynol.

'Ti ydi'r boi 'na, ie? Yr American o'r teledu,' meddai dyn yn swyddfa'r maes carafannau.

'Ie, wel, efallai,' meddwn.

'Da iawn. Dal ati.'

Mynnodd fy ngyrru ar draws y maes i'r man lle gallwn osod fy mhabell. Dros sŵn y Cushman (sef y cerbyd bach, *golf-cart*-aidd hwnnw a ddefnyddir ar feysydd carafannau led-led y byd) esboniodd ei fod o'r gorllewin, a taw Cymry go iawn yw pobl y gorllewin.

Codwyd fy mhabell, gwnes i baned o de, bwyteais Toffee Crisp, a phenderfynais gael ychydig o gwsg. Roeddwn yn gorweddian yn haul y prynhawn gyda chopi o *Brithyll* gan Dewi Prysor yn gysgod pan ymddangosodd Rhodri – blogiwr Cymraeg arall – a'i wraig, Elin. Daliais i orweddian wrth wylio Rhodri'n mynd ati i geisio codi ei babell uffernol o fawr. Rhaid edmygu'r ffased hon o'r meddwl Prydeinig (er, dwi ddim yn siŵr a fyddai Rhodri'n hoffi i mi gyfeirio ato fel 'Prydeinig'):

maen nhw'n mynnu defnyddio pebyll enfawr *ultra-deluxe*. Mae gan y babell amryw ystafelloedd a thua chan rhaff i ddal y peth yn ei le. Gellid parcio car ym mhabell Rhodri ac Elin. Dim byd tebyg i'r un fach bitw oedd gennyf i. *Their tent was considerably more for encampment than camping*.

Roedd rhyw fath o bentref dros dro wedi tarddu allan o ddim ar y maes. Ymddangosai'r rhesi twt hir o garafannau gwyn fel petaent yn ymestyn hyd at y mynyddoedd yn y pellter. Yn wasgarog ar oror y Pentref Sydyn hwn eisteddai'r pebyll enfawr, rhaffau-i-gyd, ynghyd â'm pabell ffitio-mewn-sach-deithio innau. Ni oedd sipsiwn y pentref, neu'r *first line of defence* yn erbyn y byd Seisnig. Suddodd yr haul yn araf y tu ôl i'r mynydd a lledodd machlud haul pinc oren piws ar draws yr wybren. Hwnt ac yma codai mwg gwyn barbiciws fel tarth ysgafn tua murlun y machlud. Roedd pawb yn gwneud eu swper. Chwaraeai plant. Chwarddai cyfeillion. Canai Radio Cymru ar radios cludadwy.

Aeth Elin i ymweld â'i rhieni a phenderfynodd Rhodri a fi ddilyn ffasiwn y maes a thanio barbiciw yn hytrach na chrwydro i mewn i'r dref am fwyd. Bant â ni felly i'r 'InstaSpar', sef Spar mewn pabell syrcas yng nghanol y maes. Doeddwn i erioed wedi gweld y fath beth – siop yng nghanol maes carafán/gwersyllu. Yn amlwg mae gan Americanwyr a Phrydeinwyr syniadau hollol wahanol am beth yw *roughing it*. A dweud y gwir, gallaf weld gwerth y fersiwn hon; mae cwrw'n haws ei gael.

Yn ogystal â sawl càn Brains, prynom ni selsig, byrgyrs, byns a phopeth arall ar gyfer gwledd awyr agored. Ar y ffordd yn ôl i ymylon Pentref Sydyn, dywedais wrth Rhodri fod popeth o'n cwmpas yn fy atgoffa o ffilm.

'A wyt ti wedi gweld *Gladiator*?' gofynnais.

'Ydw,' meddai.

'Mae hyn yn atgoffa fi o *Gladiator*,' meddwn. 'Dechrau'r ffilm, pan maen nhw'n campio yn yr Almaen neu ble bynnag. Ti'n cofio? Ac mae ganddyn nhw ryw fath o *tent city* a barbiciws a phopeth. Dwi'n cofio gweld hynny a meddwl, "Uffach, dwi eisiau bod yn filwr Rhufeinig jyst er mwyn y campio." Ond nawr, dyma chi bobl Cymru yn *invaders* yn eich gwlad eich hunain.'

Fel roedd yn digwydd, gwersyllai Nic (http://morfablog.com) yn agos atom, a diolch byth ei fod e'n ddyn darllengar oherwydd bu'n rhaid defnyddio pob tudalen o'i bapurau newydd ar gyfer tanio'r barbiciw. Ar ôl dim ond tri neu bedwar diwrnod o daflu matsys a phwffian ar y siarcol, fe lwyddom ni i gynnau tân. Eisteddais yn un o gadeiriau cynfas Rhodri yn llymeitian fy nghwrw gan wylio ein swper yn coginio. Roedd y lliw bron â diferu o'r awyr ond ym mhorffor tryloyw y cyfnos roedd y mwg persawrus yn dal i'w weld yn hongian uwchben Pentref Sydyn. Neidiai goleuadau tortshys wrth i'r plant gwrso ei gilydd.

'Fel hyn y dylai Eisteddfod fod,' cyhoeddais yn hanner meddw wrth neb yn benodol. 'Fel hyn y dylai hi fod.'

Ac wedyn sylweddolais taw fel hyn y *mae* Eisteddfod. Dyna oedd hi, o flaen fy llygaid: y rheswm pam mae pobl yn mynd i Eisteddfod. Yn wahanol i'r hyn a ddisgwyliais, nid mynychu Eisteddfod yw pwynt mynychu Eisteddfod. Fel y dywedais o'r blaen, siom oedd fy mhrofiad cyntaf o'r Eisteddfod, ac ers hynny, pan gwestiynaf y rheswm am fodolaeth y Brifwyl, yr hyn a glywaf gan ei chefnogwyr yw sôn am y pethau aneirif sy'n digwydd y tu allan i'r maes – y dramâu a chyngherddau a'r gìgs ac ati. Mewn ffordd, mae dweud hyn yn debyg i ddadlau o blaid cefnogi tîm rygbi cenedlaethol Cymru trwy ddweud eu bod nhw'n chwarae yn Stadiwm y Mileniwm, sy'n agos at lawer o dafarnau da. Mae'n rhyfedd o beth i awgrymu bod gan rywbeth werth oherwydd y pethau o'i gwmpas. Ac eto, wrth eistedd ym Mhentref Sydyn gallwn ei ddeall a'i werthfawrogi'n glir. Y sefyllfa hon oedd y pwynt.

Pwynt Eisteddfod yw'r cymdeithasu ac adnewyddu'r ysbryd Cymreig. Hwn yw'r diwygiad newydd. Mae'r Eisteddfod yn rhyw fath o gwrdd efengylaidd heb yr efengylu. Dyma fersiwn fiwrocrataidd, seciwlar, blastig, hawdd-ei-threulio o'r hyn a ges i pan oeddwn yn ifanc ac yn byw yn y *Bible Belt*. Mae'n gyfle i gogio. Mae'n gyfle i gymuno. Mae'n gyfle i ailfedyddio yn nyfroedd Cymreictod.

Mae'r Profiad Cymraeg fel crefydd. Amser maith yn ôl, pan es i ati i ddysgu'r iaith meddyliais taw iaith yr oeddwn yn ei dysgu. Ond mae'n fwy nag hynny, onid yw? Nid geiriau a gramadeg a chystrawen yn unig yw'r Gymraeg; mae'n ddiwylliant, yn bobl ac yn ddull o feddwl. Pan fo person yn dysgu'r Gymraeg disgwylir iddo ddysgu hefyd sut i fod yn Gymro. Yn fwy na hynny, disgwylir iddo geisio *bod* yn Gymro, gan addasu ei ymddygiad at gysyniadau Cymru/Cymraeg/Cymry/Cymreig. Ac mae yna nifer o ddysgwyr sy'n eithafol o fodlon i gario'r faner dros Gymru. Yn eu tyb nhw, mae gan bopeth ac unrhyw beth werth os gwneir e yn y Gymraeg, a dyna ble mae pethau'n dechrau ac yn gorffen. Y canwr gorau a fu erioed ac a fydd byth yw Bryn Terfel – oherwydd ei fod yn siarad Iaith y Nefoedd.

Pan ddechreuais i ymddiddori yn y Gymraeg efallai bod elfen o'r meddylfryd hwnnw yn perthyn i minnau hefyd. Ond nid mwyach. Efallai nad ydw i'r math o ddysgwr a ddisgwylir imi fod. Dwi ddim am arddangos y ddraig goch ar bob dim o'm heiddo; na gwisgo crys pêl-droed Cymru dim ond oherwydd taw crys pêl-droed Cymru ydyw. Nid dyna'r math o berson ydw i. Rydw i wedi ceisio, ond . . . dwi ddim.

Enw fy mlog Cymraeg ar y dechrau oedd, 'Dwi Eisiau Bod Yn Gymro', ond ar ôl byw yng Nghymru am sbel penderfynais gael gwared â'r enw hwnnw. Sylweddolais na allwn lynu wrth yr athrawiaeth. Erbyn hyn, teimlaf yn fwy fel arth mewn syrcas Rwsiaidd. Y math o greadur a welir mewn fideo graenog ar wefan PETA yn gwisgo het gowboi ac yn hercian o droed i droed. *Dancing bear* – ond nid dawnsio y mae e. Dyw e ddim yn ymwybodol o'r gerddoriaeth; symuda oherwydd taw dyna beth y mae e wedi dysgu ei wneud wrth ymateb i'r gerddoriaeth. Yn y byd Cymraeg/Cymreig teimlaf fod yna rywbeth na allaf innau ei amgyffred.

Os crefydd yw'r Profiad Cymraeg, dioddefaf argyfyngau ffydd yn aml. Dwi ddim yn teimlo cariad Iesu Gravell, fel petai. Nid Cymro ydw i; person sy'n siarad y Gymraeg ydw i. Rhaid cyfaddef fy mod i'n cario chwerwedd tuag at lawer o'm profiadau, yn ogystal â theimlo nad ydw i'n perthyn i Gymru. Byddaf yn onest a chydnabod bod y teimladau hyn yn brifo. Anodd yw delio â nhw heb fod yn finiog fy nhafod, ac rydw i'n siŵr fy mod yn dweud pethau na ddylwn eu dweud ambell waith. Eisoes gallaf ddychmygu dychwelyd at y llyfr hwn ymhen pum mlynedd a theimlo gast o chwithdod trosto. Ond dyna beth yw byw. Gwell byw a gwneud traed moch o bethau na pheidio byw o gwbl.

Ac efallai bod y teimladau hyn yn gallu bod o fudd rywsut. Teimlaf erbyn hyn y gallaf ddeall, i raddau, pam y byddai person eisiau peidio â dysgu'r Gymraeg. Gallwn ddefnyddio hynny, efallai, i geisio canfod rhesymau gwell dros ddysgu. Meddyliwch am y peth: pam y dylai person ddysgu'r iaith? Hynny yw, pam y dylai ddysgu'r iaith Gymraeg yn lle Almaeneg neu Ffrangeg ac yn y blaen? Dyw cenedlaetholdeb neu sentimentaliaeth ddim yn ddigon o reswm. Mewn gwirionedd, pryderaf y gallai'r rhesymau hynny gryfhau teimladau yn erbyn yr iaith yn y rheiny sy'n Gymry di-Gymraeg. Sut brofiad fyddai i gael person yn awgrymu nad ydych chi wir yn *chi* oherwydd na wnewch hyn neu hyn? Sut deimlad fyddai cael eich dieithrio gan eich cyd-wladwyr? Gall y Profiad Cymraeg niweidio ei hunan fel hyn.

Yn gyffredinol, mae'r Cymry Cymraeg yn ynysig. Er, nid heb reswm na phwrpas. Mae dull y Gaer Gymraeg o feddwl – cyndynrwydd siaradwyr yr iaith – wedi helpu'r Gymraeg i oroesi dros y blynyddoedd. Adeilada nifer o Gymry (nid pob un, wrth gwrs) furiau meddyliol i wahanu eu hunain oddi wrth weddill y byd. A thrwy arwahanu fel hyn cedwir yr iaith yn fyw. Neu, o leiaf, yn weithredol. Gellir dadlau pa mor 'fyw' yw hi os oes yna gynifer o bobl yn teimlo nad oes lle iddynt ymhlith y dyrfa Gymraeg ei hiaith. Anodd yw cael mynediad i'r Gaer Gymraeg. Tybed a fyddwn i wedi ennill mynediad oni bai am y rhaglen ddogfen amdanaf? Hynny yw, sut fyddai pethau wedi bod i mi oni bai imi gael fy wyneb mawr hurt ar y teledu? Petawn i'n cynnig cyngor i Americanwr arall sydd eisiau symud i Gymru ac ati, oni fyddai angen imi ddweud wrtho: 'And be sure to get a documentary made about you; that really helps break the ice.'

Pa obaith sydd gan y Cymro neu'r Sais anenwog sydd eisiau byw yng Nghymru a theimlo'n rhan go iawn ohoni? Efallai taw am y rheswm hwn y teimla sawl dysgwr ddyletswydd i arddangos rhinweddau Cymreictod – eu gorfodi eu hunain i ddatblygu gwerthfawrogiad o gerdd dant neu beth bynnag. Ond dyw pawb ddim yn fodlon gwneud hynny. Ac yn y byd cyfoes – lle mae popeth a phawb ar gael trwy sgrin cyfrifiadur

– rhaid gofyn ai meddylfryd y Gaer Gymraeg sy'n gyfrifol am *brain drain* ymhlith siaradwyr yr iaith.

Cydnabyddaf fod rhai o'm hagweddau tuag at y gymdeithas Gymraeg ei hiaith yn dod o'r hen chwerwedd hwnnw. Weithiau mae'n chwerthinllyd o bitw. Er enghraifft, treuliais fis unwaith wrthi'n llidio nad oedd neb yn cyfeirio ataf fel 'chi'.

'Maen nhw'n dangos amharch oherwydd taw Americanwr ydw i!' meddyliwn.

Ond ni fyddwn eisiau neb i gyfeirio ataf fel 'chi'. Cyfeiriaf atoch chi, ddarllenwr annwyl, fel 'chi' oherwydd wn i ddim beth yw eich enw. Petaem ni'n siarad wyneb yn wyneb, 'ti' fyddai'r ffurf, fwy na thebyg, oherwydd fy mod yn rhy ddiog i geisio creu hierarchaeth gymdeithasol yn fy mhen ar eich cyfer.

Rydw i'n sylweddoli felly y bydd fy nheimladau yn siŵr o newid gydag amser. Edwina'r chwerwedd. Mae'n cymryd amser i wreiddio, a dyw hynny ddim yn rhywbeth sy'n unigryw i Gymru. Canaf glodydd Minnesota, er enghraifft, ond wrth gwrs y byddwn – mae gennyf gyfeillion yno yr ydw i'n eu nabod ers mwy nag ugain mlynedd. Ond efallai y byddai'n anodd i newydd-ddyfodiad weld yn syth beth sydd mor odidog am y dalaith oer a gwastad. Roeddwn yn arfer dweud bod yna hafaliad syml y dylai person ei ddefnyddio ar gyfer deall cymdeithasu ym Minnesota: 1 mis = 1 munud. Hynny yw, mae pob un mis yr ydych chi wedi nabod person ym Minnesota yn gyfartal â'r nifer o funudau y mae'r person hwnnw'n fodlon sgwrsio â chi. Os ydych chi newydd gwrdd â rhywun, felly, cewch 'Hello', a 'How's it goin'?' a 'How 'bout this weather, eh? Cold enough for ya?' a beth bynnag arall a ffitia i mewn i funud. Ar ôl pum mlynedd (60 munud/mis), cewch wahoddiad i farbiciw. Ar ôl chwarter canrif, gallwch alw draw i dŷ eich cyfeillion heb angen ffonio ymlaen llaw. Tybiaf fod gan Gymru ryw fath o hafaliad cyffelyb.

Ac rydw i'n fodlon rhoi'r amser hwnnw i Gymru. Daw cysylltiad cryfach â'r wlad fechan hon y tu mewn i wlad fechan arall, rydw i'n siŵr. Eisoes rydw i'n addasu iddi. Yn araf. Bydd yna sawl her ac ing arall, ond ar adegau o gallineb gallaf weld gwerth yn yr ymdrech. Pan feddyliaf am fy nyfodol, yng Nghymru y dychmygaf y bydd hwnnw. A dwi ddim ar fy mhen fy hun yn teimlo hynny.

'Dwi eisiau i'n plant ni siarad Cymraeg,' dywedodd y briodferch ifanc wrthyf yn ddiweddar, yn ei Chymraeg newydd sbon. Roeddem ar y ffordd lan y Garth.

'Does dim rhaid,' meddwn. 'Peth da yw dysgu iaith, ond gallen nhw ddysgu Sbaeneg.'

'Os maen nhw eisiau,' meddai. 'Ond dwi eisiau nhw siarad Cymraeg hefyd.'

Yn ôl ym Mhentref Sydyn, eisteddodd Rhodri a fi o amgylch y barbiciw yr oeddem bellach yn ei ddefnyddio fel lle tân. Gorweddai hen goeden ger y gwersyll, ac roeddwn i wedi rhoi'r dasg i'm hunan o'i datgymalu a'i bwydo i'r fflamau. Canai Radio Cymru ar radio *wind-up* Rhodri. Oerodd y nos. O dro i dro byddai rhywun yn crwydro draw i ddweud helô, rhannu cwrw neu win, a thwymo wrth y tân. Sylweddolais taw hwn oedd y tro cyntaf ers wn-i-ddim-pryd i mi deimlo'n fodlon lle yr oeddwn. Nid oeddwn yn fy ngorfodi fy hunan i gymdeithasu yn y Gymraeg er mwyn gwella fy safon iaith, neu mewn ymgais ryfedd i gyfiawnhau fy mod yng Nghymru. Roeddwn eisiau siarad â'r bobl hyn. Roeddwn eisiau bod yno. Ac roeddwn i'n . . . hapus. Os dyna'r gair i'w ddefnyddio. Teimlwn y math o beth tawel hwnnw a ddaw o'ch enaid, sy'n rhoi ichi egni ac awydd i ddal ati.

Fe eisteddom ni yno am sawl awr; gwacawyd y caniau cwrw a'r poteli gwin. Ymhen hir a hwyr penderfynodd Rhodri ei throi hi am ei wely. Eisteddais wrth y tân am sbel, yn gwylio'r marwor coch yn darfod i'r tywyllwch oer. Ac yna edrychais ar y sêr. Hongiai mwg tanau eraill yn yr awyr ond trwy'r tawch mân llwyd gallwn weld y cyfanfyd yn lledu o'm blaen am byth. Arhosais tan i mi weld seren wib. Gwnes ddymuniad. Ac yna meddyliais: Wn i ddim pam na sut ond rydw i i fod yma.